CAPTEN

CAPTEN

Meinir Pierce Jones

Enillydd Gwobr Goffa Daniel Owen
Eisteddfod Genedlaethol Cymru
Ceredigion 2022

Hawlfraint
©Meinir Pierce Jones, 2022
©Gwasg y Bwthyn, 2022

ISBN: 978-1-913996-55-0

Dymuna'r cyhoeddwyr gydnabod cymorth ariannol Cyngor Llyfrau Cymru

Clawr: Olwen Fowler
Gwniadwaith o'r llong *Cambrian Queen*:
Capten John Jones (1859–1913)

Cyhoeddwyd gan:
Gwasg y Bwthyn,
36 Y Maes, Caernarfon, Gwynedd LL55 2NN
post@gwasgybwthyn.cymru
www@gwasgybwthyn.cymru
01558 821275

Argraffwyd a rhwymwyd yng Nghymru ar ran
Llys Eisteddfod Genedlaethol Cymru
gan Wasg y Bwthyn

CAPTEN

Cyflwyniad

Tra oeddwn i'n ysgrifennu *Capten* meddyliais lawer am hen deulu'r Ffridd gan deimlo tynfa rymus yn ôl atyn nhw a'u byw. Ond y genhedlaeth sy'n codi yw'n dyfodol a'n gobaith ac mae hon i 'mhlant, Math, Casia, Efa a Sabel, a'm dau ŵyr bach annwyl, Caio a Deri.

Hanesion hen am wŷr di-nod,
      hen forwyr Nefyn,
fel chwi a minau'n byw a bod
      a darfod wedyn.

'Portdinllaen'
J. Glyn Davies
  o
Cerddi Edern, Gwasg y Brython, 1955

Nodyn i'r Darllenydd

Mae hanes Capten John Jones, Glan Deufor, Rosland Terrace, Morfa Nefyn yn hanes gwir, ac wedi'i gofnodi yng nghyfrol Aled Eames, *Ventures in Sail*. Cadwyd yr ohebiaeth o'r cyfnod sy'n sail i'r nofel yn ddiogel dros y cenedlaethau, a bu'n ffynhonnell ymchwil werthfawr. Gwir deulu Elin Jones yw'r teulu a bortreadir yma, teulu'r Ffridd, Ceidio, a'u hanes drwy'r blynyddoedd hyn. Mae yma gymeriadau eraill oedd yn sicr yn byw hyd yr ardal yn y cyfnod a ddarlunnir – Sarjant John Humphreys, Doctor John Hughes Nefyn, Mrs Ellen Jones Tŷ Coch, Hugh Griffiths Siop Isaf, Edern a Gruffydd Jones y coetsmon i enwi rhai. O ran y gweddill – mae'n fwy anodd dweud o ble daethon nhw . . .

Adroddir yr hanes o fewn fframwaith cymdeithas forwrol y cyfnod ac mae'r llwybrau a llawer o'r lleoedd sy'n cael eu henwi yno i'w troedio a'u gweld heddiw. Mae'r ffermydd a'r strydoedd a'r traethau yno o hyd – melin Edern, Tŷ Coch a Bryncynan – er bod rhai eraill wedi diflannu ers tro. Crëwyd ambell le er mwyn y stori, fel Tŷ Capel y Tabernacl, Morfa Nefyn, Plas Coedmor yn Nefyn a Llain Beuno, a newid enwau yma a thraw pan deimlid fod hynny'n beth doeth i'w wneud.

Mewn gair, plethwyd ynghyd ffaith a dychymyg i greu rhaff sy'n ddigon cryf, gobeithio, i angori'r stori.

7

RHAN UN

1

Mae hi'n fore oer o Fawrth, a'r awyr a'r dŵr yr un lliw ar draeth Morfa – y lliw hwnnw nad oes enw arno. Bu'n dywydd mawr ers dyddiau ac er ei bod yn sych y bore 'ma, a'r gwynt wedi tawelu, mae'r môr yn dal yn frochus.

Daeth Elin Jones i lawr i'r traeth cyn iddi wawrio'n iawn i gymuno â'r môr. Ar ôl gweld a synhwyro'r môr, ac ymestyn i roi ei llaw yn ei oerni, mae hi'n teimlo'n nes at John. At y môr y daw hi, er nad dyma'r môr y mae John yn hwylio arno. Ond mae'r moroedd i gyd yn cydio yn ei gilydd, don wrth don, on'd ydyn? Heddiw, yr unig longau i'w gweld ydi dwy sgwner ddiarth sy'n cysgodi yn y bae rhag gwynt y dwyrain, a'r llongau draw ym Mhorthdinllaen sy'n cael eu trin a'u trwsio. Mae hi'n nabod y *Mairwen* fach o fan'ma.

Ond does dim amser i ymdroi. Bydd eisio codi Hughie a'i hwylio'n barod am yr ysgol. Roedd yn chwyrnu cysgu pan adawodd hi'r tŷ. Mae'n chwythu ar ei llaw i'w chynhesu ac yn ei sychu yn ei siôl, cyn troi cefn ar y traeth a dechrau dringo'r allt heibio i Tŷ Halen tua'r pentre, a'i chartre. I'w chwfwr daw dynion yn eu hesgidiau hoelion ar y ffordd i'r odyn, yr ierdydd glo a'r gwaith brics, pawb a'i ben i lawr rhag y gwynt.

Peth rhyfedd ydi cael un llaw gynnes dan ei chesail ac un llaw iasoer. Mae'n ei hatgoffa bod dyddiau lawer wedi pasio ers iddi ddweud ei phader.

Roedd Hughie wedi clywed yn yr ysgol fod yna ddyn tynnu lluniau yn dod i'r dre, ac y câi pobol fynd yno ato i gael tynnu *photographs* yn rhad. Ychydig ddyddiau wedyn gwelodd hithau adfyrtéisment yn y Post yn cyhoeddi fod Mr Richard Morris Coombs, Rhuthun, o The Invincible Travelling Studio, am agor lle tynnu lluniau dros dro mewn tŷ preifat yn Stryd Moch ym Mhwllheli. Safodd mor hir o flaen y poster nes i Hughie ddod ati a'i ddarllen allan yn uchel:

"*Portraits, Cartes de Visites. Family groups. Reasonable Rates.* Gawn ni fynd?"

Mae yna *photograph* neu ddau ym mhob cartre erbyn hyn ond a fyddai'n bropor i Hughie a hithau gael tynnu eu llun, jest nhw ill dau, a hwnnw wedyn i'w weld hyd dragwyddoldeb sydd gwestiwn. Mi allai pobol weld yn chwith. Mi allen nhw bechu anwyliaid. Ond fasai waeth iddi geisio egluro hynny i geiliog chwadan ddim. Mi fedr hi ddeud 'Na' tan Sul y Pys ond fedr hi ddim argyhoeddi'r hogyn nad ydi'r peth ddim yn 'iawn' heb swnio fel crimpan annifyr. Dweud wnaeth hi yn y diwedd fod gwir angen brwsh sgwrio newydd arni, y câi hi hwnnw yn siop Davies & Jones yn y dre, ac nad ydi waeth iddyn nhw dynnu llun tra maen nhw yno ddim. Ond mae hi'n edrych ymlaen gymaint â fo. Trefnwyd at y dydd Sadwrn. At drannoeth. Mor fuan roedd y dyddiau'n mynd heibio er bod y misoedd yn llusgo.

Bore 'ma, unwaith y mae Hughie wedi'i chychwyn hi am Ysgol Edern efo'i ffrindiau, mae Elin yn mynd i ymarfer gwisgo amdani. Bydd y goets yn cyrraedd y pentre toc cyn wyth, a rhaid iddyn nhw fod yno'n aros mewn da bryd. Mae hi wedi penderfynu gwisgo'r ffrog y priododd hi ynddi, achos dim ond chwech oed ydi, a dim blotyn gwaeth. A bydd John yn adnabod y ffrog. Mae hi'n sefyll ar ganol y llofft rŵan yn ei throwsus pais, a'i bodis. Ar y gwely o'i blaen mae'r bais hanner laes, ei staes, a'r flows llawes hir, gwddw uchel wen sy'n mynd odani. Mae'r ffrog sidan drom, wyrdd tywyll a'r *underskirt* yn hongian ar y cwpwrdd dillad. Aeth cymaint o waith iddi: y tair sêm gul a ffrilen ddwbl wedyn ar y tu blaen, y sgert fflownsiog, y llewys tyn *leg o' mutton* yn agor allan at yr ysgwydd a'r fflownsan ffansi fel cynffon poni ar y pen-ôl. I'w chau mae deugain o fotymau smwt yn gwthio drwy ddolenni bach melfed ar hyd y cefn. Mae ei gwisgo yn mynd i fod yn gryn orchwyl, a waeth i Elin anghofio am unrhyw waith tŷ am y bore.

Chafodd John a hithau ddim tynnu llun ddiwrnod y briodas nac wedyn i nodi'r amgylchiad. Roedd o wedi mynd draw i Ddulyn i sefyll ei arholiadau capten ddechrau Mehefin a daeth y dystysgrif drwy'r post a'r dyddiad arni – *July 16th 1887* – union fis cyn y briodas. O fewn tridiau i briodi roedd wedi cael cynnig llong, ac wedi hel ei bac, ac roedd hi ar ei phen ei hun eto. Aeth y cyfle heibio. Ond ffasiwn reit newydd oedd tynnu llun priodas, cysurodd Elin ei hun, a rhywbeth i bobol wahanol iddyn nhw. Roedd John ganddi, heb gymorth unrhyw bictiwr.

Ddiwrnod eu priodas, roedd hi gartre yn y Ffridd a'i chwiorydd – Anne, Jane a Meri – yn berwi o'i chwmpas ac am y gorau i'w helpu efo'i gwisg.

"Dal dy wynt rŵan, i mi gael tynhau'r staes 'ma!"

"Cod dy wallt am funud i mi gael gosod y ruban yn syth."

Heddiw, does yna neb i gau'r botymau iddi. Mae hi am gau cyn uched ag y gallith ei hun, gan ddiolch ei bod yn ddigon main ac ystwyth. A bore fory bydd rhaid i Hughie olchi ei ddwylo'n lanach na glân a chau'r botymau top iddi.

Fel mae hi'n rhoi'r staes asgwrn morfil amdani ac yn dechrau'i dynhau, daw cnoc fawr uchel ar ddrws y ffrynt a llais yn galw: "E-lin! Wyt ti adra? E-lin?"

Mae lleisiau'r chwiorydd mor debyg fel nad ydi Elin yn sicr am funud prun ohonyn nhw sy'n galw ei henw. Clyw sŵn traed yn martsio drwadd i'r gegin. Mae'n agor drws y llofft ac yn mân-gamu ar hyd y landin. Ar y bwrdd yn y pasej mae het bob dydd ddu Anne – yr un efo'r netin. Dyma droi'n ôl am y llofft ar flaenau'i thraed, gan aros wrth y drws i weiddi:

"Yn y llofft ydw i! Gneud y gwlâu. Fydda i ddim pum munud. Rho ddŵr yn y teciall i ni gael panad."

Erbyn i Elin ddod i lawr i'r gegin yn ei dillad bob dydd mae'r tebot a llestri ar y bwrdd ac Anne yn eistedd yno'n aros amdani. Anne ydi'r ganol o ferched y Ffridd, os cyfrwch chi Catrin a fu farw'n wyth oed, ac sy'n aelod tragwyddol o'r teulu. Mi allech chi roi Anne yn hŷn nag Elin achos mae hi'n gwisgo'n hŷn, mewn du yn bur aml, ac mae 'na dwtsh o'r ledi ynddi ers y dyddiau pan fu'n gweithio fel *companion* i wraig fawr o'r dre. Gwisga'i gwallt yn gocyn ar ei phen heblaw'r mymryn yn y ffrynt sydd wedi'i grimpio'n gyrls.

"Pasio ydw i ar fy ffor' i Nefyn, wedi cael gwadd am ginio at Miss Ellis, Rhugfa."

"Maggie? O, neis iawn, wir. Cerddad wnest ti? Mi fasat wedi bod yn gynt ar d'union heibio Bryncynan."

Bratha'i gwefus. Dydi hi ddim am fod yn annifyr, mae hi'n falch o weld ei chwaer er iddi gyrraedd ar adeg anghyfleus. Mae harddwch Anne ynddo'i hun yn donig.

"Baswn, ond ro'n i am dy weld di, Elin. Am gael sgwrs."

"O, felly?" Mae Elin yn eistedd ac yn estyn am y tebot. Mae ei bochau'n binc ar ôl y strach o dynnu'r staes ac ailwisgo. "Bob dim yn iawn? Sut mae pawb?"

Priododd Anne hefyd gapten llong, mab fferm Mochras wrth ymyl y Ffridd. John Jones arall, Johnnie i bawb o'r teulu. Un o longau'r Gwynedd Shipping Company, *Moel Eilian*, ydi ei long o – agerlong fwy o lawer nag unrhyw long y bu John arni. Er mwyn hwylustod, symudodd y ddau i fyw i Gaernarfon, ond a'i gŵr i ffwrdd am gyfnodau hir, daw Anne adra at ei rhieni'n bur aml.

"Eitha byth, sti. Mi ddaeth Jane draw ddiwadd pnawn ddoe, i odro i Nhad. Roedd hi'n cofio atat ti."

"Wyt ti wedi anghofio sut i odro?"

Estynnodd Anne gwd papur llwyd o'i bag a'i osod yn dringar ar y bwrdd.

"Wya i Moses Dafis. Mae hi am alw draw ddechra'r wsnos i dy weld, wrth nôl negas."

Edrycha Elin yn dreiddgar ar ei chwaer. Mae'n amlwg fod mwy i ddod.

"Roeddwn i'n meddwl y dylat ti gael gwybod . . . mae hi'n magu mân esgyrn, mi fydd yna fabi bach ym Madryn Isa cyn y Dolig." Dydi Anne ddim yn edrych yn rhy hapus o fod wedi rhannu'r newydd.

"Mae hynna'n newyddion da iawn, tydi." Mae Elin yn rhesymol falch dros ei chwaer sydd ddwy flynedd yn hŷn na hi. "Roedd hi'n mynd i oed i gael ei phlentyn cynta, doedd." Mae'n cyfri'n dawel ac yna'n chwerthin. "Iesgob, wnaethon nhw ddim gwastraffu amser, naddo!"

"*Honeymoon baby*."

"Ond chawson nhw ddim *honeymoon*! Wel, dwi'n siŵr fod Mam a Nhad yn falch."

"Ydyn wir."

Ac maen nhw wedi cyrraedd pen draw y sgwrs. Cwyd Elin i estyn y dorth gyraints o'r pantri. Mae'n haws â'i chefn at ei chwaer.

"Wel, diolch am ddŵad i ddeud. Pryd fydd cinio? Un sleisan 'ta dwy?"

Ar ôl i Anne fynd, mae Elin yn dal i eistedd wrth fwrdd y gegin, a'r llestri o'i chwmpas. Mi ddylai hi fynd yn ôl i'r llofft i roi ail gynnig ar y ffrog cyn fory. Ond mae ei bol hi'n troi, ar ôl gwasgu'r staes yn rhy dynn, o bosib. Neu ella ddim. Fedr hi ddim aros yn y tŷ, prun bynnag. Bydd yr wyau'n ddigon o esgus i'w throedio hi am allt y môr a'r Bryn i geisio treulio'r newydd yma sy'n gwneud iddi deimlo'n llawen ac yn drist ar yr un pryd.

Erbyn i Elin gyrraedd y drws ffrynt, ac edrych i lawr y lôn tua Nefyn, mae Anne fel pry ffenest yn y pellter. Sylla arni'n mynd yn llai ac yn llai ac mae rhan ohoni am ei thynnu'n ôl gerfydd gwe anweledig i'w chael eto yn y gegin, ac ailddechrau'r sgwrs. Fedr hi ddim bod mor hawdd arni hithau chwaith, er nad ydi byth yn dangos dim. Bu Anne a'r Capten yn briod ers blynyddoedd, ond does dim hanes o blant.

Mae'n picio yn ôl i'r tŷ i nôl het, ac yn ei chychwyn hi.

Aiff heb oedi i gyfeiriad Nefyn ac wedyn i fyny lôn bach Tyn Pwll, lôn sy'n culhau rhwng cloddiau. Cymydog bore oes i dad Elin, Moses Dafis, sy'n byw yn y Bryn – clochydd eglwys Nefyn a thrwsiwr clociau wrth ei alwedigaeth. Eistedd yn syllu i'r dyrnad tân am ryw chwarter awr ydi patrwm pob ymweliad – yr hen fachgen yn poeri i'w lygad, yn cwyno am y tywydd ac yn rhestru marwolaethau diweddar y plwyf. Bydd yn holi'n ddigon manesol am ei rhieni yn y Ffridd, er mwyn ei gadw'i hun mewn wyau. Fydd o byth yn holi am John. Pan fydd ei thad yn mynd i hwyl wrth adrodd storïau amdanyn nhw'n hogiau'n dal ffesantod, rhoi tro yn eu cyrn gyddfau a'u pluo ar y cae, ac yn dwyn blodau o erddi Plas Gelliwig a'u gwerthu wrth ddrws cefn Plasty Madrun, bydd Elin yn cael trafferth coelio'u bod yn sôn am yr un dyn. Crimpiodd y blynyddoedd Moses Dafis yn brwnsan biwis. Chafodd hi erioed gynnig cwpanaid o de ganddo, ac mae'n gwestiwn ganddi a fyddai o'n ei hadnabod petai rhywun yn dangos ei llun iddo.

Wrth iddi nesáu at y bwthyn, does dim golwg o'r clochydd o gwmpas ac mae pobman yn dawel. O'r corn cwyd strimyn tenau fel edau o fwg. Ac oglau mawn. Edrycha dros y wal a gweld ei fod o wedi bod wrthi'n braenaru ar gyfer plannu'i datw cynnar; mae'r pridd yn fân fel siwgr. Mae ganddo dipyn o gennin i mewn o hyd a stwmps rwdins.

Lwgith o ddim.

Mae hi'n teimlo'n weithred siabi, ond brasgamu heibio'r bwthyn wnaiff hi heb arafu ei cham.

Ymhen dim o dro, mae hi ar ben 'rallt – y gwynt yn ei hwyneb, ac o'i blaen y bae'n ymagor fel powlen wydr anferth. Mae'r dyfroedd yno'n dawel ond allan yn y môr mae'r cesig gwynion yn dal i ddawnsio. Dacw'r sgwneri a welodd hi ben bore wrthi'n codi angor a gosod y lliain i gyd ar y mastiau cyn troi i gael y gwynt o'u cefnau ac ailgychwyn tua Corc, Rio neu New York ei hun. Mae eu gweld nhw a dyfalu am eu hynt yn cynhyrfu'r hen ddyheu ynddi. Cwyd ei braich i chwifio gan blygu yn ei hanner ac yna ymestyn – fel hwyl melin. Dim ond plant a fusutors sy'n chwifio neu godi llaw ar longau a chychod ffordd hyn, er bod ystum Elin yn edrych yn debycach i *physical instruction*. Gwyro, codi, siglo a mestyn ar flaenau'i thraed. Ond mae'r criw yn llawer rhy brysur i chwifio'n ôl, hyd yn oes os ydyn nhw'n ei gweld hi.

Yn wyrthiol, does dim un o'r wyau wedi torri ac wrth ailgychwyn ar hyd y llwybr, edrycha i lawr ar y pentre fan draw sydd â'i draed yn y dŵr yng nghesail 'rallt fôr. Cwta filltir o waith cerdded sydd o'i blaen; bydd llawer o'r seiri sy'n gweithio yno'n cerdded pum neu chwe milltir bob ffordd yn ddyddiol, gan gychwyn cyn iddi wawrio gefn gaeaf. Dros y degawdau mae ôl eu traed wedi cochi'r llwybrau o Laniestyn a Boduan. Ond mae newid yn y gwynt. Heddiw, mae pum llong ar y blociau ar y traeth, ond yno ar gyfer gwaith trwsio a chynnal a chadw maen nhw. Mae dros ddeng mlynedd ers adeiladu'r llong ddiwetha ar y traeth yma, ac ym Mhwllheli o ran hynny. Llongau haearn mawr sydd mewn bri rŵan a'r rheini wedi'u bildio mewn ierdydd pwrpasol – llongau fel llong John ei hun, y *Cambrian Queen*, a ddaeth o ddociau Sunderland. Cyn hir fydd y tadau ddim yn trafferth trosglwyddo crefft y saer llongau – lle mae popeth ar dro – i'w meibion, ac ar eu hôl nhw, bydd yr arfau'n rhydu.

Ar un o'r llongau bach brodorol y mae golygon Elin. Mae hi'n dipyn llai na'r llongau eraill ond hyd yn oed o'r man yma gall Elin werthfawrogi ei ffurf osgeiddig. Adeiladwyd y sgwner *Mairwen* yn fwy o geffyl rasio nag o geffyl gwedd ond bod ôl ei brwydrau arni ar ôl dros ddeugain mlynedd o forio ar hyd a lled y byd. Tynnwyd ei bowsbryd ac mae'n gorwedd ar draws y bwrdd, gan roi golwg flêr iddi, ac ni welodd dun paent na brwsh sgwrio ers llawer dydd. Ar lanw, bydd dŵr yn ffeindio'i ffordd i'w gwaelodion hyd yn oed drwy'r tyllau hoelion ac mae hi'n dragwyddol damp. Aeth ei hwyliau'n fagiau blawd a matiau ac yn nenfydau i grogllofftydd dros y blynyddoedd ond mae ei pherchennog yn dal i freuddwydio am ei rigio hi eto ryw ddydd.

Ymhen cwta chwarter awr mae Elin wedi croesi'r traeth a rowndio Pen y Cim lle mae 'na stemar fach wrthi'n dadlwytho glo wrth y lanfa, a'i hwter yn boddi crio'r gwylanod i gyd. Yna mae traeth bychan Henborth o'i blaen a phrysurdeb y lle'n cymryd ei gwynt am funud: mae'r gof yno heddiw wrthi'n morthwylio ar ei engan a'r sbarcs yn sêr. Draw wrth y Whitehall mae ciang o ddynion yn chwys domen wrthi'n gosod styllod i gynnal sgwner cyn mynd ati i weithio ar y cêl a hen weiddi i drio'i chael yn sad yn ei lle. Daw aroglau coed yn llosgi i'w chwfwr o dân mewn hen grochan ac oglau tar ar ei gwt. Mae drysau'r tai yn agored a gwragedd mewn bratiau yn sefyll i siarad – un yn magu babi, un arall a phwtyn gwinglyd ar ei chlun. Rhyngddyn nhw mae merch ar ei gliniau yn golchi carreg y rhiniog ac yn magu cric yn ei gwddw wrth geisio dilyn y sgwrs. Ac mae Margiad Rowlands y forwyn yn hwylio i agor tafarn Tŷ Coch, ac yn hir yn sgubo'r cowt blaen, iddi gael golwg iawn o'i gwmpas.

Mae'r bae yr un mor brysur â'r traeth. Allan wrth y Trwyn Llwyd maen nhw'n dadlwytho cargo o slŵp i gwch bach. Teflir sach heibio'r dyn sydd â'i freichiau allan i waelod y cwch nes bod hwnnw'n siglo, y cwbwl bron â mynd bendramwnwgl i waelod y môr a rhyw 'ddiawl gwirion' yn cael ochor pen. Sacheidiau gwyn ydyn nhw, sachau gwenith, debyca, ar gyfer cegin Plas Boduan neu Blas Nanhoron; ceirch a haidd ydi'r cnwd ffordd hyn. Yn nes yma caiff rhwydi'u taflu o un cwch pysgota i'r llall, ac wrth i un ohonyn nhw syrthio rhwng y ddau gwch mae patrwm o sgwariau'n ffurfio am eiliad ar wyneb y dŵr. Ar fwrdd y brìg *Anne and Mary*, mae dau yn dynn yn ei gilydd wrth y pŵp yn rhoi'r byd yn ei le – chwerthin harti'n rowlio rhyngddyn nhw, a mwg baco'n codi. Tu cefn iddyn nhw yn y starn, mae dau lanc wrth eu gwaith yn profi'r rhaffau dan gománd y mêt – yn halio a gweiddi am y gorau.

Wrth nesáu mae Elin yn gweld dau a'u cefnau ati ar fwrdd y *Mairwen*, yn tynnu i geisio rhyddhau rhaff sydd wedi mynd yn gwlwm cwlwm. Ond dim ond un ohonyn nhw sy'n ddyn – hogan, llances ydi'r llall. Adi ydi hi.

Atyn nhw mae Elin yn mynd, gan godi ei sgert i ddringo'r ystol fach bren i'r bwrdd a chamu drosodd yn ddi-lol. Mae'n aros am saib yn y lygio cyn galw:

"Oes 'ma bobol?"

"Helô!" Mae Adi'n fwy na pharod i gael seibiant oddi wrth y trymgwaith. "Musus Jôns, ylwch, Captan." Mae hi'n chwythu.

"Elin Jôs," meddai'r capten. "Pa hwyl?"

"A sut 'dach chi, Captan Rol?"

"Fel y gweli di fi, hogan. *Past my best but still seaworthy.* A tydi'n braf cael bod allan ar bnawn, yn lle bo' rhywun yn tŷ ar ben tân. Lle mae'r hogyn gin ti?"

"Yn 'rysgol 'te. A dyna lle dylat titha fod, Adi Parry."

"Duw, duw, i be . . .?"

"Peidiwch â'i chynnwys hi, Captan, yr ysgol ydi'i lle hi. Mae yna ddigon yn ei phen hi. Adi, dwi'n deud y gwir, tydw?"

"Wna i 'panad i ni."

Mae Adi'n eu gadael nhw ac yn mynd nerth ei thraed

am yr howld. Unwaith mae'n gweld ei chwt yn diflannu mae'r capten yn ymhelaethu.

"Dydi'r hen grymffastia 'na yn 'i phlagio hi, a dydi'n gneud dim gwell efo'r genod. Mae'n well i'r hogan yma efo fi."

"Ydi, i basio'r amser ella, ond roith hynny ddim torth ar y bwrdd. Mi fasa'n well iddi hi sticio iddi, ac ella basa hi'n cael lle mewn siop neu –"

"Mewn siop? Dim dros 'i chrogi i chi." Mae'n ysgwyd ei ben.

Mae Elin yn cofio am yr wyau ac yn eu hestyn o'i basged.

"Hannar i chi, a hannar iddi hi a Lydia Catrin."

Cymer y capten ddau wy o'r cwd papur, a'u rhoi un ym mhob poced.

"Duw a ŵyr sut maen nhw'n gneud. Roedd Adi'n deud bod siop Oakfield yn gwrthod rhoi dim ar y llechan iddyn nhw wythnos dwaetha."

"'Dach chi'n synnu?"

O'r howld daw llais Adi'n galw.

"Te heb lefrith yn iawn, Musus Jôns?"

"Diolch!" Mae Elin yn cau'r cwd papur ac yna, "Dim ein cyfrifoldab ni ydi o, a deud y gwir, ond fod 'i thad hi wedi bod yn hwylio efo John."

"Ar long cwmni arall oedd Twm Parry pan gollwyd o, cofia."

"Dwi'n gwbod, ond roedd y ddau wedi cychwyn morio efo'i gilydd, doeddan. A chafodd Lydia nesa peth i ddim iawndal."

"Digon i brynu mangl, meddan nhw. Fwy o iws na charrag fedd, reit siŵr."

Mae'r capten yn sbotio rhywbeth draw ar y gorwel ac yn codi'i law dros ei lygaid i allu gweld yn iawn. Sbloj wêl Elin, ond er ei ddeng mlwydd a thrigian, mae golwg yr hen ŵr yn dal yn rhyfeddol.

"Nabodi di honna, Elin?"

Dydi Elin ddim yn trafferth ateb hyd yn oed. Mae'r ddau yn dal i syllu'n dawel ond mi fydd yn sbel dda eto cyn bod y llong yn ddigon agos i hyd yn oed hen forwr fedru'i henwi hi. Brigantîn, meddai Elin wrthi'i hun, o weld ei hwyliau sgwâr. Un o longau Robert Thomas, Nefyn? Nid y nhw ydi'r unig rai â diddordeb chwaith; mae llawer o'r dynion a'r hogiau yn troi oddi wrth eu gorchwylion i'w gwylied hi'n dod i mewn.

Daw Adi o'r gali maes o law yn cario tair cwpanaid dun yn llawn te du bitsh. Mae'r capten yn tagu ar y gegiad gyntaf.

"Aglwydd! Dwi 'di yfad wisgi gwannach na hwn! Rhaid i mi gael smôc efo fo, neu fedra i byth 'i yfad o." O'i grysbas mae'n estyn clamp o getyn a bag baco sy wedi bod rownd y byd yn ôl ei olwg. Baco Amlwch mae o'n ei smocio ac unwaith mae'n tanio mae'r aroglau shag cry'n llenwi ffroenau Elin ac Adi. Mae o bron fel cael smôc eich hun.

Mae'r capten yn taro'i glun i lawr ar y canllaw i fwynhau y te a'r mygyn, a chael cynulleidfa.

"Sgynnoch chi ddim syniad, latsh bach. Pan esh i i'r môr gynta'n hogyn un ar ddeg oed, fel 'boi' yr ordor cynta gin y cwc oedd dysgu berwi dŵr heb 'i losgi fo. Ac wedyn dysgu plicio nionyn heb grio. Gweithio o bump y bora dan wyth y nos. Pobol fawr oedd yn yfad te adag honno – gwragadd capteiniaid – ac yn 'i gadw fo mewn tun ffansi o afael pawb. Mi ddois â llwythi o de ar y *clippers* o Shanghai heb flasu tropyn. Welish unwaith – llygod mawr wedi cnoi eu ffor' i mewn i'r cistia ac wedi byta hannar y te. Y mêt a ninna yn ailbacio be oedd ar ôl, baw and ôl, a'i werthu fo. Wel be arall wnaen ni, ynde?"

Mae Adi'n gwrando'n astud ond mae Elin yn troi'i llygadau at i fyny.

"Ond mi basioch chi'n gaptan yn y diwadd," meddai Adi a'i llais yn llawn balchder. "O'r gwaelod i'r top. Y job ora."

"Do, ac ar longa coed nobl, nid fel yr hen betha hyllion anhylaw 'ma sy'n cael 'u bildio y dyddia yma. Tydyn nhw ddim yn symud hannar cystal yn y dŵr, a dydi'r hogia sy arnyn nhw ddim hannar cystal morwrs. Dynion o haearn mewn llonga pren oedd hi ers talwm, sti, nid dynion pren mewn llonga haearn."

Mae'n tynnu ar ei getyn, ac wrth i'r mwg godi, yn gweld Elin yn edrych yn feirniadol arno fo. Dydi o ddim wedi plesio.

"Ond cofiwch," meddai a thwincl bach yn ei lygad, "roedd hynny yn y dyddia cyn arholiada'r Board of Trade. Ysgol wedi noswyl gan hen gapten bach yr *Antelope* ges i. Ond petae yna ecsamineshiyn ar y pryd, mi faswn wedi pasio yn saff i chi, a phasio'n uchal hefyd."

Roedden nhw wedi dod mor agos i wir reswm Elin Jones dros ddŵad i lawr i'r traeth y pnawn 'ma, wrth i'r sgwrs fynd i'r môr, ond wedyn aeth hen orchest wag Capten Rol â'r gwynt o'i hwyliau hi, a rŵan fedr hi ddim gofyn. Fedr hi ddim holi a ydi o wedi clywed rhywbeth am long John gan rai o'r hogiau sydd newydd gyrraedd adra o Lerpwl. Y straeon hynny nad ydyn nhw ddim i'w gweld mewn papurau newyddion, sydd ddim ond yn pasio drwy borthladdoedd ar dafodau dynion. Roedd hi bron wedi hel nerth ac wedyn mi gollodd ei phlwc, a cholli'r cyfle. Mae'n flin gacwn efo hi'i hun.

Ond mae'n hen bryd iddi droi am adra, ac mae wedi dechrau oeri. Mae'n gwneud ymdrech lew i orffen gweddill ei the.

"Dos di i'r ysgol fory, Adi," meddai, "mi wnei di well sgolor na llongwr."

"Ond . . ."

"A tyrd acw os ti eisio help efo sgwennu Saesnag, mi gei di gopïo llythyra fusutors i mi." Mae'n edrych i lygad Capten Rol. "Ac mi dala i ti – dwy geiniog am bob un."

Ar hyn, mae'n rhoi'r gwpan yn ôl i Adi, ac yn nelu am yr

ystol, gan ddringo i lawr yn ofalus rhag iddi faglu ac iddyn nhw gael hwyl am ei phen.

Cyn ailafael yn y gwaith lygio, mae'r ddau'n sefyll i'w gwylio hi'n mynd i fyny'r allt droellog a'i cheg yn set.

"Mi fasa Elin Jones," meddai Capten Rol wrth Adi, "yn gneud eitha captan 'i hun."

2

Mae Hughie wedi clywed yn yr ysgol fod Tir Gwenith yn mynd i gael coets newydd – un bedwar ceffyl. Yn ôl y sôn bu Thomas Jones y perchennog ar hyd a lled Sir Fôn a Sir Feirionnydd yn chwilio am geffyl o'r un maint a chorff-olaeth â'r tri sydd ganddo i'w thynnu hi. Chlywodd o ddim a gafodd o un ai peidio ond caiff wybod ymhen dim.

Ar groesffordd Cae Coch ym Morfa Nefyn maen nhw'n sefyll i aros. Cododd y ddau cyn cŵn Caer ac mae Elin yn ei rig-owt lawn, a Hughie wedi'i stwffio i'w siwt ddydd Sul, a'i wallt du wedi'i gribo'n fflat o dan ei gap. Ar ddydd Mercher yr aiff pawb bron o'r pen yma i'r dre – diwrnod marchnad. Mae siopau'r pentre yn gwerthu popeth at iws bob dydd, o baraffîn i siwgr i flawd, canhwyllau, halen a hyd yn oed frwshys sgwrio. Gallai Elin enwi dwsin a mwy o bobol o'r ardal yma na fuont erioed cyn belled â'r dre.

Gyferbyn â nhw mae William Robyns wrthi'n gosod cig Sul yn ffenest ei siop, a'r hogyn yn crogi cwningod a ffesantod ar y bachau tu allan. Daw Maggie Ty'n Coed i lawr Lôn Ucha yn tuthio'n fân ac yn fuan, a'i het yn codi a gostwng gyda'i cherddediad. Dyma Hughie yn troi at Elin ac yn edrych i fyny arni.

"Y goets newydd fydd yn mynd â ni i'r dre heddiw?"

"Dwn i ddim, gawn ni weld. Mi ddaw mewn dim rŵan, sti."

Mae Hughie yn camu rownd Maggie Ty'n Coed, ac yn sefyll a'i ben ymlaen fel clagwydd gan graffu i gyfeiriad pentre Edern i edrych a wêl o hi'n dŵad. Ar ei hunion i fyny Allt Goch y daw y goets, gan basio ceg lôn fferm Porthdinllaen, ac ymlaen heibio'r Tabernacl, capel Caersalem y Bedyddwyr a'r Post. Ond yn nhawelwch y bore, ei chlywed hi wnân nhw gynta. Unwaith y cyrhaeddan nhw ben yr allt, a'r tynnu trwm drosodd am y tro, mae'r ceffylau'n cyflymu eu cam, yn gweryru ac yna dacw nhw'n dod ar garlam braf a gwynt y môr ar eu cefnau. Clywir eu pedolau'n clecian yn erbyn cerrig y ffordd wrth nesu, a'r gyrrwr yn gweiddi, "Awê, rŵan, latsh!"

Maen nhw'n chwysu erbyn iddyn nhw gyrraedd y groesffordd, bob un o'r pedwar ohonyn nhw, ac yn falch o'r seibiant byr. Pan gaiff y ffrwynau'u tynhau i ddod i stop, maen nhw'n arafu gan stampio'u traed a chwythu'n swnllyd. Daw'r gyrrwr, Gruffydd Jones, i lawr i gyfarch y teithwyr, cymryd y pres gan Elin a rhoi newid iddi o'r papur chweugain. Mae'r oglau paent newydd melyn a du ar y goets bron cyn gryfed ag oglau'r ceffylau, a'r lliwiau'n gwneud i Hughie feddwl am gacwn mawr.

Dyma agor y drws iddyn nhw; ac oglau coed newydd, ffresh ac oglau lledr yn eu taro. Mae Elin yn pwyntio at y strapyn lledr i Hughie afael ynddo i ddringo i mewn, ond fedr o mo'i gyrraedd, a daw Gruffydd Jones i agor y stepen a rhoi hwth bach iddo i fyny. Tu mewn mae yna le i bump eistedd bob ochor, ac un sedd ar y pen yn wynebu'r drws. Gŵr a gwraig mewn oed ydi'r unig deithwyr eraill, yn eu du i gyd, a ffyn rhwng eu penliniau. Maen nhw'n ddiarth hollol i Elin, ac yn rhythu'n agored arni yn ei chrandrwydd.

"Prun ydi'r ceffyl newydd?"

Daw llais y gyrrwr o'r tu ôl iddynt. "Hwnna, blaen dde. Prins. Steddwch eich tri rŵan, gael i ni gael 'i chychwyn hi."

"Ga i eistedd ar y top? Sgwelwchyndda?" Mae Hughie wedi troi'n ôl i wynebu Gruffydd Jones.

"Na chei." Dau ateb, unllais. Mae'r gyrrwr wedi hen arfer efo hogiau'n penfeddwi ar goetsys, a cheffylau ran hynny, ac yn ateb yn ddigon ffeind. "Coets newydd ydi, yldi, a dwi'n dal i arfar efo hi fy hun. Be tasat ti'n syrthio i'r coed ym Moduan a'r hen fwystfil 'na yn dy ddal di!"

"A dy lowcio di."

Nid Elin ddywedodd hynna.

Rhaid i Hughie fodloni i eistedd yn y goets, ac mae'n nelu am y sedd sydd gyferbyn â'r drws. O fanno mi gaiff olygfeydd i'r dde a'r chwith drwy'r ffenestri. Dydi o ddim am gael ei dynnu i siarad efo'r hen bobol 'na ar hyd y ffordd. Eistedda Elin a Maggie Ty'n Coed wrth ymyl ei gilydd a'u basgedi ar eu gliniau. Caiff y drws ei gau'n sownd gyda chlec, a dyma deimlo'r goets yn siglo ac yn gwichian wrth i Gruffydd Jones ddringo'n ôl i fyny i sedd y gyrrwr.

"Walk on."

Mae Hughie yn ymsythu er nad oes neb o'i ffrindiau yno i'w weld o. Roedd o wedi bwriadu mynd i'r môr fel yr hogiau eraill, ond y munud yma mae o flys mawr mynd yn goetsmon.

Erbyn codi criw siaradus yn Nefyn, yn cynnwys dau longwr sy'n eistedd ar y top efo'u cistiau, a theulu wrth Fryncynan, mae'r goets yn llenwi, ac yn cynhesu. Lawr â hi yn bwyllog heibio Cors Geirch a thai'r Allt Boduan. Wedi pasio'r tŷ tyrpaig, a chadw i'r dde tua Phwllheli, maen nhw yng nghoed Boduan, a Hughie yn cofio am y bwystfil sy'n llechu yno. Mae'n cyffwrdd y sling sydd ganddo yn ei boced ac yn dal y cerrig yn gynnes yng nghledr ei law. Doedd o ddim i fod i ddod â fo, ond pwy sylwith?

Ar ôl pasio eglwys y plwyf maen nhw ar dir gwastad, a phawb yn falch fod y dringo drosodd am y tro. Mae'r bobol mewn oed yn patran drwy'i gilydd am y tywydd sâl, a chynhaeaf sobor llynedd, a'r byd caled sy ar bawb. Mae'r hen ŵr yn mynd ymlaen ac ymlaen fel injan am wenith gaeaf, gwenith coch sy wedi dod drosodd o Mericia, ond yn wreiddiol o wlad Twrci, ac yn dweud mai go brin y basai o'n gwneud mewn lle mor wlyb â Tyn Gors lle mae'r mab yn denant. Edrych drwy'r ffenestri mae Hughie ar y coed di-ddail ac edrych ymlaen i'r ceffylau ddechrau carlamu fflat owt unrhyw funud rŵan, i Gruffydd Jones roi prawf ar ei goets newydd, achos bydd eisio arafu ar ben draw y gwastad i fynd dros Bont Bodfal.

Hughie ydi'r cynta o'r teithwyr tu mewn i sylwi nad ydi'r ceffylau'n coedio mynd fel y dylen nhw. Mae Gruffydd Jones y coetsmon i'w glywed yn codi'i lais arnyn nhw, a nhwythau mor anniddig yn y tresi nes bod y goets yn sgrytian. Mae'r hen ŵr yn stopio siarad, yn dal llygad yr hogyn ac wedyn yn syllu draw a chrychu'i drwyn.

Ymhen rhai munudau daw'r goets i stop, a chlywant Gruffydd Jones yn neidio i lawr oddi ar ei fainc, ac yn mynd at y ceffylau sy'n pystylad a'u pedolau'n clecian. Mae Hughie ar ei draed, yn nelu am y drws i gael gweld be sy'n digwydd, ond daw breichiau oedolion allan i'w atal.

"Aros lle wyt ti, rŵan."

Dyma'r hen wraig yn estyn tamaid o daffi triog iddo o'i bag ac yn dweud wrtho am sipian, a chyn i gnawd meddal y taffi droi'n grefi yn ei geg daw Gruffydd Jones i agor y drws. Un ai mae hi wedi dechrau bwrw neu mae o'n chwys domen.

"Mae Prins wedi cloffi. Rhaid i mi aros yn fan'ma, mae arna i ofn, gyfeillion. Mae Twm Pant," gan amneidio at do'r goets, "am fynd nerth traed i Efailnewydd yn y gobaith o gael benthyg cobyn o'r Farmers. Ond mi fyddwn yma sbel dros awr."

Mae 'na sŵn cwyno ar unwaith a phobol yn siarad dan eu dannedd.

"Mi ddaw Guto Tan y Graig a'i drol heibio cyn bo hir. Rydan ni newydd 'i basio fo gynna. Mi alla fo fynd â thri neu bedwar ohonoch chi, os oes brys ar rywun. Neu mae croeso i chi gerddad, wrth gwrs – cwta bedair ydi dros y topia."

"Welish i gerddad yr holl ffor' i ffair Griciath o Aber- daron. Ac adra wedyn 'run noson. A chodi i ladd gwair am bedwar drannoeth."

Dydi stori'r hen fachgen am yr hen ddyddiau yn swyno dim ar Hughie. Pwysa ymlaen yn eiddgar: "Gawn ni'n dau gerddad? Fydd y llongwrs a'u cistia eisio mynd yn y drol, yn byddan." Mae ffrog Elin fel cyrtan o drwm, a does ganddi ddim côt gynnes, dim ond cêp gwta. Dydi ddim yn llamu at y syniad.

"Wna i gario'r fasgiad nes byddwn ni wedi cyrraedd top 'rallt."

Mae yna dipyn o gwyno, a phobol yn mynnu cael eu pres yn ôl, i'r ffardding. Nid Elin a Hughie ydi'r unig rai sy'n penderfynu ei ffwtwocio hi ymlaen at Bont Bodfal a heibio Gefail y Bont am Lannor, ond maen nhw'n llond lôn o hwyliau a'r lleisiau'n codi ar ôl cychwyn. Uwchben mae awyr las, ond mae'r gwynt yn fain. Bob hyn a hyn mae dyn ifanc byr, boliog yn estyn ei watsh boced yn bwysig ac yn cyhoeddi faint o'r gloch ydi, achos mae ganddo drên i'w ddal. A Hughie yn edrych yn boenus ar Elin bob tro.

Aros yn niddosrwydd y goets wna hen bobol Llangwnnadl, a sugno'u ffordd yn ddiddannedd drwy weddill y taffi triog.

"Welist ti'r ddynas 'na'n gadael i'r hogyn 'na gael 'i ffor' fel'na? Tasa fo'n fab i mi, mi faswn wedi rhoi taw arno fo mewn munud."

"Celpan iawn oedd o angan 'te. Neu chwip din."

"Wialan fedw."

"Pwy oedd hi, dwch? Oes gynni deulu tua Phen Llŷn 'cw?" Ac wrth ofyn y cwestiwn, mae'r hen wraig yn edrych yn ddisgwylgar ar Maggie Griffiths a'r gweddill sydd ar ôl yn y goets.

Mae pobol ardal Nefyn yn adnabod Elin Jones a'i theulu'n iawn – ar y ddwy ochor – ond dewis peidio ateb maen nhw i gyd. Er bod eu byd nhw'n galed mae congl gynnes yn eu calonnau i wragedd llongwrs – boed forwr cyffredin neu gapten. A dydyn nhw ddim am i'r ddau hen surbwch yma gael mynd i'w chiarpat bag hi, reit siŵr.

Mae drws Number Seventeen yn agor cyn i Elin orffen cnocio a Cwîn Victoria o ddynes fach mewn du o'i chorun i'w sawdl yn eu tynnu i mewn a chau'n glep ar eu holau. Duw a'i gwaredo rhag i'w chymdogion ddod i wybod ei bod wedi dod i hyn – ymostwng i letya *commercial photographer* i helpu at dalu'r dreth. Heddiw ydi diwrnod ola'r stiwdio ac mae'n hwyr glas ganddi weld cefn y dyn a'i sioe bìn. Ond cyflawna ei rhan hi o'r cytundeb yn gydwybodol; dydi o ddim wedi talu iddi eto. "Mi gymera i'ch cêp chi, thenciw fawr. Tynnwch chitha eich cap, ŵr ifanc." Heb ddim mân siarad, mae hi'n amneidio i ben draw tywyll y tŷ bychan. "Syth drwadd, yn y parlwr cefn." Mor dywyll ydi nes fod Hughie yn chwilio am law Elin wrth iddyn nhw fentro i lawr y pasej tua'r golau yn y pen pella.

"Bore da, *good morning*, pa hwyl heddiw'r bore? Richie Coombs, *at your service*." Mae'r ffotograffydd yn prysuro i'w cwfwr, a'i law allan. "Dau ohonoch chi sydd yna? *Oh, never mind*. Croeso mawr." A chyn i Elin a Hughie gael eu berings mae'r dyn bach â gwallt cyrliog mawr yn eu hwynebau, ac yn ysgwyd llaw Elin ac wedyn Hughie fel petai'n pwmpio dŵr. Mae'n troi wedyn i ddangos y set ar gyfer tynnu'r llun – llen o felfed piws trwchus, fâs flodau ffansi a chadair. "Os basech chi'n lecio gwneud eich hunain yn gyfforddus, gyfeillion. Mi rydech chi ychydig yn hwyr, ond na hidier am hynny.

"Rŵan, rydech chi'n bobol arbennig o lwcus, achos dyma owting gynta fy nghamera newydd sbon." Mae Elin wrthi'n trio twtio dipyn ar Hughie ac yn poeri ar ei hances i sychu sbrencs bach o fwd oddi ar ei foch, ac yntau'n bagio oddi wrthi. "*I finally took the plunge, dear friends*, dri mis yn ôl. Trên i fyny i Glasgow ac am Dundas Street lle mae siop Smith a phrynu hwn hefo fy *life savings*. Invincible!" Mae'n sefyll yn falch wrth ymyl ei gamera, sydd wedi'i osod ar dreipod, ac yn dal y lliain du fydd yn mynd dros ei ben. "*Mechanical shutter, spirit level incorporated, very best quality*." Mae'n swnio mor bles. "*Dry plate*, wrth gwrs. Gwerth pob dime."

"Fi'n eistedd a'r hogyn yn sefyll?"

"*Indeed*, Mrs Jones, *very touching*. A chi, be ydi'ch enw chi, 'ngwas i?"

"Hughie."

"Hughie? Hughie, rhowch eich llaw ar ysgwydd Mami. Na, dim wrth ei gwddw hi, fanna. Ia. *And look forward*. Mi gymerith ychydig funude rŵan, i gael yr *exposure*, ac mi rydw i am dynnu mwy nag un, jest rhag ofn, felly sythu plis, edrych yn syth i'r camera. *Heads up*. Dim siarad na symud rŵan. Bendigedig. *And hold it*." Ac mae'n diflannu o dan y lliain du.

Ac maen nhw yna, y ddau ohonyn nhw, wedi'u dal yn y lens ac mewn amser.

"Dwi wedi gweld newid ers i mi ddechre'n brentis, a mwy o newid fydd efo canrif newydd, *mark my words*. Wyddoch chi, pan oeddwn i'n cychwyn efo Mr Cyril Pritchard yn St Asaph, mi fydden ni'n gneud ambell i *memento mori* hyd yn oed. Wyddoch chi be ydi peth felly? Tynnu llun rhywun sydd wedi myned i'r gogoniant. Plant a babanod, fel rheol yn y crud, neu hyd yn oed yn yr arch. *Keepsake*, yntê. Sad ofnadwy mewn ffordd. Ac eto neis iawn . . . i'r rhai sydd ar ôl gael rhywbeth i gofio . . ."

Mae Elin yn clywed calon Hughie yn pwyo yn erbyn ei chefn hi. Ond fiw dweud dim neu bydd y llun yn cael ei ddifetha.

"Ac un tro, anghofia i byth, ac roeddwn i fy hun yn gweld hyn yn *unusual* iawn, er 'mod i wedi clywed amdano fo'n cael ei wneud yn America. *Family group*. Be ddigwyddodd oedd, mi gawson ni alwad *out of the blue* i fferm yn Nyffryn Clwyd acw. Roedd y rhain yn deulu cefnog, efo gweision a morwynion, yn ffarmio dau gan acer neu fwy. Eglwyswyr selog. Ac roedden nhw'n daer.

"Wel, roedd un o'u meibion wedi cael damwain angeuol. Faint fase fo? Rhyw ddeg oed? Wedi syrthio o'r llofft ŷd a tharo'i ben. Doedd yna ddim marc arno fo. Penfelyn, tlws fel angel. Mi fedrwn i *just about* deall yr awydd i dynnu'i lun o, er bod o ychydig yn *morbid*. Ond roeddwn i'n gweld tynnu llun y teulu cyfan, efo fo yn y canol, yn *strange* iawn. Y fam erbyn gweld oedd yn mynnu cael *photograph* o'r holl deulu efo'i gilydd, achos doedd ganddyn nhw'r un. Erbyn i Mr Pritchard a finne gyrraedd roedden nhw wedi gwisgo'r bachgen mewn siwt a'i osod i eistedd yn dynn rhwng ei fam a'i dad a'r plant eraill – roedd yna bedwar neu bump. *Stay completely still, please, Mrs Jones* . . . Hughie. Wel, os na fasech chi'n gwybod, fasech chi ddim wedi sylwi, roedd o mor naturiol. Y llygaid yn agored. A'r chwaer hyna tu ôl iddo a'i dwylo ar ei ysgwydde fo. Mi fedra i ei weld o rŵan.

"Ia, ryw syniad rhyfedd oedd o, *all in a day's work*, am wn i. Synnwn i ddim nad ydi Mr Pritchard wedi cadw'r plât. *And hold* . . . daliwch yn hollol lonydd rŵan . . . *beautiful* . . .

"Ond mae bob dim yn newid mor gyflym! Mae yna gwmni yn New York rŵan, cwmni Kodak, wedi dod â chamera allan lle mae'r cwsmer yn tynnu'r *photographs* a nhw, Kodak felly, yn defelopio nhw. *'You press the button, we do the rest.'* Mi faswn i bob amser yn recomendio *professional* ond, fel *novelty* . . . Be 'dech chi'n ddeud, Hughie? Fasech chi'n leicio camera pan ydech chi'n hogyn mawr? *And keep quite still*, dim angen i chi ateb! Bron yna, rŵan, *captivating portrait. Hold, hold it* . . ."

3

Mae Elin yn hanner llusgo Hughie i fyny i gyfeiriad y Stryd Fawr.

"Be ydi *morbid*?"

Roedd hi wedi paratoi bwyd i ddod efo nhw heddiw. Mi fyddai'n ddiwrnod drud rhwng y goets a'r *photographs* a doedd yr hogyn yn bwyta fel bythéid. Yn ei basged mae hanner torth, menyn a chig oer a'r cynllun oedd mynd i dŷ Meri ei chwaer a gwneud brechdanau yno, ac i Meri wneud te iddyn nhw. Mi fyddai Meri wedi gwneud slap-yp o ginio pe gwyddai eu bod nhw'n dod, ond doedd hi ddim.

"Dwi'n llwgu."

Ond ar ôl y bore maen nhw wedi'i gael, dydi brechdan-au ddim yn teimlo'n ddigon o gynhaliaeth rywsut. Mi wnân y tro i swper heno. Bydd y dorth wedi cael trip i Bwllheli ac yn ôl.

"Tyd, mi awn ni i'r Temperance am ginio."

"Lle mae fanno?" Mae Hughie'n dod ar hanner tuth mochyn tu ôl iddi. "Ydach chi wedi gweld rhywun wedi marw?"

"Do." Ac mae hi'n meddwl am Catrin, nad oes yr un *photograph* ohoni, ac nad oes neb erbyn hyn yn sôn amdani, ond pawb yn ei chofio yn ei ffordd ei hun. Dyna ffordd ffeind pobol Llŷn.

"'Dach chi'n meddwl gneith y dyn yna 'i ffortiwn, efo'r Invincible?"

"Ella wir, os dysgith o gau'i geg. Dyma ni, yli."

Ac maen nhw wedi cyrraedd yr Eifl Temperance Hotel, gyferbyn â'r Vicarage ar ben y Stryd Fawr. O'r tu blaen edrycha'n ddigon bychan, ond unwaith yr ewch i mewn mae'n mynd yn ei ôl yn bell i'r cefnau ac yno, mor bell â phosib o'r drws, mae Elin yn dewis bwrdd. Mae hi'n dawel yma, a dim ond sŵn cyllyll a ffyrc, sgwrsio a chrafu cadeiriau yn cario. Caiff dynnu'i het i fwyta.

"Fyddan nhw'n gwybod ein bod ni yma?" Mae Hughie yn edrych yn bryderus i gyfeiriad y merched gweini sydd wrthi'n brysur i lawr yn y ffrynt. "A' i i ddeud ein bod ni yma?"

"Na, mi ddôn nhw, sti. Stedda."

Maen nhw'n reit saff yn fan'ma, meddylia, oddi wrth bobol yn busnesu. Caiff ei gwynt ati, ac edrych o'i chwmpas. Dydi hi'n nabod neb wrth y byrddau eraill. Mae yna ffarmwr porthiannus mewn siwt liw pridd a'i wraig yn siarad yn uchel yn ei wyneb o. O'r bwrdd agosa atyn nhw mae mwg baco'n codi'n dew wrth i bedwar o ddynion fwrw trwyddi yn y modd mwyaf, ac ambell ebwch mawr o chwerthin a tharo'r bwrdd wrth i ryw stori gyrraedd ei chresendo. Yn y ffenest mae mam a merch â thrwynau main yn gweithio'u ffordd yn ddyfal drwy blatiad o fara menyn.

Daw dau ŵr smart yn gwisgo cotiau du a hetiau caled i mewn, a gwynt main i'w canlyn, a nelu am gongl dawel gan alw "Potiad o goffi!" Mae Elin yn meddwl yn siŵr ei bod yn gybyddus ag un ohonyn nhw. Capten Edwards, Trem y Don, Cricieth ydi o, mae hi bron yn siŵr . . . Dyn tal sgwarog, llygatlas ac ôl tywydd arno. Hwyliodd John efo fo fwy nag unwaith i Newfoundland, ac roedd y ddau'n gyrru 'mlaen yn dda. Mae un droed am godi a mynd ato i daro sgwrs a holi, ond ddaw y llall ddim . . .

Ymhen sbel daw merch ifanc mewn brat gwyn i dendio arnyn nhw. Y cinio heddiw, meddai hi, ydi ffagots a phys efo tatws neu gig moch a wyau efo bara menyn. Mae Hughie yn dewis y ffagots a phys er nad ydi o erioed wedi'u blasu o'r blaen, ac Elin y cig moch a wyau, gan feddwl y gallith hi ffeirio efo'r hogyn os na fydd y ffagots yn plesio.

Ond mae'r ffagots, pan ddôn nhw, yn plesio'n ardderchog ac mae'r cyfan yn cael ei gladdu mewn cwta bum munud.

"Ma arna i angan troi clos rŵan."

"Awn ni i dŷ Anti Meri, aros i mi orffan fy nhe."

"Fyddwch chi'n hir? Sgynnyn nhw lafatori yn fan'ma?"

"Nac oes, debyg," ateba Elin. "Tria feddwl am rywbath arall."

Fel mae Elin yn gorffen ei the daw Capten Edwards draw, wedi'i nabod hi. Mae o'n rhoi ei law fawr galed ar ei phenysgwydd cyn eistedd gyferbyn, ar y gadair wag wrth ymyl Hughie.

"Elin Jones. Sut 'dach chi'n cadw?"

"Rydan ni'n iawn, diolch. A chitha, gobeithio." A heb iddi feddwl bron mae hi'n gofyn y cwestiwn hwnnw y mae hi'n byw efo fo drwy bob awr o'r dydd a'r nos. "Glywsoch chi rywbeth o hanes y *Queen*, Captan?"

Dydi Capten Edwards ddim yn ei hateb hi. Dybad ei fod o'n drwm ei glyw a heb glywed y cwestiwn. Mae hi'n pydru 'mlaen.

"Mi ddyla hi fod wedi cyrraedd Boston bellach."

Ac mae hi'n sylweddoli fod ei ddistawrwydd *yn* dweud rhywbeth wrthi. Fedr o ddim edrych i fyw ei llygad hi.

"Sut fasach chi'n gwybod, Ciaptan?" Mae Hughie mor siarp. "Darllan yn y papur newydd fasach chi, ia?"

"Ia, sti, 'ngwas i."

"Naci." Elin sy'n cywiro Hughie. "Llongwrs sy'n cario'r niws o borthladd i borthladd. Maen nhw fel gwylanod."

"Nonsens, mae'r newydd yn y papura, gofyn di i dy dad ddangos i ti. Mi fydd ar y *front page* ran amla. *Shipping news*. Prynwch y *Caernarvon and Denbigh Herald* ddydd Mercher nesa, Mrs Jones, os ydach chi am gael gwybod hynt llonga Lerpwl."

"Ond rydach chi yn gwybod rhywbath, Captan, mi fedra i ddeud arnach chi. Beth bynnag ydi o, mi fedrwch chi ddeud wrtha i . . . Dwi'n ddynas yn f'oed a f'amser a dwi ddim angan cael fy ngwarchod rhag dim byd."

Mae Capten Edwards yn taflu pishyn deuswllt ar y bwrdd i Hughie, ac yn sbybio'i wallt a'r hogyn yn gwenu fel giât achos dim ond pres coch welith o o un pen blwyddyn i'r llall.

"Be sy ar ddynion . . . yn cadw petha rhwng dynion."

Os oedd Capten Edwards ar fin dweud rhywbeth am y *Cambrian Queen*, llong John, ddeudith o ddim ar ôl hynna. Mae Elin yn clywed ei ochenaid wrth iddo godi ar ei draed. Mi fu hi mor, mor agos i gael gafael yn rhywbeth, a'i golli, ac mae hi eisio rhoi'r geiriau yn ôl yn ei cheg.

Priododd Meri, chwaer fenga Elin, ddwy flynedd yn ôl efo Pitar Cecil, un o'r dre sy'n gweithio mewn offis insiwrans llongau. Ar y cychwyn roedden nhw'n byw efo'i fam weddw o yn Stryd Kingshead ond ymhen blwyddyn symudodd y pâr priod, er bod Pitar yn dal i fynd adra at ei fam am ei ginio bob dydd. 'Rooms' ydi eu cartre newydd, uwchben siop clocsiwr yn Stryd Penlan – lle cyfleus, ond gwastraff llwyr o arian ym marn Pitar – a'i fam.

Wrth droi tuag yno rŵan, a'i braich ar ysgwydd Hughie i'w dywys heibio drysau agored y selerydd ar y Stryd Fawr, a'r drop odanyn nhw, mae Elin yn cofio mor anodd fu'r misoedd cynta yna i Meri ac fel y byddai yn bwrw'i bol ar bob cyfle. "Rydan ni'n baglu ar draws ein gilydd yn y pantri 'na. A dim ots be wna i'n fwyd, mae hi'n troi'i thrwyn." Ond dyna fo, doedd neb yn cael dewis ei mam yng nghyfraith. Mae Elin yn cofio mam John yn y becws, ond roedd wedi marw dros flwyddyn cyn iddyn nhw ddechrau canlyn ac felly fu ganddi erioed fam yng nghyfraith ei hun. Weithiau bydd yn meddwl fod Meri wedi cael ei difetha dwtsh gan ei rhieni ar ôl colli Catrin ond mae'n ddigon call i beidio dweud hynny. Synhwyra nad oedd mam Pitar am i'w hunig fab briodi o gwbwl, ac na fyddai pwdin reis neb wedi ei phlesio. Mae'r ddwy yn dal i geisio dygymod â'i gilydd, a Pitar yn rhedeg fel bibi-down rhyngddynt.

Ar ôl cyrraedd yr entri, mae Elin yn troi Hughie i'r tŷ bach yn y cefn ac yn dweud wrtho am ddod i fyny atyn nhw wedyn, y bydd hi wedi gadael y drws yn agored iddo fo. Mae Hughie mor falch o weld y geudy nes ei fod yn llamu iddo ac yn rhoi rhech hir o ryddhad wrth eistedd ar yr orsedd yn y tywyllwch.

Darllen y papur mae Meri yn y ffenest. Ond neidia ar ei thraed pan wêl ei chwaer agosa, ora yn gwenu yn y drws.

"Wel dynas ddiarth, pam na fasat ti wedi deud dy fod yn dŵad, mi faswn wedi gneud cinio i ti. Dy hun wyt ti?"

Mae Elin yn ysgwyd ei phen. "Mi ddaw i fyny mewn dau funud."

"Sut mae pawb ffor'cw? Welist ti Nhad a Mam yr wythnos yma?"

Rhyfeddod i Elin ydi fod pobol yn gallu byw i fyny'r grisiau, ac aiff draw at y ffenest am sbec. Odanyn nhw, does dim ond ambell wraig yn siopa at y Sul, morwyn yn powlio coets babi a dau gi yn chwyrnu ar ei gilydd. Ond stori wahanol fydd hi heno – amser cau Penlan Fawr a Phenlan Bach – yn reit siŵr, a'r stryd yn g'leuo o regfeydd ac esgidiau hoelion. Mae Meri wedi ymuno â'r Mudiad Dirwest ers dod i fyw i'r dre a bydd yn canu ei glodydd wrth ei theulu adra, er nad oes neb yn cymryd fawr o sylw. Fel aml i ffermdy yn y cylch, bragir cwrw bach yn y Ffridd at y cynhaeaf bob blwyddyn, a bydd Sydna Robaits yn gwneud gwin mwyar duon. Y tro cyntaf y daeth Meri â'i darpar ŵr i'r Ffridd, roedd Gruffydd Robaits wedi ysgwyd ei ben ar ôl iddynt adael a dweud: "Fasa amball beint o gwrw llwyd yn rhoi blew ar ei frest o, dwch? Ond dyna fo, Meri ŵyr 'i phetha."

Mae tân siriol yn gwadd Elin i gnesu'i thraed a'i dwylo. Roedd y dodrefn yma pan gyrhaeddodd Meri a Pitar a does dim llawer o raen ar ddim, er bod digon o bolish. Wrth eistedd ar y gadair agosa, mae yna lwmp caled yn gwasgu i gefn Elin, ac mae'n rhoi ei chêp drosto. Mae hi'n gartrefol braf yma a gallai ddweud pethau na ddywedai yn unlle arall. Does dim hanes o Pitar, sy'n well byth.

"Helô." Daw pen Hughie rownd y drws, yn wên i gyd. "Mae yna hogia i lawr yn fanna yn mynd i weld gêm ffwtbol – Port yn erbyn Pwllheli. Ga i fynd efo nhw?"

"Deud helô wrth dy Anti Meri. I lle? A phwy ydyn nhw?"

"Helô, Anti Mêr! Moi a Dicw ydi'u henwa nhw. Maen nhw'n glên. I lawr i gyfeiriad y stesion – ddim yn bell o gwbwl."

"Ond dwyt ti ddim yn 'u nabod nhw. Ac mae'r goets yn cychwyn yn ôl am bump."

"Hogia John Ifans y sadlar ydyn nhw, teulu iawn."

"Tyd â'r pishyn deuswllt i mi. A'r sling. A gofala di dy fod ti'n ôl yma mewn pryd, neu mi fydd 'na le."

"A chymrwch chi'r ofol nad ydach chi'n mynd ar gyfyl yr hen ffowndri 'na. Mae'n beryg bywyd!"

"Iawn. Wnawn ni ddim, Anti Mêr! Ta-ta rŵan!"

Ar ôl iddo fynd, cyn i Meri gael cyfle i roi'r tecell ar y tân, mae Elin yn codi ac yn mynd i sefyll o flaen y drych. Tynna'r pinnau o'i gwallt. Oedd o mor flêr â hyn pan dynnwyd y *photograph*? Mae'n ei ailgodi'n gelfydd, yn rholyn llydan tywyll tu cefn i'w phen. Yna, mae'n edrych o'i chwmpas i weld lle mae wedi rhoi ei het.

"Meri, dwi angan mynd i weld rhywun. Fydda i ddim yn hir."

"Ro'n i'n meddwl dy fod wedi gorffan dy negas y bora 'ma?" Cafodd Hughie siars i beidio â sôn gair am y tynnu lluniau.

"Dim ond i un lle dwi'n mynd, fydda i ddim yn hir, dwi'n gaddo. Fedra i ddim mynd â Hughie efo fi." Mae hi'n gwenu ac yn gafael yn llaw Meri. "Ac mi gawn ni de pan ddo i'n ôl, a gei di redeg ar fam Pitar nes bydd ei thrwyn hi'n cosi. Ac mi ddo i ag *éclairs* i ni."

"Rhaid i ti beidio â bod yn hir! Ti'n gaddo?"

Mae Elin yn nodio, yn estyn ei chêp ac yn cychwyn am y grisiau, heb edrych yn ôl.

Mae hi wedi bod yn eistedd am beth sy'n teimlo fel hydoedd yn y *waiting room* yn y lobi, dim ond hi ei hun, a bron ag anobeithio pan mae drws y *surgery* yn agor o'r diwedd a'r doctor yno, a'i law ar y bwlyn. "Mrs Ellen Jones?"

Mae hithau'n codi.

"Does yna ddim *consultations* ar bnawn Sadwrn, wyddoch chi. Ond roedd Mrs Price yn dweud eich bod chi'n daer." Mae o'n cau y drws ar ei hôl ac yn pwyntio at gadair o flaen ei ddesg. "A dydach chi ddim i lawr fel *patient* i mi. Ydach chi mewn poen? Rhywbath sydyn ydi o?" Dydi o ddim yn sefyll i wrando ar ei hateb hi.

"Naci, Doctor." Mae'n ysgwyd ei phen a'i nerfusrwydd yn dangos.

Edrycha Elin i fyny ar y meddyg, mor drwsiadus yn ei siwt gynffon fain lwyd, a'r tei streipiog. Mae'n ddyn golygus, tua'r un oed â John, a golwg dipyn gormod o *gent* arno i dre fach wledig Pwllheli. Oedd o ar gychwyn i rywle, tybed, pan ddaeth yr howscipar i ddweud ei bod hi yno? I chwarae *bridge* neu am *musical afternoon* yn nhŷ ffrindiau?

"Be fedra i neud i chi felly, Mrs Jones, na fedar eich doctor eich hun?"

Fedr hi ddim fforddio cymryd ati pan mae'n clywed y min lleiaf yn ei lais. Rhaid iddi ymwroli.

"Mi faswn i'n lecio i chi ddweud wrtha i os ydw i … ydw i'n … y … disgwyl babi."

Mae'r doctor yn chwerthin yn gwta, ac yn taro blaen ei fysedd ar ei ddesg.

"Wel, deudwch chi wrtha i, Mrs Jones. Pa bryd y cawsoch chi *relations* efo'ch gŵr ddiwetha?"

Mae Elin yn gorfod hel nerth i ateb. Siaradodd hi erioed am y fath bethau gyda'i mam na'i chwiorydd, efo neb byw bedyddiol yn wir.

"Cyn y Nadolig oedd hi, mi es i lawr i Southampton lle'r oedd ei long wedi docio am ychydig ddyddia."

"Ac ers hynny. Ydach chi wedi bod yn sâl? *Vomiting*? Yn y bora?"

Mae hi'n ysgwyd ei phen o'r naill ochor i'r llall.

"Teimlo rhyw wahaniaeth yn eich brestia? Tendar?"

Mae Elin yn cochi at ei chlustiau. "Wel, dwn i ddim, mae'n anodd deud, Doctor."

Edrycha'r doctor dros ei sbectol hanner ar Elin yn eistedd o'i flaen yng nghrandrwydd ei ffrog briodas.

"Mi gymera hanner y pnawn i chi dynnu'r rig-owt yna i mi gael gwneud *examination* iawn. Ydach chi wedi ennill pwysa?"

Ysgwyd ei phen o'r naill ochor i'r llall eto ydi ei hunig ymateb.

"Wel, amser a ddengys yn y pen draw wrth gwrs . . ." Mae o'n edrych yn ffeindiach arni rŵan. "Ond go brin eich bod chi, ddeudwn i. Mi fasach tua deuddeg wythnos. Be am eich *periods*?"

Dydi Elin ddim yn deall y gair, ac edrycha'n ddiddeall arno.

"*Monthlies*? Petha bob mis? 'Pobol ddiarth' ydach chi'n ddeud?"

"O!" Mae hi'n teimlo mor wirion, ac mor anghyfforddus. "Dwi bob sut, cofiwch. Rhyw 'chydig ella, dim trefn."

Eistedda Doctor Owen Griffith yn ôl yn ei gadair, gan chwarae efo'i fwstásh â'i bìn sgrifennu. Tu ôl iddo mae awyr las enfawr Bae Ceredigion yn ymagor.

"A, wel . . ."

Mae o'n codi, ac mae hi'n estyn am ei phwrs i dalu.

"*No fee, dear.* Rŵan edrychwch, rydach chi'n ifanc, ac yn gryf i bob golwg. Os nad y tro yma, wel tro nesa, efalla. Ar y môr y mae eich gŵr chi?" Mae hithau'n nodio. "Wel dydi hynny ddim help. Ewch efo fo ar *voyage* neu awgrymwch iddo ddod adra a dechrau busnes, fel capteiniaid eraill hyd y fan 'ma. Cadw siop neu ffarmio. Does gen i ddim *pills* y galla i eu rhoi i chi. *Keep at it!* A rŵan, os gwnewch chi f'esgusodi fi."

Ac ar hynny, mae o'n rhoi rhyw fow bach ac yna mae o wedi mynd, heibio iddi ac o'r ystafell gan ei gadael hi'n eistedd yno.

Roedd o wedi cadarnhau beth roedd hi'n ei amau ei hun heb gymaint â chyffwrdd pen bys ynddi.

Éclairs, meddai wrthi'i hun. Rhaid i mi fynd i nôl yr *éclairs* 'na.

"Ôl reit, galon?" Mae Mrs Price yr howscipar wedi dod i sefyll i'r drws. "Ffor' hyn, ylwch." Ac mae'n dal un fraich i fyny i'w hebrwng hi allan eto tua'r allt sy'n powlio i lawr i'r dre.

Yr hen goets dri cheffyl sydd wedi dod â nhw adra â sŵn rhythmig y pedolau'n tawelu pob sgwrs. Cysgodd Hughie filltiroedd yn ôl a rhaid i Elin ei ysgwyd wrth iddyn nhw gyrraedd Cae Coch.

"Dyma ni, yli, bron yna."

"Iesgob, mae'n nos!"

"Ydi, styria, hogyn, mae gin y goets ffor' i fynd eto, sti, a pobol eisio cyrraedd adra cyn y Sul."

Mae Hughie yn ufuddhau, er dim eiliad yn rhy fuan i'r hen greaduriaid gyferbyn sy'n edrych wedi ymlâdd ac yn tyngu y bydd hi'n hir iawn cyn y mentran nhw i'r dre eto. Daw'r coetsmon i sefyll yn y drws a gafael ym mhenelin yr hogyn iddo ddringo allan, yn hanner cysgu uwchben ei draed. Ar ei ôl daw Elin, efo dim ond "Nos dawch" cwta o'i hôl. Fel y mae'r goets ar gychwyn daw Martha, merch Tŷ Capel, ar redeg. Mae ei mam, Katie Wilias, wedi cael ei tharo'n wael; fedr y coetsmon gnocio ar ei chwaer yn Nhudweiliog wrth basio a gofyn iddi ddod draw ddechrau'r wythnos? Mae Gruffydd Jones wedi hario'r cradur, wedi cael diwrnod a hanner, ond dydi o ddim yn gwrthod chwaith.

Saif Hughie ac Elin yn glòs wedyn i wylio'r goets yn ailgychwyn tuag Edern – yr harneisiau'n gwichian a'r olwynion mawr yn rhuglo yng ngherrig y ffordd. Yn gefndir iddi, mae golau glaswyrdd yn yr awyr o hyd er bod yr haul wedi hen fachlud.

Mor foethus y noson honno ydi cael cwmni yn y gwely. Pan ddywedodd Hughie wrth gerdded am y tŷ fod arno ofn meddyliodd Elin yn syth am y *memento mori*, er mai bwystfil Boduan sy'n howndio'r hogyn. Erbyn iddi hi ddod i glwydo mae o mewn trwmgwsg, a'i gefn ati, ond gwres ei gorff wedi lledu i bob congl o'r gwely. Dyma orwedd wrth ei ochr a mestyn yn ofalus i roi o bach i'r gwallt du, crychlyd.

Ac maen nhw mewn cocŵn cynnes, y ddau ohonyn nhw, nes daw cwsg.

Ond fedr o ddim para.

Yng ngwaelod ei bol, mae yna gnoi bach yn dechrau. Mae morwyr o bob cwr o Sir Gaernarfon ar hyd a lled y byd heno mewn llongau tri mast, sgwneri gosgeiddig, stemars a slŵps. Mae hi'n dywydd teg ar rai ohonyn nhw ac yn stormydd ar eraill. A does yna ddim byd y gall hi, na'r un fam, gwraig na chariad arall ei wneud ond gweddïo ac aros iddyn nhw ddod adra'n ôl.

Be oedd gan Capten William Edwards o dan glust ei

gap nad oedd yn fodlon ei rannu efo hi pan holodd am y *Cambrian Queen*? Fyddai o wedi rhannu rhywbeth petai hi heb fod mor gegog? Roedd yna rywbeth am y sgwrs yna oedd yn gyrru cryndod i lawr ei hasgwrn cefn hi. Roedd yna rywbeth heb fod yn reit.

Ac mae Elin yno, yn y gwely plu meddal efo Hughie, yn dechrau snwyro, fel y byddai ambell hen gapten â thrwyn am y gwynt yn snwyro, fod yna dywydd mawr ar y gorwel.

4

Mae Lydia Catrin yn gwybod yn well na neb mor fregus ydi ei byd. Un o res fach o bedwar bwthyn ar y Lôn Ucha ym Morfa ydi'i chartre, Gorffwysfa Row, tai sâl wedi'u codi gan daid Robert Ifans efo cerrig balast o Iwerddon. Mae nymbar wan a tŵ yn dai deulawr, bwthyn gyda drws a dwy ffenest o boptu sydd yn y canol – nymbar thri. Ac mae cartre Lydia Catrin ac Adi, neu nymbar ffôr, yn fwy o gwt allan na dim arall. Mae gan Lydia gadair, ar ôl ei mam, a bocs orenjis ddaeth Twm yn ôl o fordaith i Johannesburg. Fel arfer mi fydd hi'n eistedd ar y gadair ac Adi ar y bocs orenjis; weithiau mi fyddan nhw'n ffeirio. Ond mae hi'n cael gwayw yn ei chefn, a'r adeg hynny mi aiff i orwedd ar ei gwely – tu ôl i'r palis. Mi fu yno setl, ond gwerthodd hi am ddwybunt at dalu'r rhent y llynedd pan ddaeth Twm adra o fordaith blwyddyn a dim ond wyth swllt i'w enw. Mae yna fwrdd hefyd, ac wrth hwnnw y byddan nhw'n bwyta, pan fydd ganddyn nhw rywbeth sy'n gofyn am gyllell a fforc.

Ddydd Llun fel hyn, mi fydd hi'n mynd allan i olchi. Ar ffermydd ac yn y tai mawr, mi fydd yna ginio i'w gael yn y fargen, ac weithiau damaid i ddod adra – gan y fistras neu weithiau'r forwyn. Am un o dai mwyaf Nefyn, Plas Coedmor, y mae hi'n mynd heddiw a'i chelwrn ar ei chefn. Capten Griffith Davies, ei wraig Ebrillwen, eu meibion David a Jâms a'u merch Gwen sy'n byw yno, ond mae yna bentwr o waith golchi am fod chwaer Mrs Davies a'i phlant wedi bod yn aros efo nhw ers wythnosau. Os bydd rhai o'r dillad yn sych, caiff ddod â gwaith smwddio adra. Ymlaen mae Canaan.

A ddalith y tywydd i dannu sydd gwestiwn arall. Mae'r diferion glaw cynta'n gwneud twrw mawr wrth daro'r celwrn.

Ar ddydd Llun hefyd, trydydd dydd Llun y mis fel heddiw, y daw Robert Ifans, perchennog Gorffwysfa Row, yn ei boni a thrap o'r dre i gasglu ei bres rhent o'r rhes fach o bedwar. Bydd yn ganol y bore arno'n cyrraedd. Erbyn hynny fydd dim hanes o Lydia Catrin, a bydd Adi yn yr ysgol, neu ar y traeth efo Capten Rol yn stwna ar yr hen long 'na.

Welodd y perchennog ddim pres rhent gan Lydia Catrin ers bron i flwyddyn, er pan gollwyd Twm Parry ar y môr. Does yna neb, ac yn arbennig Lydia Catrin, wedi cael y stori'n llawn am be ddigwyddodd i Twm. Ar un o longau cwmni bach Evan Humphreys roedd o'n hwylio, a dyn o ffwr', o Fostyn, oedd y capten; doedd gan Lydia Catrin ddim syniad sut i gael gafael ar hwnnw. Roedd hi wedi mynd i'r Madryn Arms yn Nefyn ar ei hyll ryw noson – wedi clywed fod dau oedd yn hwylio efo Twm ar ei daith olaf yn yfed yno. Cafodd afael ar un ohonyn nhw yn y pasej a'i holi'n galed; doedd o ddim i wybod pwy oedd hi, ac mi ddywedodd mai ffeit oedd wedi bod rhyngddo a'r bosun, a'i fod wedi'i wthio *overboard*. A bod yna ormod o hwn – gan daro ochor ei wydr peint. Ond erbyn iddi gyrraedd y bar, stori arall gafodd hi gan y llall.

"Boddi wnaeth y cradur bach. Syrthio rhwng y llong a'r cei. Yn Bordô."

"Ti'n deud y gwir?"

"Fedra fo ddim nofio, na fedra, mwy na finna. Ac mi aeth o dan y llong fel na fedra neb gyrraedd ato fo."

Efalla nad oedd dim gwahaniaeth be'n union oedd wedi digwydd iddo fo. Ddaeth yna ddim corff adra i'w gladdu, ond ymhen rhai misoedd daeth llythyr gan y cwmni yn sôn am 'deep regret' a 'misadventure' a'r siec iawndal a dalodd am y mangl. Roedd Lydia wedi cael Adi i ysgrifennu drosti at y cwmni, i ofyn lle'r oedd Twm wedi'i gladdu, ac roedd yn dal i aros am ateb i'r llythyr hwnnw.

Mewn dyddiau pan mae merched Pwllheli a phobman arall yn dal i fagu cyhyrau wrth wasgu dillad gwlybion, daeth y sôn am y mangl i glustiau Robert Ifans. Os nad ydi o'n mynd i gael pres rhent heddiw 'ma, mae'n planio i gymryd y mangl. Caiff bres amdano fo, neu mi gaiff ei ferch o'i hun ddechrau cymryd gwaith golchi i mewn, i wneud rhywbeth at ei chadw.

Fel mae'r landlord yn cyrraedd pen ei daith, ac yn neidio o'r trap, mae'n brasgamu fel powltan ar draws y ffordd i hel ei arian rhent am y mis. Does dim trafferth yn y ddau dŷ cyntaf, na wedyn y canol, er na chaiff ei wadd i mewn i'r un ohonynt am baned na dim arall. Sefyll ar ymyl y stryd wedyn yn llond ei gôt fawr yn cyfri, a chael cownt o bob dimai. Wedi gorffen, a stwffio'r cyfan i'w bocedi, dipyn ohono'n bres mân, dyma gnocio ar ddrws simsan tŷ Lydia Catrin ac Adi. Cawell gaiff o, wrth gwrs. Ond mae ganddo dan ganol y pnawn i aros, a dydi o ddim ar fwriad mynd adra'n waglaw. Mae'n gafael ym mhenffrwyn y merlyn ac yn ei dywys i'r stabl yng nghefn y Castle ar y groesffordd.

Eiddo Cesar i Gesar, meddai wrtho'i hun, gan setlo wrth fwrdd yng nghornel y dafarn efo peint o gwrw tywyll a'i bwrs baco. O'r man cyffordddus hwn, mae o'n gallu gweld pob mynd a dyfod i nymbar ffôr. Daeth dydd gwneud yn lle dim ond ei gaddo hi.

Tra bo'r forwyn yn clirio a golchi llestri brecwast caiff Lydia Catrin ei hanfon i dynnu'r cynfasau gwlâu a chasglu'r llieiniau at ei gilydd ar gyfer y golchiad cynta. Fu hi erioed mewn hotel, ond mae'n meddwl yn siŵr fod pob hotel yn eitha tebyg i Blas Coedmor – gyda chyrtansiau at y llawr, dodrefn yn matsio a chyfyrs gwahanol liwiau ar bob gwely. Capten Davies a gododd y tŷ yma; mae o'n un o'r to newydd sydd wedi gwneud yn dda iawn ar y môr. Ac nid fo ydi'r unig un o bell ffordd chwaith; dros y chwarter canrif diwethaf codwyd degau o dai nobl yn Llŷn gydag arian tebyg. Mae'r Plas yn dŷ dwbl, gyda pharlyrau eang o boptu'r drws ffrynt a grisiau mahogani hardd yn codi o ganol y lobi. Clywodd Lydia i Capten Davies ddod â'r coed caled ar gyfer y grisiau adra efo fo o un o'i deithiau i Affrica. Nid mor annhebyg i Twm a'r bocs orenjis, felly.

Yn y llofft ffrynt fawr, llofft y Capten a Mrs Davies, dim ond hi sydd wedi cysgu yn y gwely anferth ers misoedd, sy'n wastraff llwyr o wely ym marn Lydia Catrin. Pan oedd hi'n forwyn bach ym Mhlas Bodfal – mynd yn ôl rŵan flynyddoedd – roedd hi wedi cael pnawn i'w gofio yng ngwely mistras Bodfal efo ffwtman o ffwr' oedd wedi dod yno i ganlyn rhyw fonheddwr ar wyliau saethu. Doedd ganddi ddim syniad be oedd o'n drio'i ddweud wrthi hi, achos doedd hi'n deall dim gair o Saesneg yr adeg hynny, ond roeddan nhw wedi cael lot fawr o sbort. Hi oedd wedi dod â'r brandi o'r selar i godi dipyn o hwyl, ac roedd hefyd wedi benthyg *knickerbockers* ei meistres iddo gael eu tynnu, achos blwmar tila iawn oedd am ei thin hi, a hynny ers dyddiau lawer.

Methodist fawr ydi Mrs Ebrillwen Davies, a Methodist ydi Miriam y forwyn, a Mrs Lloyd y cwc o ran hynny, felly fydd Lydia Catrin ddim yn ailadrodd y stori yma dros de ddeg i'w difyrru nhw. Un ochor ohoni hi'i hun y bydd Lydia Catrin yn ddod efo hi i Blas Coedmor – yr ochor mae hi'n fodlon iddyn nhw ei gweld.

Ond wrth gwrs, mae yna ochor arall.

Go brin fod angen cloi tŷ gwag ond mae'n ail natur i rywun sydd wedi byw mewn dinas. Ar ôl stwffio'r goriad o dan garreg rydd wrth y drws mae'r gŵr ifanc yn ei chychwyn hi drwy'r giât fach ac i lawr i gyfeiriad y groesffordd a'r pentre. Ar ei ôl yn y tyddyn, mae 'nialwch a thawelwch a thamprwydd.

Mae'r dyn sy'n brasgamu wedyn drwy'r pentref heibio'r Ship a'r Cefn Amwlch Arms ac i fyny'r Allt Goch o Edern yn edrych mor smart â'r hogiau lleol ar noson ffair – mewn trowsus tywyll, crys a thei cul, gwasgod a chrysbas, a chap pig. Caiff ei gyfarch yn siriol gyda "Bora go lew" ac "Ia wir, pa hwyl?" gan ddau was ffarm a ddaw i'w gwfwr ac yntau'n eu hateb, "Smai hogia?" â gwên lydan, ond heb fachu yn y sgwrs. Codant eu haeliau ar ei gilydd ar ôl ei basio cystal â gofyn: pwy ddiân oedd hwnna?

Mae traeth Henborth dipyn nes i Adi nag Ysgol Edern ac yn ganwaith brafiach lle. Yno mae Adi wedi mynd heddiw eto, er gwaetha siars Elin Jones, unwaith y cafodd gefn ei mam, ac mae wedi bod yn lwcus i gael reid yn y drol lo ar hyd y traeth gan ei bod yn drai.

Cyrhaeddodd Capten Rol y *Mairwen* oriau o'i blaen, wedi penderfynu yn ei wely neithiwr mai gwaith heddiw fydd hwylio i beintio'r *dockhouse*. Er bod Porthdinllaen ymhlith y porthladdoedd mwyaf cysgodol ym Mhrydain Fawr i gyd, mae'r llongau sy'n wardio yn ei gysgod yn cael tywydd fel rhai bob man arall, a choed yn hollti a sychu nes crefu am olew neu baent. Mae sgwner Capten Rol wedi gweld ei dyddiau gwell er na fentrai neb ddweud hynny yn ei wyneb o. Mewn storm ar y cefnfor, mi chwalai'r *Mairwen* fel pac o gardiau, ond yma ar y blociau mae hi fel rhyw hen sgragan o gath yn cael lot o fwythau.

Mae o wedi medru cael potiad o resin melyn mewn tun triog am gymwynas ryw dro. Unwaith mae o wedi llwyddo i agor y tun, a'r aroglau yn codi ohono i gefn ei wddw, mae'n mynd i chwilio am damaid o bren i roi tro ynddo, ac yn estyn y taclau peintio i Adi o'r ffocsl. Daw'r tun baco allan; mae yna amser am fygyn.

Yna gwêl Adi'n dod yn y drol rownd Pen y Cim, gan chwifio. Cwyd yntau ei gap a'i ysgwyd, fel hen gyfeillion yn cyfarfod dros gyfandiroedd. Oes, mae eisiau addysg, ac mi ddylai'r hogan wrando ar gyngor Elin Jones, ond dydi'r haf o'u blaenau nhw – y cyfle gorau i lansio – a gwaith mawr i'w wneud!

Aiff Adi ati'n ddygn i grafu paent lympiog sydd wedi cremstio'n solat yng nghoed y caban – a'r job yn malu'i gwinedd hi i'r byw. Mae ambell ddarn o bren yn chwalu fel powdwr wrth iddi daro'r cŷn â'r morthwyl, a'r paent yn hel yn domen dros ei thraed hi. Stwff afiach ydi o hefyd, ac am fynd i gefn ei llwnc a chodi tagfa. Ar fainc tu ôl iddi mae Capten Rol wrthi'n cymysgu llwch lli â'r resin melyn mewn sosban i lenwi'r tyllau lle mae'r coed wedi pydru. Rhaid iddo ddal i droi neu mi glapith mewn dau funud.

"Be nawn ni ydi gadael i hwn sychu'n iawn cyn peintio, ac wedyn rown ni ddwy neu dair cotan o baent llong, ac mi selith y coedyn i ti."

"Mi edrychith yn dda wedyn."

"Fel petasa hi'n cychwyn ar ei *maiden voyage*, hogan!"

"A pryd gawn ni ddechra dysgu am y sêr, Captan? A sut i iwsio'r secstant?"

Mae Capten Rol yn dal i droi'r gymysgedd fflat owt.

"O, pan fyddi di wedi dy godi'n fêt. Mi ddysga i bob dim i ti, *dead reckonin'*, *ex-meridian of stars*, y job lot. Ond AB wyt ti o hyd, cofia, *able seaman*!"

"*Seagirl*."

"*Seagull*! Ia, go dda, *able seagull*!"

Yn eu prysurdeb, chlywson nhw mo'r ystol bren yn gwichian dan bwysau traed, na sŵn gwegian y bwrdd ar y starbord seid. A phan ddaw y dyn i'r golwg, yn wên agored, yn siŵr o'i groeso, mae'n amlwg ei fod wedi codi eu sgwrs nhw ill dau.

"*Ex-meridian of stars*?" Mae o'n edrych ar y ddau, yn resin ac yn had lli am y gwelwch chi, gwallt Adi wedi dod yn rhydd a chap y capten ar ei wegil. "Mae peth felly'n hen ffasiwn ers blynyddoedd. 'Run fath â phob dim ffor' hyn, os ydach chi'n gofyn i mi."

"Ond dydan ni ddim yn gofyn i chi." Am funud, mae Capten Rol yn stopio cymysgu ac yn straffaglio i godi ar ei draed. "Chlywish i mo'r geiria 'Permission to board', choelia i byth. Byddwch cystal â mynd a disembarcio y ffordd daethoch chi, ŵr ifanc, cyn i mi ofyn i un o 'nghriw roi ffling i chi."

Unig ateb yr ymwelydd ydi troi i edrych ar Adi, ac ysgwyd ei ben. Try yn ôl i wynebu'r capten, a'i ddwylo allan i'w dawelu.

"Dwi'n pledio maddeuant. Dim ond dwâd abôrd wnes i rhag ofn eich bod chi'n heirio. Ond dwi'n gweld rŵan eich bod chi dan *repairs*."

"Yn union felly."

Edrycha allan i'r bae wedyn ar y sgwneri, y smac a'r ddwy frìg sy'n gorwedd yno. Rhyngddyn nhw mae cwch sgota yn gwau ei ffordd tua'r lan a hogyn wrthi'n sbydu'n galed. Ac er bod yna hwrlibwrli o brysurdeb, mae yna hefyd dawelwch.

"Mae fan'ma yn lle braf, ond i lawr eith o wrth i longa fynd yn fwy. Y stimars mawr 'ma, efo *compound engines*, rheina ydi'r bois. Mi welodd Hugh Roberts, do, Hugh Roberts Llain Hir i chi'ch dau, fod dyddia llonga hwylio'n dod i ben, mi fachodd y cyfla, a'i heglu hi o 'ma, a gneud ffortiwn yn y fargen."

"Mab Hugh wyt ti?"

"Naci, mab Jinnie Rhoslas, ei gyfnither o."

"O, wedi dwâd i lawr i gladdu dy daid, Nedw, felly, debyca."

"Ia, mae gin i fwy na digon i neud, os ydw i'n onast, ond bod rhywun wedi arfar efo rhywun o'i gwmpas o hyd mewn dinas. Dwi acw fy hun ers pythefnos a does yna fawr o sgwrs gan yr ieir."

47

"Wel cynta yn y byd gorffenni di, cynta'n y byd y cei di fynd yn d'ôl. Ond mi fydd gamp i ti –"

"Captan, mae'r gymysgadd 'na'n bygwth cledu, daliwch i droi!"

Ac mae Adi yn gollwng ei thŵls, yn rhuthro draw at y capten ac yn bachu'r darn pren sy'n troi'r gludiach o'i law. Munud neu ddau a byddai'n lwmp solat, a hi fyddai'n cael y job fain o fynd draw at Ifan Jôs y saer i swnian am fwy o resin heb bres i dalu amdano fo.

Wrth ddod allan o'r Post yn nes ymlaen ar ôl anfon nifer o gopïau o'r un llythyr i sawl offis gwêl y dyn ifanc ŵr corffol mewn dipyn o oed yn torri i mewn, i bob golwg, i gwt golchi ym mhen rhes ar lôn ucha'r pentre. Mae'n ei weld o â'i lygaid ei hun yn rhoi hwth nerthol i'r drws ac yn hanner disgyn i mewn wedyn wrth i hwnnw roi dan ei bwysau. Rai munudau'n ddiweddarach daw allan yn straffaglio i gario clamp o fangl. Mae'n olygfa i ryfeddu ati – lladrad gefn dydd golau.

O flaen y bwthyn mae merlyn bach a thrap yn sefyll yn barod. Erbyn hyn mae yna bobol wedi stopio i wylio, a phobol y teras islaw wedi agor eu drysau. Ond does yr un enaid yn helpu dyn y gôt fawr wrth iddo stachu i geisio codi'r mangl i gefn y trap.

"Be ydach chi'n rythu? Mae gan ddyn hawl i ad-daliad am dor-cytundeb, debyg!"

Fel mab i un a gychwynnodd ei hoes waith yn forwyn bach, mae greddf y gŵr ifanc yn dweud wrtho fod rhyw gamwedd ar droed yma. Ac fel dyn diarth, mae'n teimlo ei bod yn haws iddo fo gamu i'r adwy na neb arall. Dyma gyfle euraid i gongrinero. Mae'n gwylio o hirbell cyn brasgamu i fyny'r lôn.

"Pam na newch chi rywbath? Yn lle dim ond sefyll yn rhythu fel lloea!"

Petai Robert Ifans heb yfed pedwar peint o *dark* mi fyddai wedi bod yn fwy sad ar ei draed. Ond pan ddaw y dieithryn o'r ochor a halio'r mangl o'i afael, aiff ei ddwylo at ei wyneb i'w arbed ei hun, gan feddwl am eiliad ei fod am gael cweir. Manteisia'r llall ar ei gyfle a bachu'r mangl, ei godi fel ysgub ŷd a chychwyn i fyny'r lôn efo fo ar ei gefn. Ond mae'n drwm, a rhaid iddo stopio ymhen sbel i gymryd ei wynt. Edrycha dros ei ysgwydd, rhag ofn fod y gôt fawr yn ei erlid. Mae angen bôn braich i ailgodi'r mangl, ond daw un o'r hogiau lleol ato i roi ysgwydd dan y baich. Rhyngddynt, maen nhw'n llwyddo i hanner rhedeg a handlen y mangl rhyngddyn nhw'n swingio.

Does neb arall yn symud llaw na throed – dim ond ei wylio fo'n mynd.

"Tyrd â'r mangl 'na'n ôl, y bastyn digwilydd!"

5

Ar ôl cael ei swllt a chwech yn loyw yn ei llaw fawr goch, mae Lydia Catrin yn mynd i chwilio am swper iddi hi ac Adi. Cadwodd y glaw draw ac mae dwy leiniad hir yn chwifio yng ngardd y Plas; wrth gerdded at y giât ochor clyw nhw'n cyhwfan, fel hwyliau. Ofynnodd Mrs Davies ddim iddi ddod i olchi wythnos i heddiw chwaith. Mae hynny'n rhoi rom bach o gryndod yn ei bol, ond gobeithio mai wedi anghofio y mae hi.

Mae llawer o ddrysau siopau Nefyn ar gau i Lydia Catrin, er bod ganddi arian heddiw. Does dim posib iddi hi gofio faint yn union sydd arni yn Siop Sebra na Siop Tan Groes, ond mae'r perchnogion yn cofio i'r ddimai, ac mi fyddan nhw'n nelu amdani cyn iddi ddeintio dros y trothwy. A fasai'n ddim ganddyn nhw gymryd y swllt a chwech odd' arni bob dimai i dalu am ryw neges gafodd hi fisoedd lawer yn ôl. Dydi ddim gwerth mentro.

Na, calla peth ydi iddi fynd i lawr Stryd Llan ac i fythynnod Tan y Fonwant. Pres ar law ydi yno gan Jos Gwynfryn am benwaig. Mae'r tymor sgota'n dirwyn i ben ond mae o'n dal i gael amball rwydiad ac yn eu gwerthu nhw'n ddigon rhad – dau am geiniog. Ac os rhoith hi dair ceiniog i un o hogiau'r stryd mi redith hwnnw i'r becws i nôl torth fawr iddi, ac mi wnân y tro'n iawn wedyn. Mi allith roi'i neges yn daclus yn y celwrn a'i chychwyn hi dow-dow am adra ar hyd llwybr Lleiniau ac ar hyd ben 'rallt.

Rhes o fythynnod unllawr ydi Tan y Fonwant yn swat o dan wal eglwys y plwyf. To gwellt fu arnyn nhw ond ers iddyn nhw fynd i ollwng mae'r dynion wedi toi ora medran nhw efo sbarion llechi o dan haen dew o galch. Mae oglau cryf o'r llawr pridd yn taro Lydia Catrin wrth iddi gerdded

drwy'r drws ar yr un gwynt ag oglau pysgod, ac mae hi bron
â baglu dros rwydi'n sychu fel gwe rhwng dwy gadair. Wrth
y drws cefn, mae pentwr o gewyll cimychiaid yn cyrraedd
at y nenfwd. Aeth gwraig Jos dros y wal i'r fynwent ugain
mlynedd yn ôl ac ers hynny mae'r tŷ wedi troi'n ffau. Wrth
dalu am ei phenwaig, ac aros i Jos eu lapio iddi mewn papur
newydd, mae Lydia'n gweld ambell arwydd i ddangos y bu
dynes yma'n creu cartre un tro: ornament buwch a llo a
siôl yn pydru ar fachyn.

Mae yna droeon wedi bod – er dim cymaint â hynny –
ers i Twm fynd, pan mae Lydia Catrin wedi bod heb waith
golchi ac wedi gorfod meddwl am ffyrdd amgen o roi torth
ar y bwrdd. Heb ddowt, mae'r job yn llai o ham-byg na
golchi cynfasau. Fel y siopwyr, mae hithau'n mynnu cael
pres ar law, ac eto erbyn diwrnod talu'r rhent mae o wedi
mynd i gyd rywsut – bob ceiniog. Yr un lleiaf trafferthus
o'r ddau sydd ar ei llyfrau ydi Johnnie Moi, hen lanc o
ddyddynnwr sy'n byw yn Llain Beuno jest oddi ar lwybr ben
'rallt. Mae o mor ddiddychymyg ac mor gyflym â maharen
a'r tro cyntaf iddi fod yno roedd Lydia Catrin yn sefyll ar
ben y drws gwta ugain munud ar ôl mynd i mewn.

Chymerai Lydia mo'r deyrnas i Mrs Davies a chws-
meriaid tebyg ddod i wybod am y troeon hyn ond gan
fod Johnnie Moi'n gwerthu tatws, teimla fod ganddi stori
dderbyniol i daflu llwch i'w llygadau. Mae meddwl y gallai
Adi ddod i wybod yn gwneud iddi golli ei gwynt a hel dagrau.
Dyna'r rheswm pam ei bod hi wedi prynu mangl efo'r pres
iawndal ar ôl Twm – i ddechrau bywyd newydd iddyn nhw
ill dwy a rhoi'r hen fusnes 'na tu cefn iddi. Ambell noson,
a chwsg yn cau dŵad, bydd yn planio prynu trol a mul i
Adi a hithau ledu'u gorwelion. Mi fyddai'r hogan yn mynd
ar hyd a lled y wlad i gasglu gwaith golchi, ac ar ôl stablu'r
mul fin nos, yn cadw cowntiau cysáct mewn llyfr cas caled.

A ydi Johnnie Moi wedi'i llygadu hi'n dod ar hyd y
llwybr, ac yn ffansïo tro bach arni? Heddiw, a swllt cyfan

yn dal yn ei phoced, mae Lydia Catrin yn cadw ei phen i lawr ac yn pydru mynd am adra.

Aeth dwy flynedd heibio ers i John fod adra i droi'r ardd yng Nglan Deufor. Mae o wedi bod adra ers hynny, unwaith, ond nid ddechrau'r gwanwyn. Caiff Elin gynnyrch o'r Ffridd gan ei thad: tatws a chabaets, rwdins a moron. Hanner arall y fargen honno ydi eu bod hwythau, neu hi, yn tyfu pethau rhy ffansi i ffarmwr droi'i law atynt, ac yn rhannu. Mi fydd hi'n plannu nionod, pys a ffa a bitrwt a thatw cynnar. Ond cynta peth – rhaid troi'r tir. Clocsiau sydd ganddi am ei thraed, ac amdani hen gôt i John yn cau efo cortyn, a'i oglau'n dal ei llond hi. Ym mherfedd gwlad, does neb i falio sut olwg sydd ar rywun ond dysgodd Elin fod bywyd pentre'n wahanol. Ond heddiw mae'r cefnau yma fel y bedd, ac mae hi'n estyn am y rhaw.

Gosododd hen sachau dros y clwt llysiau ddiwedd yr haf i atal chwyn ac odanyn nhw mae pryfaid genwair pinc tew yn gwingo. Dyma'u hysgwyd i'r rheini ddisgyn yn ôl i'r patsh. Unwaith mae hi'n dechrau palu, mae'n amlwg fod y pridd yn glapiog a gwlyb. Plyga i symud carreg; o dan ei llaw mae'r pridd yn oer, oer. Y paliad cyntaf fydd hwn heddiw, yr un i dorri'r garw.

"*Good afternoon?*"

Mae hi'n troi'i chefn ac yn dal ati. Sais ydi o, yn ôl ei acen.

"A fedrwch chi fy helpu i, tybad?"

Dydi hi ddim yn adnabod y llais. Weithiau daw selsmyn ffordd hyn, i hwrjio matiau, deunyddiau llnau ac ati. Y peth calla ydi dal i balu.

"Fedra i ddim mynd ddim pellach."

Ar hyn mae hi'n troi, ac yno tu ôl i'r ddôr mae dyn ifanc, diarth. Mae'n chwysu, ei wallt du wedi tampio a'i fwstásh llydan wedi dechrau cyrlio. Heb wahoddiad mae o'n agor y ddôr, a dyna pryd mae Elin yn gweld y mangl.

"Oes gynnoch chi le i roid hwn? Dim ond dros dro?"

Edrycha Elin yn ymholgar arno.

"Mangl."

"Mi wn i be ydi mangl."

"Digwydd pasio oeddwn i pan weles i ddyn yn torri i mewn i eiddo, i fyny ffor'cw, ac yn dŵad allan efo'r mangl 'ma. Roedd o'n mynd i'w roi yn ei drap, a dyna lle oedd pobol yn sbio, ond neb yn deud dim. Mae pia rhywun o, does."

"Mi wn i pwy pia fo."

All y dyn ifanc ddim peidio meddwl pwy ydi'r ddynes yma, sy'n adnabod perchennog wrth ei mangl.

"Dim ond nes gall ei berchennog ddod i'w hawlio fo." Ac mae'r gŵr ifanc yn dechrau llusgo'r teclyn drwy'r ddôr i ddiogelwch yr ardd, o olwg y stryd. "Lle'r rhown ni o?"

Mae Elin yn meddwl beth fyddai John yn ei ddweud. Byddai'n dweud wrthi am beidio â chael ei llusgo i mewn i'r mater yma – beth bynnag ydi o. Byddai'n dweud wrthi am ddal i balu, neu dalu i ddyn balu. Ond dydi John ddim yma. Dydi hi ddim wedi ei weld o ers misoedd. Dydi hi ddim yn cario ei blentyn o.

"Mi rhown ni o yn y cefn 'ma, ond mi fydd rhaid iddyn nhw ddod i'w nôl o reit handi."

Dyma'r dyn ifanc yn gafael am y mangl, fel petai'n ddynes, ac yn ei godi. "Mi dorrodd y dyn y drws, medda rhywun. Fydd eu petha nhw'n saff?"

"Mae hon yn gymdogaeth dda." Mae'n amlwg nad ydi'r dyn yma, pwy bynnag ydi o, yn gwybod hynny. Nac yn gwybod nad oes gan berchnogion y mangl ddim byd arall i neb ei ddwyn. "Welodd rhywun chi'n dŵad yma?"

"Na, dwi'm yn meddwl. Mi ddaeth 'na foi i fy helpu i'w gario am sbel. Mi drodd i lawr y lôn bach. Mi aeth wedyn . . ." A phwyntia i gyfeiriad y ffordd fawr.

Mae Elin yn arwain y ffordd at ddrws y cefn, lle mae'n

oedi ond yn penderfynu peidio tynnu'i chlocsiau, ac i'r lobi. "Yn y pen draw yn fanna."

Unwaith mae'r mangl wedi'i osod yn ei gartre newydd dros dro, dydi'r un o'r ddau'n sicr be i'w ddweud. Ond wedyn mae'r dyn ifanc yn cau botymau'i grysbas, yn tynnu'i gap gan redeg ei ddwylo drwy'i wallt, ac yn ei gyflwyno'i hun gan estyn ei law. "Sam Richards."

"Mrs Elin Jones. Elin Roberts Jones."

"Rhaid i ni drio cael y neges i bobol y tŷ bach lle'r oedd y mangl. Dim *lost property* ond *found property*. Mi alwa i heibio."

"Dim heddiw, gadwch i betha dawelu gynta."

"Ai ai, Capten!"

"A diolch i chi, drostyn nhw."

Bagia allan wedyn gan godi'i law, a tharo'i gap ar ei ben. Mewn chwiffiad mae o wedi mynd ac mae hi'n syllu ar y glicied yn slotio'n ôl i'w lle.

A dyna lle mae hi'n sefyll wedyn am yn hir yn cribinio'i chof – yn trio clandro pwy ydi o. Mae o'n ddiarth. Ac eto mae o'n lled gyfarwydd. Yn rhywle rhwng ei edrychiad, ei osgo a'i lais, neu yn ei wyneb agored, mae yna rywbeth mae hi'n ei adnabod.

6

Dros y dyddiau nesa mae presenoldeb y mangl, fel rhyw ddynes fer, frestiog yn y pasej, bron fel cael Miss Gladys Wainwright yn ôl yn y tŷ.

Ac mae'n deffro'r flwyddyn gron honno a fu'n cysgu fel pathew yng nghof Elin.

Howscipar fu Gladys Wainwright ar hyd y blynyddoedd ym Mhlas Cefn Amwlch yng nghanol Llŷn ac Elin yn gwybod dim o'i hanes. Pan gyrhaeddodd ei saith deg cawsai bensiwn bach gan y teulu a bwthyn ar rent ym mhentre Edern, o fewn cyrraedd siop Groesffordd, y Ship a'r Cefn Amwlch Arms. Fyddai hi byth yn deintio i'r un o'r ddau dŷ potas wrth gwrs; roedd ganddi ei statws a'i hunan-barch. Anfonai yr hogyn drws nesa, Iori, i nôl potel o bort neu frandi fel byddai hi ffansi a châi bisyn tair am ei chymwynas. Potel o frandi oedd wedi cyrraedd y pnawn y syrthiodd Miss Wainwright, a thorri ei chlun ar deils caled y gegin. Chwalodd y botel yn shitrwns. Doedd gan Miss Wainwright ddim teulu, neu o leiaf wnaeth neb ei harddel hi pan aeth y stori am y ddamwain ar led. Holwyd teulu Cefn Amwlch a allent ei chymryd i mewn; anfonwyd basgedaid hyfryd o ffrwythau o'r tŷ gwydr a'u dymuniadau da, a 'Na'.

Penderfynodd yr hen ledi roi hysbyseb ei hun yn y papur yn holi am *live-in companion* oedd hefyd yn howscipar. Ond doedd neb am fod yn howscipar i howscipar, hyd yn oed un ar wastad ei chefn yn ei gwely. Ymhen pythefnos dyma osod hysbyseb arall yn holi am le fel *lodger*. Doedd gan Sydna Robaits y Ffridd ddim digon o Saesneg i ddeall yr hysbyseb honno; digwyddiad oedd i Hugh Griffiths Siop Isaf sôn wrthi pan oedd yno'n gwneud neges un min nos. Unwaith y clywodd roedd hi fel ci efo asgwrn. Roedd yn gas ganddi feddwl am Elin ar ei phen ei hun mewn tŷ mawr am fisoedd ar y tro. At hynny, fel un a adwaenai galedi credai'n siŵr y byddai cael incwm bach ychwanegol yn beth doeth a bywyd capteiniaid môr mor ansicr. Ymhen tridiau, roedd yn cnocio ar ddrws y bwthyn.

Newydd briodi roedd John ac Elin yr adeg hynny, ac wedi cymryd Glan Deufor, Rosland Terrace ar y Lôn Isa, tŷ pen newydd sbon mewn teras braf ym Morfa ar rent – ond heb fyw ond cwta fisoedd yno. Yn ystod yr wythnosau ar ôl iddynt symud i mewn daethai aelodau'r ddau deulu draw efo cyfraniadau fel mat, bwrdd crwn a lamp baraffin. Prynwyd gwely a dodrefn parlwr mewn ocsiwn. O ddydd i ddydd roedd y tŷ newydd wedi mynd i deimlo'n llai, yn fwy cynhesol ac yn fwy o gartre. Daethai John â sawl anrheg i Elin oddi ar ei deithiau ac roedd y botel sent Eau de Cologne, y rholbren wydr â blodau lliwgar, a'r cerfiad eliffant pren caled wedi'u gosod yn amlwg yma ac acw.

Yn ystod y tair blynedd y buon nhw'n canlyn, prin fu'r cyfleoedd i John ac Elin fod efo'i gilydd – dim ond nhw ill dau. Byw o lythyr i lythyr oedd hi am fisoedd ar y tro. Dôi John draw i'r Ffridd i'w gweld pan fyddai adra a chael te neu swper efo'r teulu, ac Elin yn ei ddanfon dipyn o'r ffordd iddyn nhw gael cofleidio. Methodist oedd John a hithau o deulu selog o Annibynwyr, a bu sawl sgwrs a dipyn o bryfocio ynghylch pwy oedd am droi ar ôl priodi. Elin oedd wedi ennill, am y byddai'n brafiach iddi fynd i'w chapel ei hun yn ystod cyfnodau hir ei absenoldeb. Noson hapus yng nghof Elin oedd y noson y daeth John efo'r teulu i'r gwasanaeth nos ym Mheniel, capel newydd yr Annibynwyr yng Ngheidio. Doedd dim digon o le i bawb yn sedd y teulu, ac roedd John a hi a Jane ei chwaer wedi eistedd yn un o'r seti ochor. Yn ystod y weddi, roedd John wedi estyn a gafael yn ei llaw hi ac wedi dal ei afael yn gadarn nes bu'n rhaid codi i ganu.

Roedd Mary, yr hynaf o dair chwaer John, saith mlynedd yn hŷn na fo, gwniadwraig wrth ei chrefft ac erbyn hynny'n wraig i gapten ei hun ac yn fam i ddau o blant. Hi ddaeth i'r adwy i gefnogi'r garwriaeth ac roedden nhw yn ei dyled am hynny. Roedd hi'n adnabod ei brawd yn well na neb ac wedi poeni dipyn pan adawodd ei waith yn y llofft hwyliau a mynd i'r môr yn ddwy ar bymtheg oed. Fel'na roedd hogiau – eisio gwella'u byd, ac eisio gweld y byd. Ac am ddilyn ei gilydd bob gafael. Fedrai neb weld bai arnyn nhw. Ac eto, allai rhywun ddim peidio â phoeni chwaith. Byddai Mary'n gwadd John ac Elin draw am de, ac yn eu gadael wedyn yn y parlwr am dipyn. Os oedd John am wneud rhywbeth ohoni ar y môr, pasio'i arholiadau a mynd yn ei flaen, byddai angen gwraig nobl tu ôl iddo.

Goleuni a wêl Elin wrth gofio'n ôl at yr wythnosau cyntaf hynny yng Nglan Deufor. Doedd dim llenni na chyrtans net yn amryw o'r ffenestri a llifai golau dydd lond yr ystafelloedd. Agorai John ddrws y cefn yn y bore a'i adael led y pen, nes fod min y gwynt yn codi dalennau'r *Herald* ar fwrdd y gegin. Cynigiodd i'r perchennog y basai o'n gorffen y gwaith peintio ei hun am ostyngiad yn rhent y mis cyntaf; doedd o wedi hen arfer peintio ar longau? A dyna lle bu am ddyddiau yn llewys ei grys yn canu emynau dan ei wynt ac yn peintio, yn ffwrdd-â-hi braidd ym marn Elin, ond yn hapus fel y gog. Roedd yn ddyn tal a phan gafodd baent ar ei locsyn tywyll, bu'n rhaid iddi sefyll ar stepen i dorri'r lliw pinc i ffwrdd efo siswrn.

Cofia Elin ei bod wedi dal i wisgo'i dillad haf golau am yr wythnosau hynny a chario parasôl i fynd am dro. Roedd y cyfnod yn teimlo fel gwyliau mewn pentre glan y môr braf. Fel *honeymoon*. Fel mab i fecar, roedd John yn godwr bore ac yn mwynhau cael stwna yn y gegin – codi lludw a gosod tân oer. Tua saith deuai â thebotiad o de a chwpanau a jwg llefrith i fyny i'r llofft, ac yno y bydden nhw'n sgwrsio ac yn yfed y te. Yn amlach na pheidio, âi John yn ôl i'r gwely at Elin.

Ymhen rhai wythnosau daeth Pegi a John Richard ei thad i fyw drws nesa, ac roedd ganddynt gymdogion wedyn. Byddai Pegi'n galw "Iw-ww" wrth gerdded i mewn i'r gegin i ddweud rhyw newydd neu nôl benthyg cwpanaid o siwgr neu lwmp o fenyn. A byddai'n eistedd wrth fwrdd y gegin heb ei gwadd, yn gartrefol braf, a dechrau siarad am bob dim dan haul. Cyn pen dim o dro, roedd Elin a Pegi'n ffrindiau. Ac roedd hi'n haul bob dydd, a phrin bod y dydd yn byrhau.

Ar ôl i Sydna Robaits fynd dros ben ei merch a'i mab yng nghyfraith i gymryd lojar, symudodd Miss Wainwright i Lan Deufor wythnos cyn y Nadolig. Cafodd John fenthyg ceffyl a throl i fynd i'w nôl a chymryd hydoedd i ddod dow-dow efo hi gan osgoi pob twll yn y lôn. Un fer drom oedd Miss Wainwright, yr un hyd a'r un lled, ac fel boncyff derw yn y trwmbal. Daethai Elin â'r gwely i lawr iddi i'r parlwr ffrynt a doedd dim lle i chwipio chwannen yno. Pan gyrhaeddodd roedd popeth yn barod – tân siriol yn y grât a the yn y tebot.

Mor rhyfedd oedd ei chael yno ar y dechrau, rhywle rhwng babi a nain. Byddai John ac Elin yn edrych ar ei gilydd pan ddôi'r gri aml "Musus Jôô-ôôns, Musus Jôô-ôôns" o'r parlwr – Elin yn codi ei haeliau, a John a hithau'n chwerthin yn fud. Doedd o ddim mor ddoniol chwaith. Ond soniodd yr un o'r ddau am eu hamheuon cyn i John gychwyn am ei long cyn y Calan. Doedd yr un ohonynt yn ddigon dewr i ofyn: "Be ar y ddaear ydan ni wedi'i neud?"

O'r cychwyn cyntaf edrychai Miss Gladys Wainwright ar Elin fel ymgorfforiad o holl staff Plas Cefn Amwlch a'u haml swyddogaethau. Morwyn bach, *lady's maid*, cwc, gwas bach, bwtler – yr oll o fewn un corpws. O'r diwedd, hi oedd y feistres. "Mae angen glo ar y tân yma", "Mae fy hancas i wedi llithro odd' ar y gwely!", "Fedrwch chi ddod i fy rhoi ar y comôd?", "Mae 'ma ddrafft", ac felly ymlaen o ben bore tan naw y nos. Roedd hi fel barn.

Ond nid dyna'r cyfan. Cyn bod John wedi cyrraedd Caernarfon roedd hi wedi dechrau swnian – eisio i Elin fynd i nôl diod gadarn iddi i'r Castle. *"The doctor recommended it – it thins the blood."* Doedd hi ddim wedi cael Nadolig heb sieri ers ei harddegau hwyr a beiai John, gŵr y tŷ, am hynny. Roedd storïau lu'n berwi am gapteiniaid meddw bitsh ar y cefnfor ond gwyddai Miss Wainwright fod y mwyafrif o gapteiniaid yr ardal yn llwyrymwrthodwyr, ac yn uchel eu parch gan berchnogion cwmnïau llongau am hynny. Dôi rhai ohonynt draw i Gefn Amwlch ar ôl mordaith i dalu *dividend* gan fod y sgweiar yn berchen siariau mewn sawl llong. Brandi i'r sgweiar a choffi i'r capten fyddai'r ordor o'r *drawing room* fel arfer.

Eisteddai Elin a Pegi wrth fwrdd y gegin aml noson yn ceisio meddwl sut i gael trefn ar Miss Gladys Wainwright. "Eisio dangos pwy ydi'r bòs sy," mynnai Elin, "neu fydd yna ddim byd ond traffarth efo hi." Y diwedd fu i Pegi fynd drwadd at yr hen ledi un pnawn pan oedd Elin wedi mynd i neges a'i rhybuddio y gallai 'Musus Jôô-ôôns' ddangos y lôn iddi os nad oedd am fod yn fwy rhesymol, a'i bod wedi gwneud hynny efo un lojar o'r blaen. Oedd yn gelwydd noeth. Ond a wnaeth y tric. Bu llai lawer o gomandîrio ac o fynnu tendans o'r pnawn hwnnw ymlaen.

Ond doedd dim troi arni o ran cael tropyn. 'Dâi yr un o draed Elin na Pegi i'r Castle, ond roedd tad Pegi yn falch o'r esgus i fynd am beint, a dod â photel frandi yn ôl ar y cwei'. Wrth i'r wythnosau fynd heibio roedd y ddiod yn arf tra defnyddiol i gadw Miss Wainwright yn swît, i'w helpu i gysgu'r nos ac fel *treat* achlysurol. Meddyliai Elin amdano fel rhywbeth hanner y ffordd rhwng ffisig a Fry's Chocolate. Cadwai'r gwirod yng nghefn y cwpwrdd mawr yn y pantri a châi ei ddogni'n llym.

Ddechrau mis Mawrth 1888 daeth llythyr gan John

o Hamburg. Hwn oedd y cyntaf i Elin ei dderbyn â'r cyfarchiad 'F'annwyl briod' arno. Cadwai o ym mhoced ei brat a'i estyn mor aml nes iddo ddechrau hollti yn y plyg. Roeddent newydd ddechrau dadlwytho'r llwyth llechi oddi ar y *Jane Mary*, roedd yn dywydd oer a dwylo'r hogiau'n mynd i waedu. Gyda'r nos byddai'n eu golchi a rhoi *iodine* arnynt rhag iddynt fynd yn ddrwg. Disgwyliai fod yn ôl yng Nghaernarfon ddiwedd Ebrill.

"Yr wyf yn edrych ymlaen at eich gweled ymhen y rhawg. Gobeithio fod pop peth yn all right yn y tŷ. Cofiwch mai ar y 9th o'r mis y mae'r rhent yn ddyledus.
    Ydwyf, eich priod ffyddlon
    John"

Soniodd Elin ddim gair wrth Miss Glad am y llythyr, ond synhwyrai'r hen ledi'r gwahaniaeth yn holl awyrgylch y tŷ. Byddai Elin yn dal ambell gipolwg arni'i hun yn y drych ac yn gwenu fel giât, canai 'Moliannwn' ar dop ei llais, a rhoi ambell sbonc o lawenydd o'r trydydd gris i lawr. Roedd bron fel pe bai rhywun arall yno efo nhw'n barod oedd am hudo Elin, yn estyn amdani. A doedd hynny ddim yn plesio Miss Glad o gwbwl. Yn union fel plentyn ar ôl i fabi newydd gyrraedd, roedd yr hen goesau bach tew yna'n paratoi am strancs.

Ar yr esgus o gael gwerth ei phres fel lojwraig ar ôl i John fynd yn ei ôl ddechrau'r flwyddyn, roedd Miss Gladys Wainwright wedi mynnu cael rhoi Elin ar ben y ffordd efo *housekeeping*. Cynllun i gadw diflastod draw oedd o, mewn gwirionedd. Dyma gytuno i basio'r amser felly a phrynodd Elin *ledger* o'r Post gyda llinellau ar draws a cholofnau. Doedd hi ddim mor ddi-drefn ei hun chwaith ac roedd pob bil ers iddyn nhw briodi ganddi mewn pot pridd yn y gegin. Yn y pnawniau ar ôl cinio, âi Elin drwadd i'r parlwr a byddai'r hyfforddiant yn dechrau. "Rŵan imajiniwch, Musus Jôô-ôôns, am funud, bod rhywun yn dod i weld eich gwaith, ac i edrych drosto. Mae angen *pride* yn eich gwaith. *Very best handwriting*." Meddyliodd Elin am John a rhoi ei llaw ar ei phoced. Un pnawn ar ganol rhestru neges yr wythnos clywsant ddwrn y drws cefn yn troi a throed drom ar lawr y gegin, a chofia Elin iddi neidio ar ei thraed ac i'r pìn inc grafu ar draws y ddalen ac i Miss Glad wneud sŵn bach gwichlyd fel petai rhywun wedi sathru arni.

Roedd John adra.

Mae'n siŵr nad oedd o wedi molchi fawr ers iddyn nhw ddocio dridiau ynghynt achos roedd blas heli a chwys arno o hyd. Cawsai reid cyn belled â Llanwnda a cherdded wedyn. Ar ôl swper roedd Elin wedi dod â'r celwrn i'r gegin a berwi tecelleidiau o ddŵr nes bod angar wedi cau'r ffenestri. Clodd y drws cefn a chafodd y drws canol ei gau. Cyn gwneud hynny, roedd wedi gofalu mynd â dogn cysgu helaeth drwadd i'r hen ledi.

Bore trannoeth ar ôl brecwast, roedd John wedi dechrau sniffian o gwmpas y gegin fel ffurat. "Oes 'na ogla diod yma?" Ac aeth unrhyw obaith oedd gan Elin o gadw ffisig sbesial ei lojar yn gyfrinach fach rhyngddyn nhw ill dwy i'r gwellt. Hyd yn oed fesul dogn, hyd yn oed *'for medicinal purposes'*, roedd John yn gyfan gwbwl yn ei erbyn. Ar ôl yr "Ia wir, wel mi adawa i chi gael rest bach rŵan" manesol wrth nôl y gwydryn o law Miss Glad cyn iddi orffen ei ffisig canol bore, gadawodd hi'n sorri'n bwt a dod trwadd i eistedd wrth fwrdd y gegin gydag Elin.

"Sawl gwaith dwi wedi gweld hogia'n cael eu gadael yn Rio neu Dieppe, wedi cael gormod o ddiod a heb ddod 'nôl i'r llong? Cwffio, wel mae hwnnw'n bob man, ond yn waeth ar ôl cael boliad. Unwaith, mi welish foi, *Dane* oedd o, wedi smyglo diod efo fo ar y llong, yfad nes oedd o'n chwil bitsh a'i daflu'i hun i ganol y North Sea mewn gêl a thonna fel talcan tŷ. A dim gobaith i neb 'i achub o."

"Llond ecob oedd hi'n gael gin i ar y tro."

"Ond sawl gwaith yn y dydd? Ac ylwch be ddigwyddodd i Twm, gŵr Lydia Catrin. Diod oedd hynna."

"Dim syrthio rhwng y llong a'r cei wnaeth o?"

"Ond pam? Na, Elin, mae'n well rhoi stop arni rŵan. Be tasach chi'n cael traffarth efo hi, a finna i ffwr'? Croeso i chi ddeud mai fi sy wedi rhoi fy nhroed i lawr." Ac ar hynny roedd o wedi codi a rhoi ei gôt amdano i fynd i weld ei chwaer Mary a'r teulu – roedd ganddo *jelly beans* i'r plant.

Mewn gweithred a deimlai'n fradwrus ac eto'n angen-rheidiol, symudodd Elin y botel frandi i ben draw dua'r twll dan grisiau – rhag ofn *emergency*. Tra bu adra am fis wedyn holodd John ddim amdani unwaith. Roedd o'n ei thrystio hi. A bihafiodd Miss Gladys Wainwright yn eitha byth heblaw am un peth: bob tro y clywai sŵn o'r llofft uwch ei phen gefn nos byddai'n taro'r nenfwd efo'i ffon: cnoc cnoc cnoc.

O'r funud bron y cychwynnodd John yn ôl am ei long gwrthododd Miss Glad fwyta'r nesa peth i ddim, er i Elin ei themtio efo popeth o faidd yr iâr i frôn. Gwnâi sŵn crio mawr bob hyn a hyn a mynnu na allai hi gario ymlaen, wir, nad oedd bywyd ddim gwerth ei fyw. Cwynai ei bod yn methu cysgu winc drwy'r nos. Collai bwysau. Er ei bod yn fis Mehefin, allai hi ddim cnesu. Aeth y cnawd o gwmpas ei llygaid yn binc a hegar yr olwg a'i chocyn gwallt bach brith yn fflat. Ceisiai Elin ei pherswadio i godi ar ei heistedd, a dôi â'r llyfr cownt drwadd iddi edrych drosto. Cynigiodd chwilio am gadair olwyn i fynd â hi am dro bach. Ond troi ei phen draw oedd yr ateb bob tro.

Yn y diwedd penderfynodd Elin alw am y doctor rhag ofn fod angen tonic arni. "'Dach chi'n gwybod yn iawn pa donic dwi eisio." Ond galw Doctor Griffith ddaru Elin a daeth draw drannoeth. Bu gyda Miss Glad yn hir yn ei chornio a'i bodio. Ar ôl gorffen daeth drwadd i'r gegin at

Elin. "Y galon," meddai. Eglurodd fel roedd y cyfuniad o flynyddoedd o waith caled, sioc y godwm ac wedyn cymryd i'w gwely wedi'i gwanhau. Ychwanegodd Elin yn onest ei bod yn hoff o dropyn, a nodiodd y doctor eto'n egnïol fel petai wedi gweld y peth laweroedd o weithiau. Doedd dim triniaeth, meddai, ond rhôi sgript rhag ofn iddi gael poen, a phils i'w helpu i gysgu. Gallai fyw mis, gallai fyw blwyddyn. Canys ni ŵyr neb y dydd na'r awr . . .

Cwta hanner blwyddyn fu hyd edefyn bywyd Miss Gladys Wainwright o'r dydd y galwodd y meddyg i'w gweld gyntaf, felly roedd yn bur agos i'w le. Yn ystod yr amser hwnnw, roedd Elin wedi profi'i hun yn fwy o nyrs nag a feddyliai neb – yn enwedig hi'i hun. Roedd y shifftiau'n hir ond yr amser yn fyr. Dôi Pegi i eistedd at yr hen wraig weithiau i Elin gael mynd adra i'r Ffridd, neu i ben 'rallt môr am wynt, neu i'r capel. Ond ei chlaf hi oedd hi a'i chyfrifoldeb.

Cafodd ofal tyner. Ond y cysur mwyaf a roddodd Elin i Miss Gladys Wainwright yn ystod misoedd clo ei bywyd oedd ei phwysau yn eistedd ar waelod y gwely. Hynny a'r storïau a adroddai wrthi am hogan bach o'r Sarn o'r enw Gladys yn mynd i weini i Lerpwl heb yr un swllt ac yn berchen ceffyl rasio a hetiau crand di-ri erbyn y diwedd. A'r stori arall well byth am sgweier ifanc golygus yn syrthio dros ei ben a'i glustiau mewn cariad efo'r howscipar ac yn mynnu cael ei phriodi hi.

Pan lwyddodd Elin i agor drws y parlwr, wythnosau lawer ar ôl y cynhebrwng, roedd yr oglau wedi'i tharo fel slap. Nid oglau corff oedd o, mwy o oglau salwch wedi lingro, ac oglau sebon sent Miss Glad – oglau diwedd oes. Hiraeth yn donnau hefyd. Aed â'r gwely'n ôl i fyny a chario'r dodrefn eraill i'r pasej iddi gael sgwrio'r llawr coed. Wrth glirio'r seidbord o'r holl fân 'nialwch oedd gan ei lojar daeth Elin ar draws cas llythyr melynlliw. Arno roedd 'Mr & Mrs J Jones' wedi'i deipio mewn du. Doedd yna ddim cyfeiriad na stamp. Roedd wedi'i selio ac aeth i nôl cyllell o'r gegin i'w agor. Disgwyliai weld llythyr ynddo – geirda gan sgweiar Cefn Amwlch, ella. Neu tybed oedd Miss Glad wedi cael rhywun i deipio llythyr drosti yn diolch am eu gofal ohoni?

Pentwr tew o arian papur oedd yn y cas llythyr. Papurau decpunt i gyd. Cyfrodd Elin mewn rhyfeddod hanner cant ohonynt – cyfanswm o bum cant o bunnau. Arian mawr! Aeth ei thu mewn i grynu wrth gyfri ac ailgyfri. Gosododd nhw allan yn bentyrrau o gant ar y seidbord. Roedd hynna'n ffortiwn fach.

Ar ôl cyfri a chyfri drachefn rhoddodd Elin yr enfilop yn ôl yn nrôr y seidbord. Roedd y newydd am y pres yn ormod i'w ddweud wrth John mewn llythyr, a phenderfynodd aros nes byddai adra nesa. Doedd yna ddim ewyllys ac am y gwyddai Elin, doedd gan Miss Glad ddim twrnai. Hi oedd wedi gorfod nôl y dystysgrif farwolaeth ar ôl iddi fynd beth bynnag, a threfnu'r cynhebrwng. Pan aeth i'r banc, gwelsai mai cwta ddecpunt oedd ar ôl yng nghyfri'r hen wraig ar ôl talu am ei chladdu. Caewyd y cownt ac roedd yr arian hwnnw mewn bocs tun yn y gegin yn barod i'w roi at y Genhadaeth.

Dros y misoedd ar ôl y darganfyddiad, roedd Elin wedi ailfeddwl. Beth petai rhywun o blasty Cefn Amwlch neu aelod colledig o'i theulu'n cyrraedd yno'n fwg ac yn dân yn holi am yr arian? Na, y peth gorau oedd peidio â sôn wrth John, rhag codi'i obeithion ac wedyn ei siomi. Wnaeth hi ddim hyd yn oed ystyried dweud wrth neb arall.

Roedd Elin yn gyfforddus iawn gyda chyfrinach.

Ac yno y maen nhw. A thros y misoedd bydd weithiau yn cofio amdanyn nhw, a hyd yn oed yn eu hestyn allan yn achlysurol iawn i'w cyfri. Dro arall anghofia'n llwyr am gynnwys y cas llythyr melynlliw.

Mae hi'n ddiwedd yr wythnos ar Elin yn penderfynu mynd draw i weld Lydia Catrin. Drwy'r wythnos bu'n troi yn ei hunfan. Bob pnawn mae'n estyn ei llyfr bwcings a'r calendar ac wedyn yn gwneud dim. Dim ond aros i rywbeth ddigwydd na ŵyr hi ddim be ydi o – dim ond ei fod yn ei gwneud hi'n anniddig. Ac yn brifo yng ngwaelod ei bol.

Syniad ei mam oedd y lojar. Ond ar ôl claddu Miss Glad a hiraethu amdani, Elin oedd wedi penderfynu na fyddai yna'r un arall. Ar ôl y gaeaf gwag a thawel dilynol ar ei phen ei hun y daeth y syniad o gadw ymwelwyr iddi. Roedd ambell le mawr tua'r dre yn cadw fusutors ers tro a meddyliodd y gallai hithau wneud yr un fath, ar raddfa lai. Daeth Pegi draw i helpu'r haf hwnnw a bu Glan Deufor yn llawn o firi a thywod a Saesneg am wythnosau. Profodd hyfforddiant Miss Glad mewn cadw cowntiau'n ddefnyddiol iawn, ac roedd mynd â'r arian i'r banc ar bnawn dydd Gwener mor bleserus ag unrhyw ganmoliaeth a gâi hi am ei bwyd. Ers hynny roedd y busnes wedi tyfu'n flynyddol; deuai sawl teulu'n ôl bob mis Awst a byddai'n rhyfeddu o weld eu plant yn prifio.

Ond doedd o ddim yn bres hawdd. Erbyn dechrau mis Medi byddai ar ei phedwar, ac mor nefolaidd fyddai cael mynd draw i'r Ffridd am dridiau a chael rhywun yn tendiad arni hi. Y llynedd roedd hi'n hwyr arnyn nhw'n cael y cynhaeaf ceirch ar ôl haf gwlyb ac roedd y dynion wrthi'n pladurio y diwrnod y cyrhaeddodd yno. Bu wrthi'n helpu i stycio'r ysgubau a daeth Jane a hyd yn oed ei mam i'r cae i roi help llaw cyn y glaw mawr nesa. Bu ei thad wrthi yn toi'r das yng ngolau lleuad felyn a hithau'n codi iddo nes bod ei breichiau'n ysu. Ar ôl gorffen, er mor hwyr oedd hi, roedd wedi penderfynu mynd am adra gan eu bod yn gaddo dilyw trannoeth. Wrth gerdded drwy'r llwybrau cul, y mieri'n crafangio amdani a gwres y dydd yn dal, roedd rhyw drueni wedi dod drosti wrth feddwl am fynd adra i dŷ a gwely gwag.

Lwc garw fu iddi ddŵad adra'r noson honno, achos yn gynnar y bore wedyn daeth cnoc ar ddrws y cefn a dyna lle'r oedd Mary ei chwaer yng nghyfraith yn wlyb 'dat ei chroen wedi cerdded o Nefyn i'w gweld. Roedd Lizzie, chwaer fach John a hithau, newydd gael babi, y pedwerydd hogyn, ac yn methu codi o'i gwely. Poenai Jac ei gŵr yn arw amdani ac roedd wedi anfon gair o Benrhyn yn gofyn a allai rhywun gymryd un o'r bechgyn am sbel i ysgafnu'r baich. "Bach ydi'r tŷ acw, wy'chi, Elin. Ydach chi'n meddwl y medrach chi ei gymryd o? Y canol fydd o, dim ond am dipyn o fisoedd." Ac felly y daeth Hughie i Lan Deufor a gwneud ei gartre yno, heblaw am yr ychydig ddyddiau dros y Nadolig pan fu hi efo John yn Southampton. Ar y trên yn ôl adra drwy Amwythig, dyna lle'r oedd o ar stesion Penrhyn drannoeth yn aros amdani hi, yn cario clamp o ŵydd gan ei dad at ginio Calan, yn wên i gyd. Aeth y misoedd drwy'u dwylo a dyma hi'n ganol Mawrth.

Cyn cychwyn am nymbar ffôr Gorffwysfa Row mae hi'n torri brechdan ac yn rhoi plât drosti, ac yn tywallt llaeth enwyn i gwpan.

"Oes 'ma bobol?"

Wrth aros ar y trothwy mae Elin yn gweld fod clo newydd wedi'i osod yn nrws nymbar ffôr yn ddiweddar iawn. Mae o'n dipyn gwell peth na'r drws ei hun.

Lydia Catrin sy'n agor y clo ac wedyn y drws. Gad o'n agored, a mynd drwadd i'r cefn, yn tuchan dan ei gwynt.

Fu Elin Jones ddim dan y gronglwyd hon o'r blaen; fu fawr o neb, a dweud y gwir. Mae'n dal sylw ar y gadair, a'r bocs orenjis, ac yn penderfynu sefyll.

Mae hi cyn oered yma ag allan. Mae yna ogla dwtsh yn anghynnes, ond fedr hi ddim dirnad be ydi o. Hongia dwy leiniad fach dila groes gongol ar draws y gegin, yn dripian dropiau i bridd y llawr.

"Mi gawsoch chi helynt yma."

O'r cefn, daw sŵn llestri ond dim ateb. Mae'n codi ei llais fymryn.

"Lydia, mi ddylwn fod wedi dod draw cyn hyn. Mae eich mangl chi acw."

Daw gwraig y tŷ i sefyll yn y ffrâm lle dylai'r drws i'r cefn fod a'i hwynebu rhwng y dillad.

"Roedd y cymdogion 'ma'n deud fod ryw ddyn diarth wedi mynd â fo o haffla'r llymbar Robert Ifans 'na. Ro'n i'n meddwl y basa rhaid i mi fynd at y plisman."

"Alwodd Sam Richards ddim i ddeud lle oedd o?"

"Mi oedd yna ryw bapur dan drws, ond Susnag oedd o."

"Dowch i'w nôl o pan fedrwch chi. Pwy helpith? Mae 'na bwysa ynddo fo."

Mae'r tyndra'n mynd o Lydia Catrin.

"Fedra i ddim dŵad â fo i fan'ma. Mi ddoth 'na lythyr twrna ddoe. Mae o am ein hel ni o 'ma . . ."

"Neith o ddim, siŵr!"

"Mae hi wedi bod yn anodd talu'r rhent ers i ni golli Twm, a dwi ar 'i hôl hi'n arw. Ond mae'r diawl, sgiwsiwch yr iaith, Elin Jones, am bob dima. Mae arna i rent blwyddyn o hyd . . ."

"Fasach chi'ch dwy ddim yn gallu cael lle yn rhwla efo'ch gilydd? Un o'r plasa?"

Ysgwyd ei phen ydi ateb y fam. "A chyn i chi ofyn, wertha i mo'r mangl. Hwnnw sy'n mynd i'n cadw ni o'r wyrcws."

Mae Elin yn meddwl am ei chownt pres fusutors. Ei phres hi a John ydi hwnnw.

"Be newch chi?"

"Dwi'n mynd i sticio hi yma. Lle arall awn ni? Mae Moses Dafis newyrth i wedi rhoi benthyg dwybunt i mi, wysg 'i din. Mi oedd yr hen gybydd yn cwyno digon."

Fedr Elin ddim gweld llawer o fai ar Moses Dafis, achos pryd mae'r creadur yn mynd i weld ei bres yn ôl? Mae'n ystyried yn ofalus cyn ateb.

"Mi gewch fenthyg yr un faint gin inna. A thalu'n ôl fesul swllt neu ddau, mi gadwa i gownt."

Mae Lydia Catrin yn nodio. Bydd hynny'n mynd dipyn o ffordd at gau y ddyled. Ond sut mae hi'n mynd i dalu ymlaen? Petai hi'n cael Twm yn ôl am hanner awr mi fasai'n rhoi tro yn 'i gorn gwddw fo – ar ôl dweud wrtho llymbar mor hunanol ac anystyriol oedd o yn ei gadael hi ac Adi mor ddi-gefn.

"Mae gynno fo denant arall i fan'ma, medda fo, er Duw a ŵyr pwy. Mae o eisio'n harian ni. Ac mae o eisio'n cefna ni. Gymerwch chi 'panad?"

"Dim diolch, mi fydd Hughie adra'n methu dallt lle ydw i. Ond Lydia, mae eisio meddwl. Sut ydach chi am fyw, talu'r rhent a thalu'n ôl?"

"Adi ydi'r pen, ond wnaiff hi ond fel mae hi eisio, fel gafr ar drana."

"Mae hi'n ddigon hen i ddallt."

"Ydi, fi sy ella, gwarchod gormod arni, yr unig gyw. Ond hogan ei thad oedd hi."

"Chi sy'n meddwl hynny."

"Rydw i'n deud wrthach chi, Elin Jones, 'tae wahaniaeth bellach."

Ar ôl te, mae Elin yn gyrru Hughie'n ôl i nymbar ffôr gyda dysglad enamel o datws a hanner torth. A'r ddau bapur punt mewn bag papur. "Cofia di ddeud rŵan fy mod i wedi bod yn iwsio'r mangl, a bod arna iddi am hynny."

"Dim cymaint â hynna!"

"Dos yn d'laen."

Ar ôl iddo fynd, mae hi'n cadw'r llythyrau a'r *diary* a rhoi'r calendar yn ôl ar y wal. O'i blaen mae *March* yn dangos mai dim ond wythnos a dipyn sydd tan Sul y Blodau. Mae hi wedi marcio gwyliau'r ysgol mewn pensel, fisoedd yn ôl. Bydd rhaid iddi fynd i weld y Sgŵl ddydd Llun i ofyn am ripórt ar Hughie a dweud ei fod yn madael.

Ac ar ôl hynny bydd rhaid iddi hel ei nerth i lenwi ei haf. Mae storïau a sgwrsys ymwelwyr y llynedd yn pylu yn ei phen erbyn hyn. Bydd angen rhai newydd arni.

Eto, mae ei hatgofion am ei bywyd ei hunan mor glir â *photographs*. Dydyn nhw ddim yn dyddio. Maen nhw'n agor drws iddi wrth iddi geisio dianc am dipyn oddi wrth y calendar gwag a'r hen boen yna sy'n cnoi yn ei bol.

Unwaith yn unig mewn pum mlynedd y bu hi ar fordaith gyda John.

Taith gwta dri mis oedd hi o Borthmadog i Hamburg yn cludo llechi, oddi yno i Londonderry gyda halen ac adra'n ôl mewn balast. Roedd hi'n foriog ar y ffordd allan a bu'n sâl fel ci nes iddyn nhw rowndio Land's End. Allai hi ddim codi'i phen, na diodde John yn agos ati. Pan dawelodd y gwynt, gwnaeth ymdrech fawr i wisgo amdani a mynd i eistedd ar y pŵp dec, gan syllu tua'r gorwel. Fel roedd hi'n dechrau altro dechreuodd y bosun dynnu arni'n brolio'r c'lonnau cywion ieir rhost a gâi bob tro roedd yn Oporto. Roedd y cyfog gwag yn waeth na chwydu. Ond hogiau iawn oedd hogiau Port, dim ond hwyl oedd o. Pan ddaeth hi'n ddydd Sul, roedd y criw i gyd wedi siafio a John wedi darllen hanes Iesu'n tawelu'r storm. Ymunodd y criw wedyn i ganu 'Arglwydd Iesu, arwain f'enaid . . .' a'i llais pêr hi'n codi'n uchel at y *royals*.

Roedd yna ffasiwn ymysg dynion môr, y rhai allai fforddio, i brynu modrwy gipar i'w cariadon neu wragedd. Arwydd o gariad ac arwydd o gadw. Cyn gorffen llwytho yn y Port roedd John wedi mynd ag Elin i siop *jewellers* James Reese ar y Stryd Fawr iddi gael dewis un ei hun. Doedd yna fawr o ddewis yn digwydd bod ac roedd hi wedi gorfod setlo ar fodrwy lydan ag angorion arni – un lac braidd. Yn draddodiadol, roedd i fod i gael ei gwisgo dros ei modrwy briodas ond dywedodd John wrthi am ei gwisgo odani, rhag ofn iddi ei cholli.

Pan gyrhaeddon nhw Hamburg roedd nifer o longau Porthmadog yno o'u blaenau, wrthi'n dadlwytho. Un pnawn cafodd Elin nodyn yn ei gwadd i gyfarfod gwragedd Capten Robert Roberts a Capten Tom Lloyd ar y cei i fynd am dro. Genod o Borth-y-Gest oedd y ddwy, Magwen a Jenat, ffrindiau bore oes wedi rigio ar gyfer yr owting mewn ffrogiau taffeta a'u hetiau ffrilog yn siglo ar dop eu pennau wrth iddyn nhw chwerthin. I ffwrdd â'r tair fraich ym mraich am y Central Hotel, a chael croeso mawr yno gan fod y cysylltiad â morwyr Porthmadog yn un cryf, yn mynd yn ôl ddegawdau.

Roedd yna gapteiniaid eraill a'u gwragedd yno'r pnawn hwnnw, ac roedd Capten Griffith Davies o Nefyn a'i wraig, Ebrillwen, wedi dod draw i ddweud helô. Ar y pryd roedd Elin, ar lwgu ar ôl cael daear gadarn odani, wrthi'n claddu sleisen anferth o *apple strudel*. Ofnai ei bod am dagu ar y pestri brau a fedrodd hi mo'u hateb nhw, dim ond codi'i llaw fel het. A phawb yn chwerthin yn hapus braf.

Ar ôl gorffen y coffi cryf, chwerw, roedd sgwrs y merched wedi troi at eu modrwyau.

"Dowch i ni weld ych modrwy chi, Elin." A dyma Elin yn ei thynnu a'i phasio i Magwen ei gwisgo. Dal ei llaw yn ôl i'w hedmygu. "Wel, mae'n ddigon o sioe. Angor – be well?"

"'Dach chi'n meddwl? Fedra i yn fy myw gymryd ati."

"Rhoswch chi rŵan i chi gael trio hon, os medra i 'i thynnu!" Aeth wyneb Magwen yn goch wrth iddi droi a throi'r fodrwy i drio'i chael oddi ar ei bys chwyddedig. Yn y diwedd, llwyddodd.

Modrwy fach aur ddofn oedd hi, efo patrwm diemwntau a chylchoedd rhyngddynt yn gwau trwy'i gilydd. Roedd yn fwy anghyffredin nag un Elin, a dotiai ati. Wel wir, ac roedd yn ffitio ei bys priodas i'r dim!

A Magwen yn dal i lyfu a chwythu ar ei bys bob yn ail, ac yn ei rwbio.

"Pam na ffeiriwch chi, genod? Iesgob annwl, fydd neb ddim callach ond chi'ch dwy. Dydi dynion ddim yn sylwi ar betha fel'na."

"Ac mi fydd gynnon ni'n dwy fodrwy sy'n ffitio!"

Ac felly dyma nhw'n ffeirio yno yn y fan a'r lle. Ifanc oedden nhw, hwyl diniwed oedd o. Roedd pawb yn llon yn Hamburg.

Modrwy ydi modrwy.

Ddaw cwsg ddim heno, a berfeddion nos daw Elin i lawr yn ei choban a swatio a'i chefn at y *range* i gael ei gwres. Mae hi'n troi'r fodrwy gipar rownd a rownd ac yn ceisio deall be sydd wedi'i chlymu yma dros y pum mlynedd diwethaf. Rhaid ei fod yn fwy na sâl môr. Bu'n ceisio creu bywyd oedd yn gwneud synnwyr iddi hi, codi busnes, cadw cartre, ei gosod ei hun yn gadarn yn y gymdeithas. Daeth Hughie. Ond bywyd unochrog oedd o, ac roedd hi fel petai am golli ei balans bob gafael.

Yn ôl y sôn roedd Lord Nelson ei hun wedi diodde o sâl môr difrifol ar hyd ei oes, ac eto doedd o ddim wedi llyncu angor. Arhosodd ar y *Victory* drwy bob storm. Roedd o wedi ymladd brwydrau, wedi colli ei fraich dde a'i lygad dde. Ac yn ôl y sôn wedi syrthio mewn cariad efo rhywun heblaw ei wraig – Lady Emma Hamilton.

Mae'r fodrwy gipar yn wincio arni yng ngolau'r lamp baraffîn ond dydi Elin ddim mewn hwyl i wincio'n ôl.

8

Ar ôl cychwyn Hughie am yr ysgol drannoeth, mae Elin yn cloi drws y cefn a chau cyrtan y gegin. Daw â'r bwced o'r cefn efo'r dŵr oer ynddi, a thywallt dŵr o big y tecell am ei ben o. Pinsiad reit helaeth o halen wedyn.

Mae'n dechrau tynnu amdani o'r canol i lawr. Ei sanau gwlân du yn gynta. Yna ei throwsus bach gwlanen – yn socian odano. Mae'r clwt diferol yn hongian oddi ar y belt ac mae ei dwylo'n goch ar ôl iddi'i ddadfachu a'i daflu i'r dŵr. Mae yna slefren dywyll fel darn o iau dugoch ar wyneb y dŵr. Nesa, mae'n tynnu ei phais hanner – patsh mawr coch ar honno. Mae'r bais wlanen hefyd yn staen, a chaiff ei rhoi yn wlych. Plyga ei sgert drosodd ond mae'r leinin i'w weld yn iawn. Aiff bob dim arall i mewn i'r bwced, a chaead arni.

Tywallta weddill y dŵr o'r tecell i ddesgl molchi fawr sydd ar fwrdd y gegin. Mae'r sebon carbolig ynddi'n barod. Tynna ei sgert a'i rhoi dros gefn y gadair.

Ac ymolcha'n araf, gan ddechrau wrth ei fferau.

Mae Adi wedi clywed yr hogiau'n dweud fod Moses Dafis yn arfer cimychio, a bod ei gwch bach yn dal hyd y lle yn rhywle. Holodd Capten Rol; mae o'n adnabod cychod a llongau fel y mae pobol eraill yn adnabod teulu a bydd yn siarad amdanyn nhw'n fwy annwyl na pherthnasau gwaed. Enwau merched sydd ar lawer iawn ohonyn nhw, yn enwedig y llongau a fildiwyd ar y penrhyn, ac mae o fel ci drain aml ei gariadon: *Elizabeth, Susan Jane, Margaret, Clara, Polly.* Mae'r capten yn eu caru nhw i gyd. Na, doedd o ddim wedi gweld cwch bach Moses Dafis ers un deng mlynedd.

Bu Adi'n cynllunio ers nosweithiau. Mae'r clo newydd wedi helpu, ond mae hi'n dal yn llawn ofn ers diwrnod dwyn y mangl. Bob tro y daw sŵn troed wrth y drws mae'n neidio. Ac mae arni angen lle arall i gael dianc iddo o'i byw bregus – lle braf o afael Robert Ifans. Rŵan, os gallai roi perswâd ar Dewyrth i adael iddi ddefnyddio'r hen gwch, fyddai hi fawr o dro'n dysgu sgwlio. Mi ddysgai Capten Rol hi. Gallai ddod â gwrachan neu granc yn dâl am ei fenthyg. Byddai'r trefniant yn eu siwtio nhw ill dau. A byddai hithau gam yn nes at fynd i'r môr.

Wrth iddi nesu at y Bryn, mae'n codi'n ddeg o'r gloch. Clyw y clociau'n dechrau taro. Yn lle mynd ar ei hunion am ddrws y cefn, aiff i smera o gwmpas y cutiau i weld be sydd 'na, a baglu ar draws bonyn coeden. Mewn amrantiad, mae Moses Dafis wedi agor y drws. Saif yno'n ddwylath fain, a'i law dros ei lygaid.

"Pwy sy fanna, ddiawl yn busnesu?"

"Fi sy 'ma, Dewyrth, Adi. Fydda i yna rŵan hyn."

"Merchaid uffar." A throi'n ôl i'r gegin.

Toc daw Adi at ddrws y cefn a mentro drwyddo.

"Dyma'r dillad, mae Mam wedi smwddio bob dim . . ."

"Smwddio, wir Dduw."

"Ac mae hi'n gofyn oes gynnoch chi rywbath arall?"

Tynna Adi dipyn o datws o bocedi ei ffrog a'u gosod ar y bwrdd.

Aiff Moses Dafis at ei fwrdd gwaith. "Ydi dy ddwylo di'n lân? Fedri di dynnu'r olwyn bach 'ma o fan'ma?" Gweithio ar watsh bocad y mae o, *half hunter*. Mae Adi'n sychu'i dwylo ar ben-ôl ei ffrog ac yn estyn cadair. Yn dringar, tynna'r olwyn o'i lle a'i gosod ar y bwrdd gwaith.

Edrycha o'i chwmpas. "Ylwch, mae 'na sgriw bach, bach ar lawr yn fan'ma." Gwlycha'i bys efo poer iddo sticio ynddo. "Lle 'dach chi eisio fo?"

"Fanna 'te. Dwi wedi bod yn chwilio am y diawl peth ers meitin. Chlywish i moni hi'n disgyn."

Penderfyna Adi fynd amdani.

"Dewyrth, ydi'ch cwch chi'n dal yma?"

"O? Snwyro am hwnnw oeddat ti gynna?"

"Dim ond sbio. Fasach chi'n fodlon i mi gael ei fenthyg o, ac mi faswn yn edrach ar 'i ôl o, a dŵad â physgod i chi?"

"Mae o'n gollwng fel basgiad. Mi ddylwn fod wedi'i werthu fo. I be ti eisio fo, prun bynnag?"

"I fynd yn ôl a blaen i Henborth at Captan Rol."

"Fasa dim gwell i ti drio cael gwaith yn rwla, d'wad, i roi cefn i dy fam? Neu o'r llaw i'r gena byddwch chi'ch dwy hyd dragwyddoldab."

"Mynd i forio faswn i'n lecio."

"Be haru chdi'r het! Wel mae o yn y cefn yn fanna, mi fues yn cadw'r ieir odano fo nes i'r llwynog uffar 'na fynd â'r ddwaetha."

"Diolch yn fowr . . ."

"Does 'na ddim rhwyfa, cyn i ti ofyn."

Mae'r hogan ar ei thraed.

"Cyn i ti'i heglu hi o 'ma, weindia'r cloc mawr pella 'na i mi. Mae'r goriad yn nrôr y cwpwrdd dresal. Ia, hwnna. Agor y drws efo'r goriad gynta. Y twll ar y chwith. Ara deg. Ara deg!!"

Yn y diwedd, pan gaiff hi ddengid o'r tŷ, daw Adi o hyd i'r cwch ym mhen draw'r ardd. Cwch bach chwe throedfedd o ffawydd ydi o, a lle i ddau eistedd – gwaith saer lleol. Mae'n gachu ieir drosto, a hwnnw wedi cremstio a dechrau treiddio i'r coedyn. Bydd gwaith llnau mawr arno cyn y medr hi ofyn i Elis ddod i'w helpu i'w gludo i'r traeth. A feiddith hi ddim sôn wrth y capten, neu bydd yn sorri am ei bod am dreulio'i haf yn gweithio ar hwn yn ogystal â'i helpu o efo'r *Mairwen*. Ond mae o'n cynnig rhyw ffordd arall allan.

Mae'n codi darn o lechen finiog ac yn dechrau crafu.

Cachu ci, cachu cath,
Cachu iâr, mae jest 'run fath.

Sŵn crafiad rhaw ar garreg a ddaw i glyw Elin wrth iddi ailagor y cyrtan, ac agor cil y ffenest. Rhyfedd. Dyma hi allan i gael gweld.

Yno mae'r dyn ifanc a ddaeth â mangl Lydia Catrin wrthi'n chwys lafar yn palu ei gardd hi, cap fflat ar ochor ei ben. Dechreuodd lle rhoddodd hi'r gorau iddi'r wythnos diwetha ac mae'r pridd sydd newydd ei droi'n loyw, ag ôl y rhaw arno. Gwnaeth fwy mewn byr amser nag a wnaeth hi mewn awr.

Clywodd ddrws y cefn yn agor, ac mae'n troi ati'n wên i gyd.

"Meddwl y baswn i'n rhoi help llaw i chi gael pen talar. Mae hi jest yn adag plannu tatw newydd meddan nhw i mi."

Mae Elin ar fin rhoi ateb siarp, ond yn cofio mewn pryd am ei sgwrs â Chapten Edwards, Cricieth. Mae'n rhoi ei llaw ar ei brest i dawelu'r ddraig tu mewn iddi.

"Panad o de fasa'n dda, diolch. Dwy lwyad o siwgr."

Mae'r garddwr newydd i'w weld yn ddiddig wrth ei waith, ac yn pydru 'mlaen. Tyn ei grysbas toc, a'i daro dros bostyn y giât. Mae o'n chwibanu tiwn nad ydi hi'n ei nabod, ond sy'n swnio fel sianti. I'r clawdd daw deryn du, gan sefyll yno a'i big ar un ochor yn aros am ei ginio. Dau ben du; bydd yn dri pan ddaw Hughie adra'n nes ymlaen.

Dda ganddi mo'r teimlad fod rhywun wedi gwneud mistar arni chwaith; mae'n stowt efo fo, ac yr un mor stowt efo hi'i hunan. Yn y diwedd, yn lle sefyll yna'n corddi, mynd i'r tŷ i wneud y te iddo ydi'r peth hawsa.

Yn y pasej, mae drws 'gosa iddi faglu dros y bwced. Mae'n ei chodi i fynd â hi i'r pantri pan agorith y drws cefn.

"How dw, hogan?"

"Jane?" Mae hi'n neidio. "Sut doist ti yn y bora fel hyn?"

"Bob oedd angan dŵad i'r efail, a dyma fi'n meddwl nad oedd waeth i mi ddŵad efo fo ddim, i gael sbario cerddad yma ac yn ôl. Mi ddaw i fy nôl nes 'mlaen. 'Dach chi ar i fyny 'ma?"

Mae Elin yn goleuo drwyddi o weld ei chwaer. "Faint o amsar sy gynnon ni? Arhoswch chi i ginio?"

Ateb Jane ydi rhoi pacedaid o gig moch cartra wedi'i sleisio'n dew, a'i lapio mewn papur newydd, i'w chwaer. "Be welist ti i gymryd Sami i arddio i ti?"

"Sami? Y dyn 'na? Fo landiodd, ofynnish i ddim iddo fo. Mi geith fynd am adra ar ôl panad rŵan."

"Wel, mae'i adra fo'n o bell! Newcastle upon Tyne." Mae Elin yn edrych yn ymholgar ar Jane. "Ella na fasat ti ddim yn 'i gofio fo, roedd o ddwy flynadd yn fengach na fi. Felly pedair yn fengach na chdi."

"Pwy?"

"Sami. Ddeudodd o 'i fod o'n dy gofio di? Mi fuo yn yr ysgol efo ni am ddau dymor, os nad blwyddyn. Roedd 'i fam o wedi colli'i gŵr ac wedi dod adra am dipyn. Teulu Rhoslas. Mi aeth yn 'i hôl i Newcastle wedyn, i weithio i deulu Hugh Roberts, ac mi ailbriododd yn fanno. Sami Jones oedd o."

"Sam Richards, medda fo."

"Wedi cymryd syrnêm yr ail ŵr, tebyca peth."

"Fuost ti'n sgwrsio efo fo rŵan?"

"Dim ond ryw helô bach wrth basio. Ro'n i wedi'i weld o yng nghnebrwn 'i daid wythnos dwaetha. Gawn ni sgwrs yn y munud. Ga i dorri brechdan i ti?"

"Rargian, dyna fi wedi cael gwas a morwyn!" Mae Elin yn rhoi ei braich ar fraich ei chwaer. "Sut wyt ti? Neu'r ddau ohonach chi, ran hynny? Ti'n edrach yn union 'run fath, cofia."

"Dwi'n eitha byth. Ond fod bob dilledyn fel gwain am dwca. A 'mod i'n byta fel ceffyl!"

Does yna ddim lol yn Jane, na dim drama na sioe. Mae hi i gyd ar yr wynab, ac yn landeg drwyddi. Mae calon Elin yn codi.

Allan, mae wedi dechrau sgowlio'n hegar o'r gogledd, ac esgobion Bangor yn dod dros fynyddoedd yr Eifl â glaw mawr ar eu hôl. Roedd proffwydi'r tywydd wedi gaddo hwn. Mae'r clwt wedi'i droi bob modfedd erbyn i Sami ddod i'r gegin gynnes at y merched. Chdi a chditha ydi rhyngddo fo a Jane, ac ymhen tipyn rhyngddo fo ac Elin hefyd, ac mae hen siarad am gyfoedion ysgol, pobol Edern a hynt y busnes llongau yn y gogledd-ddwyrain.

Erbyn i Bob a Hughie gyrraedd, mae cinio'n barod. Ac mor amheuthun ydi cael llond y gegin, a gorfod nôl cadair arall i wneud lle i bawb. Mae'r ffenest yn cau efo angar, a phawb yno'n glyd wrth i sŵn y gwynt godi.

Beidio bod hynny wedi codi hiraeth ar Hughie? Daw i'w llofft ganol nos a dringo i'r gwely ati. Mae ei draed o fel dwy garreg.

Tu allan mae'r storm yn rhuo. Mae ei lais o am dorri.

"Wnes i freuddwydio am yr hogyn gafodd ei ladd yn y tŷ gwair."

"Pwy sy wedi'i ladd, neno'r tad?"

"A'i deulu yn 'i ddal o i fyny yn y *photograph*."

"O. Paid â meddwl am y fath beth, 'ngwas aur i. Cysga di rŵan."

"Mae arna i eisio mynd adra."

9

Ar eu swper mae Hughie a hithau y nos Iau wedyn pan ddaw cnoc ar ddrws y ffrynt. Mae Hughie ar ei draed y munud hwnnw, ac wedi diflannu i'r lobi cyn iddi roi stop arno. Clywir llais diarth, ac wedyn daw'r hogyn yn ei ôl yn cario pecyn mewn papur llwyd. Mae'n ei osod yn daclus ar y bwrdd, rhwng eu platiau.

"Dic Tŷ Newydd oedd 'na. Roedd y coetsmon wedi rhoid hwn iddo fo. Fedra fo ddim aros, medda fo."

Mae Elin yn edrych ar y parsel. Dywed ei siâp yn reit amlwg be sydd ynddo. Mae'n ei droi drosodd. Ia, stamp Richard Coombs, The Invincible Travelling Studio.

"Ydan ni am 'i agor o?"

"Dim rŵan, neu mi fydda i'n hwyr i'r seiat. Oedd gen ti hômwyrc?"

Mae gan Hughie hômwyrc, ond os bydd yn dweud be ydi o – dysgu dyddiadau brenhinoedd Lloegr – fydd yna ddim amser i chwarae draffts efo Pegi. Mae'n rhoi'r wên gyfareddol yna iddi, yr un efo'r dannedd newydd i gyd yn y golwg, ac yn pydru 'mlaen drwy'r stwnsh rwdan.

"Peidiwch ag agor y drws i neb, mae 'na hen dramp o gwmpas. Gwely am wyth o'r gloch, cofia."

Daeth Lydia Catrin ac Adi i lawr i draeth Cerrig Gleision i hel broc môr cyn i'r storm chwythu'i phlwc. Tu ôl iddyn nhw, drwy'r niwl, gwelir amlinell dywyll Penrhyn Bod-eilias, Carreg Llam a'r Eifl tu ôl i len o law. Bore fory, ar ôl i'r gwynt ostegu, bydd sawl un yn cerdded y traeth yma. Ond maen nhw am ennill y blaen arnyn nhw.

Mae hi rhwng dau olau, ond mae llygaid Adi fel rhai

cath. Hi sy'n sbotio coed, a Lydia Catrin yn hel. O'u blaenau mae tonnau mawr yn dal i fochio ar ôl y storm, gan chwalu i'r traeth, a rhwygo'r cerrig mân o'r tywod wrth lifo'n ôl i'r dyfn. Allan, am y gwelan nhw mae'r dŵr yn berwi'n fudr. Fentrodd neb allan mewn cwch ddoe na heddiw. Wrth iddyn nhw gerdded draw mae pibyddion y traeth bach, yr un lliw yn union â'r tywod, yn codi hediad am y môr yn un haid drydarol. Aiff drwy feddwl Lydia tybed sut flas fyddai arnyn nhw i'w bwyta. O dan eu traed nhw ill dwy, mae'r pentyrrau o wymon du main fel gwlân sanau.

"Ylwch!" Ac mae Adi'n carlamu at glamp o foncyff fel petai peryg i rywun fynd â fo oddi arnyn nhw'r eiliad honno. Saif wrth ei ymyl i'w warchod. Mae'n horwth o beth trwm. Ceisia godi un pen iddo.

"Duw, duw, gad iddo fo," meddai'i mam. "Chariwn ni mo hwnna." Tafla sach arall iddi. "Tyd i ni gael mynd adra, dwi jest â chorffio."

"Does arna i ddim ofn y môr," cyhoedda Adi gan sefyll yn heriol o flaen y rolars enfawr sy'n carlamu tuag atyn nhw. Lond eu clustiau mae dwndwr y llanw.

"Wel mi rwyt ti'n hogan wirion felly."

"Mae arna i fwy o ofn hogia *top class* o lawar na'r môr 'ma."

Mae Lydia yn rhoi'r gorau am funud i lenwi ei sach. Edrycha ar Adi a'i chefn ati, yn dal her o flaen nerth y storm.

"Wel, tyrd o'r ysgol 'ta, a chwilio am waith."

"Mi wna i ar ôl i ni ddysgu *trigonometry*."

"A pha iws fydd peth felly i hogan fel chdi? Llenwa dy sach, wir Dduw, i ni gael mynd adra am damad o swpar."

Mae Elin wedi cychwyn i'r seiat yn brydlon, a phan wêl ddrws Tŷ Capel yn agored, dyma benderfynu taro heibio i weld sut mae Katie Wilias. Fu hi ddim yno ers iddi glywed ei bod wedi ei tharo'n wael. Gwilym ei gŵr yn unig sydd yn y gegin, wrth y bwrdd, yn ei ddillad chwarel o hyd. Mae'n rhaid nad ydi o ddim am y seiat.

"Elin Jones? Pa hwyl? Dowch heibio." Ac mae'n gwneud osgo i godi.

"Dim ond galw i weld sut mae petha yma. Ydi'n dŵad ati'i hun? Do'n i ddim yn lecio tarfu tra oedd ei chwaer yma."

"Wel, ia." Caiff ryw wincan bach gan Gwilym Wilias. "Mi aeth yn y diwadd! Mae Katie'n altro'n ara deg, mae'r wynab yn well, ond 'i bod hi'n blino'n arw. Wedi mynd am 'i gwely mae hi'n gynnar heno."

"Mi ddo i eto. Cofiwch fi ati."

Daw ochenaid. "Rydan ni'n lwcus o Martha. Un sâl ydw i yn y gegin, heblaw am olchi llestri, a'r hogia 'ma ddim gwell."

Mae Elin yn nodio'i chytundeb. Gymaint gwell ydi dynion môr yn y gegin na chwarelwyr, wedi arfer plicio tatws a hwylio bwyd.

Clyw leisiau'n siarad ar y cowt tu allan. Rhaid ei bod yn nesu at saith, meddylia, ac wedi dweud ei neges mae hi'n troi i'w chychwyn hi am y capel. Ac yna dyma Gwilym Wilias yn dweud yn dawel,

"Welsoch chi'r *Cymro*, Elin Jones?"

"Naddo."

"Steddwch, am funud bach. Chychwynnan nhw ddim nes i'r gweinidog gyrraedd, ac mi wyddoch amdano fo – munud dwaetha!"

Tôn ei lais sy'n gwneud i Elin ufuddhau. Daw heibio'r palis ac eistedd wrth y bwrdd. Mae o'n gwthio'r papur draw ati, ac yn pwyntio efo'i fys mawr, llychlyd. Cymer funud i'w llygaid arfer â'r print mân, ac mae o'n tynnu'i sbectol weiran, a'i chynnig iddi. Ond mae ei golwg hi'n berffaith.

Sgwaryn bach tywyll ydi o. Modfedd sgwâr sy'n newid ei byd.

MARWOLAETH CAPTEN LLONG CYMREIG

Cyrhaeddodd y newydd galarus gyda'r cable o Boston ddydd Llun ddiweddaf fod Capten Hugh Williams, llong y Cambrian Queen, wedi marw ar y fordaith. Y mae priod Capten Williams yn byw yn Tanymaes, Porthdinorwig. Mae yn ymddangos fod y corph yn cael ei anfon adref i'w gladdu.

Mae hi'n ei ddarllen, ac wedyn yn ei ailddarllen. Edrycha draw at Gwilym Wilias, sydd wedi estyn ei bibell oddi ar y silff ar y palis, ac wrthi'n ei llenwi'n ofalus cyn tanio.

"Faswn i ddim wedi dŵad acw, cofiwch, ond wrth ych bod chi wedi galw yma, mi oeddwn i'n meddwl y basa'n rheitiach i mi ddeud wrthach chi. Dwi yn iawn, tydw, ar y *Cambrian Queen* mae John 'cw 'te?"

Distaw ydyn nhw wedyn ill dau, a llygaid Elin yn cael eu tynnu i ddarllen eto'r hysbysiad byr yn y papur nes ei fod ar ei chof. Mae hi'n gwybod rŵan be oedd Capten Edwards yn ei guddio oddi wrthi.

Ymhen dipyn daw sŵn lleisiau'n canu emyn o Gaersalem.

"Mi wna i 'panad i ni."

"Na." Mae ei llaw i fyny o'i blaen. "Diolch, ond mae'n well i mi'i throi hi am adra. Mae gin Hughie ysgol fory."

Caiff y cetyn ei danio, ac mae'r mwg ohono'n llen rhyngddyn nhw, yn gyfle i Elin guddiad am funud.

"Ond diolch i chi, Gwilym."

Unwaith y mae hi allan eto yn y nos, mae gwynt Elin yn byrhau. Mae'r lleuad uwch ei phen yn goleuo'r Lôn Uchaf ac mae'n cychwyn ar ei hyd hi. Am eiliad dychmyga Sam Richards yn cario'r mangl i Lan Deufor y diwrnod hwnnw. Does yna neb o gwmpas, er bod y dydd wedi dechrau mystyn mymryn. Mae hi'n dywyllwch yn nhŷ bach Lydia Catrin ac Adi. Yn ei blaen yr â hi heibio siop Oakfield a chapel Moreia ar y chwith cyn troi ar y dde i fynd am gefn Morfa, gan gadw yn agos i'r clawdd. Mae mwy o gysgod yma, a does dim rhaid iddi ddal gafael yn ei het.

Cerdda yn ei blaen heibio fferm Glanrafon, a bythynnod Pen Llel a Buarth, a'r golau'n gynnes yn eu ffenestri. Mae'r defaid yn y caeau'n sefyll ac yn edrych yn hurt ar y ddynes yma'n ei ffwtwocio hi gefn nos. Yn yr Erw, does dim golau; maen nhw'n clwydo'n gynnar. Mae ci Cil Llidiart yn clywed sŵn ei throed ac yn dechrau cyfarth nerth ei ben arni, ond mae'n sownd, diolch byth. Mae hi'n dal i bydru mynd, er bod ei thraed a godre'i sgert yn wlyb socian, wedi camu i sawl pwll dŵr. Mae'r clawdd yn cau bob ochor iddi, ac yn gwneud iddi deimlo'n saff, mor wahanol i John ar y cefnfor agored yna.

Sut y bu i Hugh Williams farw?

A fu'n rhaid i John gymryd yr awenau wedyn? Do, rhaid ei fod.

Daw allan ar y lôn syth rhwng Morfa a chroesffordd Bryncynan a throi'r ffordd afresymol, i'r dde, ac i gyfeiriad Nefyn i roi cyfle iddi'i hun ddod i delerau â'r newydd. Mae ceisio rheoli ei meddwl yn ei gwneud yn fyr ei gwynt. Ond mae'r cerdded dygn drwy'r düwch yn helpu i adfer curiad rheolaidd ei chalon. Mae hi wedi cerdded bellter, a'r lôn yn gwneud llanast o'i hesgidiau capel. Mae'n gwybod fod yna lwybrau, drwy gaeau Hobwrn a Chae Rhug, i gwtogi'i thaith, ond llithrodd cwmwl o flaen y lleuad, ac mae cadernid y ffordd dan ei throed yn ei chryfhau.

Yr unig beth sydd wedi digwydd, dywed wrthi'i hun, ydi fod Capten Hugh Williams wedi marw. Mae hynny'n beth mawr, ac yn drist iawn – dyn yn ei breim, a gwraig ifanc ganddo. Ond dyna'r unig beth mae hi'n ei wybod i sicrwydd.

Ac mae ei wraig Jane, Siân i bawb, tua'r un oed â hi.

Cofia'r diwrnod y cyfarfu'r ddwy ar y trên i Fangor, a chwerthin nes y bu bron iddi bi-pi dros ryw stori. Genod oedden nhw'r diwrnod hwnnw.

I Hugh Williams a'i wraig y mae hyn wedi digwydd, ond mi allai fod wedi digwydd iddi hi a John. Mae hynny'n ddychryn arall. Mae rhywun yn ofni llongddrylliadau, a gwrthdrawiadau. Ond daw marwolaeth fel tarw dwy dunnell o'r ochor.

Ceisia ddal ei dychymyg dan ffrwyn dynn, ond mynna dorri'n rhydd.

Mae'n ddiwedd ar y capten, ac yn ddiwedd eu cyd-fyw i'w weddw. Ond mewn ystyr arall mae hefyd yn ddechrau. Pan mae un peth yn darfod, mae rhywbeth arall o reidrwydd yn dechrau.

Fel ton yn dilyn ton ar draeth.

10

Bnawn Llun mae Elin yn cychwyn am Ysgol Edern fel y bydd hi yno at ddiwedd y dydd, i Hughie a hithau gael cerdded adra efo'i gilydd. Ffordd gynta i Ganaan oedd ei bwriad hi, i fyny at Fryn Cyttun a thorri ar draws y caeau wedyn i gyfeiriad Tyn Llan. Ond mae'n fudr dan draed ar ôl glaw trwm dros y Sul a dŵr glaw wedi hel yn byllau. Rhaid iddi fân-gamu o garreg i garreg gan ddal godre'i sgert i fyny. Wedi arafu mae hi, i geisio penderfynu a ydi'n werth ei mentro ar draws y caeau, pan ddaw sŵn pedolau a rhygnu trol o'r tu ôl iddi.

"*All aboard! Ladies first!*"

Wrth gwrs nad aiff hi ddim efo fo.

"Dwi'n iawn, diolch."

"Tyrd yn dy flaen." Mae'n neidio i lawr gan ddal gafael yn y ffrwyn yn ei law. "Wna i mo dy fyta di, ac mi rydan ni'n mynd yr un ffordd." Mae'n dal ei law allan iddi bwyso arni i ddringo i fyny. "Gesh i fenthyg hon i ddanfon ryw hen gêr sgota i Nefyn. Felly dyma dy *lucky day!*"

Ac mae'n haws mynd efo Sami yn y drol na mynd i daeru yn fanno a phobol yn mynd a dŵad ar y lôn heibio iddyn nhw – rhai o'r rheini heb ddim byd gwell i'w wneud na busnesu. Mae'i law o'n gynnes, ac yn feddalach na'i llaw hi.

"Fuost ti yn Rhoslas 'rioed? Mae o'n lle braf ofnadwy." Mae'n gwneud sŵn tdl-dlw tdl-dlw efo'i dafod, a'r ferlen yn dechrau trotian. "Sgen ti amser i ddod draw efo fi rŵan? Chwarter awr bach fyddwn ni, i ti gael gweld."

"Pam faswn i eisio gweld? Na, mae arna i angan bod yn yr ysgol erbyn tri."

"Hen ddigon o amser ac . . . ella na fydd yna ddim cyfla

eto, na 'wrach. Mae'r stad wedi penderfynu gwerthu." Mae o'n rhoi pwniad bach iddi, yn chwerthin yn harti. "Rwyt ti jest â marw eisio cael gweld. Fedra i ddeud arnat ti!"

Mae Elin yn tewi, ac yn gafael yn dynn yn y styllan sgrytlyd efo'i dwy law.

Mae gan bawb ei filltir sgwâr a dydi milltir sgwâr hirgron Elin ddim yn ymestyn i'r tafod yma o'r penrhyn. Tra mae o'n clymu'r ferlen yn sownd, mae hi'n sefyll wrth ddrws Rhoslas yn yfed yr olygfa i lawr tua'r môr lle mae traethau Cwmistir, Bryn Gŵydd a Rhosgor yn swatio. Mae blas heli ar ei gwefus. Daw yr haul allan i liwio'r caeau bychain glas o'i blaen a'r melyn eithin yn y cloddiau. Draw ar y dde, mae yna lanc wrthi'n aredig efo ceffyl broc mawr ac yn baglu i ddal i fyny ag o, ac mae'r tir coch yn ymagor tu ôl iddynt a'r gwylanod yn plymio. A dydi hi ddim yn deall sut, ond mae yma fwy o awyr nag ym Morfa, na'r Ffridd. Dim ond gwaelod y llun sy'n wyrdd a glas y môr, yr awyr fawr olau sy'n llenwi'r tu blaen.

Ac mae hi'n meddwl am John, ac awyr eang yr Atlantig yn amgylchynu'i long hyd at eitha'r cefnfor, yn teithio efo fo i Boston. Ond fedr hi ddim meddwl amdano fo yn Boston.

"Ddeudish i ei fod o'n lle braf, do?" Mae o wedi dod o'r tu ôl iddi ac wedi datgloi'r drws ac yn ei ddal o'n agored iddi. *"After you, madam!"*

Yr un olygfa a geir o ffenest y gegin ac mae Elin wedi'i chyfareddu.

"Sut fedri di feddwl am adael i'r lle yma fynd? Ddaw dy fam ddim yn ôl yma?"

Mae Sam wedi cerdded drwadd i'r parlwr ond mae o wedi clywed yn iawn.

"Mae Mam wedi ailbriodi, dydi, efo Sais. Be wnaen nhw'n fan'ma? A ddôi 'mrawd na'n chwaer byth yn ôl. Na."

"A be amdanat ti?"

"Fi?" Mae'n ailymddangos yn ffrâm y drws a'r golau'n

llifo heibio iddo. "Ar y môr fydda i, ynde, yn gweld y byd. *View* gwahanol bob dydd. Nes i mi fynd i mewn i *management*. A prun bynnag, does yna ddim byd yma, nac oes. I ddyn fel fi."

"Be mae hynna'n ei feddwl?"

"Wel, does gen i ddim teulu yma, nac oes. Does gan y lle ddim byd i'w gynnig i mi, *Geordie* a gwynt dan 'i adan. *Dead end* ydi pen yma."

Mae Elin yn cofio am gyngor y meddyg iddi hi y dydd Sadwrn hwnnw yn y dre. Mi allai hi brynu'r tyddyn yma efo'r arian yn y seidbord, mae o'n fwy na digon. Gallai berswadio John i lyncu angor a throi'n ffarmwr. Maen nhw'n ddigon ifanc i ddechrau bywyd newydd.

"Mi fedret ti roi'r gorau i'r môr a dŵad yma i fyw. Dysgu ffarmio. Sgota a chimychio."

Mae'n ysgwyd ei ben wedyn. "Mi fasa byw fel'na, byw fel 'y nhaid, yn teimlo fel mynd yn ôl, fel wast o fywyd. Ymlaen ydw i eisio mynd. *Engineering* ydi'r dyfodol."

"Wast o fywyd!" Mae'r feri syniad yn waradwyddus.

"Roedd Hugh Roberts a Beck wedi'i dallt hi. A dyna *secret* eu llwyddiant nhw, weldi. Troi i stêm ar yr adeg iawn. Gwybod pryd i newid ceffyl!" Ac mae o'n rhoi clamp o winc iddi.

Mae Elin yn tynhau.

"Well i mi'i chychwyn hi am yr ysgol yna."

"Mi ro i bàs i fyny iti." Daw i sefyll wrth ei hymyl wrth y ffenest a rhoi ei fraich am ei hysgwydd hi. "Ymlaen, Elin! Wyt ti efo fi?"

A pham mae hynny'n gwneud iddi deimlo mor drwm, teimlo nad ydi'r olygfa o'i blaen yn ddim yn y diwedd ond elfennau'n digwydd dod ynghyd? Ac nad oes yna ddim synnwyr i'w llwybr cul hi.

Adeilad carreg unllawr ar y ffordd tua'r Ficrej ydi'r ysgol a dim ond dwy rŵm – y clàs mawr a'r clàs bach. Wrth sbecian drwy ffenest y dosbarth lleiaf mae Elin yn gweld Miss Hughes wrthi'n dyrnu'r piano a'r rhai hynaf o'r *Infants* yn bloeddio 'Onward Christian Soldiyrs' – heb unrhyw liwio na thawelu nac emosiwn – dim ond dyrnu mynd drwyddi. Yr un pennill drosodd a throsodd. A'r rhai lleia'n gwneud siâp ceg "Dy dy dy dy dy". Yn y gornel bella mae hogyn a'i wallt wedi'i dorri i groen y baw a'i wyneb tua'r pared. Fedr o ddim bod dim hŷn na saith oed. Mae'n troi, rhoi ei fawd ar ei drwyn a chwifio'i fysedd i drio gwneud i'r lleill chwerthin.

Mae'r drws yn agored, ac yn lle canu'r gloch, aiff Elin i mewn i'r *cloakroom* ac i'r cyfeiriad lle mae dosbarth Rowlands y Sgŵl. A'i golwg ar ddrws y clàs mawr, wêl hi ddim be sydd reit ar ei llwybr. Nesa peth, mae hi bron iawn â baglu ar draws pâr o draed sy'n sticio allan yn nhywyll-wch y coridor a rhaid iddi lamu am un o'r pegiau cotiau i'w sadio'i hun. Does dim golwg o berchennog y traed ond daw sŵn snwffian ac ochneidio o dan y cotiau.

Yn araf, mae hi'n codi'r gôt agosa. "Helô 'na. Pa glàs ydi hwn?"

Yn edrych yn ôl arni mae Adi, ei llygaid yn goch a baw trwyn yn llifo i lawr. Mae hi wedi crio cymaint nes ei bod yn methu cael ei gwynt. Daeth ei gwallt i lawr am ben ei dannedd.

"Bobol mawr, be sy, 'mach i?" Mae Elin yn estyn hances o'i phoced ac yn ei rhoi iddi. Hances wnaeth John iddi ydi hon, o hen liain hwyl, yn arw yn erbyn y croen, a'i bwythau ynddi. Bydd yn gofyn amdani'n ôl.

Cwyd Elin y gôt agosaf, a mynd odani i gysgodi at Adi, y ddwy agosa at ei gilydd. Mae eu lleisiau'n fyglyd i'w clywed. Chwytha Adi ei thrwyn fel trwmped.

"Dim ond y plant sgolarship sy'n cael gneud y *Navigation*. Dwi'n gallu gneud y syms yn iawn, dim ond nad ydw i ddim yn dallt y cwestiwn!"

"Dwyt ti ddim yn dallt y cwestiwn?"

"Y Susnag. Ond pan oedd Hughie'n deud be oedd o, ro'n i'n gneud nhw'n gynt na fo. Fi oedd yn gneud nhw iddo fo. Ac wedyn . . ."

"Be ddigwyddodd?"

"Sgŵl yn ein dal ni'n siarad a fi'n cael fy hel allan. A nesh i drio deud, *'But sir, I can do them'*, ond gesh i'n hel allan. Ac ochor pen."

Mae Elin yn estyn ei llaw allan o dan ei chôt ac yn chwilio am law aflonydd Adi, y gwinadd yn stympiau.

"Mae mynd i'r Cownti yn costio lot fawr iawn o bres, wsti, dillad a llyfra . . ."

"Dwi'n gwbod hynny. Dwi'n dallt ond –"

"Mae yna ffyrdd erill o ddysgu. Dwi wedi dysgu fy hun i ddarllan Saesnag." Am eiliad, cofia am Miss Glad yn dysgu geiriau newydd fel 'miscellaneous' a 'tipple' iddi.

Mae Adi yn codi ymyl y gôt y mae hi'n wardio odani, ac wedyn ymyl y gôt y mae Elin odani.

"Be ydi miscalciwleshiyn?"

Edrycha Elin arni, a gwenu. "Camgymeriad ydi o, mewn sym, neu mewn bywyd. Rhywbath rong ydi o."

"O." Daw cyrtan y cotiau i lawr drachefn.

"Adi, ar ôl i Hughie ddŵad allan, tyrd adra efo ni i gael te. Mae gen i silffad o lyfrau Cymraeg a Saesnag. Gei di ddewis yr un ti eisio i'w fenthyg."

"Be s' arna i eisio ydi bod fel yr hogia."

Ar hynny mae rhywun yn canu'r gloch, y Sgŵl yn rhoi bloedd fel petai'n gweiddi ar gŵn, ac wedyn grŵn y plant yn adrodd y pader cyn troi am adra. Cyn i'r fflyd ddod o'r ddau ddosbarth i gyrchu'u cotiau mae'r ddwy yn sleifio o'u cysgodfa ar flaenau'u traed drwy'r pasej, ac i lawr y llwybr. Safant wedyn wrth y giât nes daw Hughie allan.

Daw Adi ati'i hun o dipyn i beth, a bwyta platiad o frechdan jam a phedair crempog wrth y bwrdd efo Hughie. Wedyn dyma Elin yn estyn papur newydd a ddaeth yng nghist John dros flwyddyn yn ôl. Llestri oedd wedi'u lapio yn y papur, cwpan a soser yn matsio a llun o'r Statue of Liberty arnyn nhw – presant iddi hi. Wrthi'n rowlio'r papur yn beli i wneud tân oer oedd Elin un bore pan ddaeth ar draws stori yn y *New York Times*. Mae wedi ei gadw'n ofalus.

"Edrycha yn fan'ma. Fedri di ddarllen hwn?" Ac mae'n symud i Adi ddod i eistedd wrth ei hymyl ar y setl. Mae'n fflatio'r ddalen efo'i llaw. Print mân iawn sydd yna. "*Portrait of Kate Sheppard, women's suffrage campaigner.*"

"Dwi ddim yn dallt." Mi fasa'n well gan Adi chwarae gêm o Oxo efo Hughie erbyn hyn. Mae hi am fod yn ôl yn blentyn eto, mae cymaint haws. "Be mae merchaid wedi'i ddiodda ydi hynna?"

"*Suffrage* ydi cael y fôt i ferchaid. Yn New Zealand mae'r ddynas yma'n byw, ond un o Lerpwl ydi hi. Maen nhw'n deud fod yna obaith da i gael y fôt i ferchaid yno leni neu flwyddyn nesa."

"Ond pa les neith hynny i chi a fi, Elin Jones?"

"Wel mae o'n gam pwysig ymlaen, tydi. Meddwl di rŵan, yn y cylch yma, lai na deg mlynadd ar hugain yn ôl, roedd dynion am y tro cynta yn mentro rhoi pleidlais yn groes i berchnogion y stada, y Toris. Dwi wedi clywad fy nhad yn deud lawar gwaith gymaint o ddewrder oedd eisio i neud hynna. Mi gafodd tenant ffarm yn ymyl fan'ma ei droi allan i'r lôn am fotio'n groes i'r landlord oedd pia'i ffarm o. Botacho Wyn, lle byddwn ni'n nôl dŵr yn reit amal. Y fo a'i deulu. 'Dan ni'n gorfod cwffio am bob dim mewn bywyd, Adi."

"Ond mae New Zealand mor bell, mae o yn ymyl Ostrelia, dydi?"

"Ydi, y byd newydd, weldi, yn dangos y ffordd i'r hen fyd."

Mae Adi'n dawel am funud, yn meddwl, ac yna mae'n dweud, "Pan a' i i New Zealand, ar fy ffor' i Ostrelia ar *windjammer*, os na fyddan ni mewn ras, mi a' i i chwilio amdani, ac ysgwyd llaw efo hi."

Ac mae Elin yn plygu'r darn papur ac yn ei roi yn llaw Adi. "A chofia di ddeud wrthi fod Elin Jones o bentra Morfa Nevin, Caernarvonshire, Wales, near Liverpool yn cofio ati, ac yn deud *'Well done'*."

11

Mae Elin wedi codi oriau o flaen Hughie ddydd Sadwrn, ac yn sefyll uwch ei ben.

"Cod, 'dan ni'n mynd i'r Ffridd heddiw. Mae'n fora braf."

Bu Elin a Hughie yn siarad am fynd i'r Ffridd ers wythnosau ond fod rhywbeth yn dod ar eu traws bob gafael. Heddiw mae ganddyn nhw reswm i fynd.

Neithiwr yn y diwedd, ar ôl i Adi fynd adra, yr agorwyd y pecyn oedd yn cynnwys y *photographs*. Daeth Pegi draw i gael gweld. Mae Hughie wedi gwirioni efo'r llun ohono fo'n sefyll yn dalsyth yn syllu i lens y camera, a'r un ohonyn nhw ill dau, hi'n eistedd a fynta yn sefyll tu ôl i'r gadair a'i law ar ei hysgwydd. Y *photograph* o Elin ar ei phen ei hun sy'n mynd â sylw Pegi.

"Mae o'n dangos eich gwasg fain chi, Elin."

"Tybad."

"Ac mae gynnoch chi ben het, dim pawb sy mor lwcus, cofiwch."

Dydi Elin ddim yn siŵr a oes ganddi ben het ai peidio, ond mae hi'n sicr o un peth: mae Mr Richard Coombs wedi llwyddo i ddal ei hanfod hi gyda'i gamera. Sut, does ganddi ddim dirnadaeth ond medrodd serio elfen o'i chymeriad hi ar gardbord, i bawb ei gweld. Dyna lle mae hi'n edrych o'i blaen a rhyw benderfyniad tawel yn ei gwedd hi. Mae hi'n edrych fel pe bai hi'n gwybod i ble mae hi'n mynd. A faint sydd ers hynny, tair wythnos? Teimla fel oes arall.

Rhoddir un o'r *photographs* o Elin a Hughie yn y fasged i fynd i'r Ffridd.

Mae'r gwynt ffresh wedi sychu'r gwlith erbyn i'r ddau ei chychwyn hi. Ar draws gwlad yr ân nhw, ar hyd y llwybr o ymyl Buarth a ddaw allan ym Mhlasyngheidio ac i fyny wedyn heibio ffarm Graeanfryn. Ar hyd y cloddiau mae dail y drain gwynion yn fotymau gwyrdd tyn ac yn y caeau, ŵyn Chwefror yn prancio'n rhesi ar ochrau'r cloddiau. Dydi hi ddim wedi dechrau cynhesu eto, ac mae'r ddau yn falch o gael gwres eu cyrff. Martsia Elin yn ei blaen a Hughie wrth ei chwt fel cyw gŵydd.

Mae Elin wedi bod yn ceisio hel nerth ers dyddiau i gael sgwrs efo Hughie am y trefniadau. Cadwodd y llythyr a ddaeth gan ei fam o'r golwg rhag iddo ei weld. Wrth gerdded fel hyn, heb weld ei wyneb crwn, hoffus o, mae hi rywfaint yn haws. Mae llygaid yr hogyn ym mhob man, ac wedi llygadu gwas Bronallt yn aredig efo dau geffyl du. Ond tynna'r sgwrs o'n ôl ati.

"Mi a' i â chdi adra, Hughie, cyn y Pasg." Mae ei llais hi'n cario heibio iddi, wrth iddi ddal i fynd. "Mae dy fam a dy dad yn edrach ymlaen yn arw at dy weld di."

Os daeth pwl o hiraeth dros yr hogyn y noson o'r blaen, mae o wedi hen basio.

"Ond dwi'n lecio efo chi."

"Does gan Moss a Wil neb i chwarae, nac oes."

"Gân nhw chwarae efo'i gilydd."

"Ac mi fydd Moi dy frawd bach wedi tyfu'n glapyn selog, erbyn hyn."

Ar hynny mae Elin yn teimlo plwc yng nghefn ei chêp, ac yn arafu ei cham. Bu'n cerdded yn rhy gyflym ac mae'r hogyn wedi gorfod tuthio i ddal i fyny efo hi. Dyma droi rownd, a daw iddi. Mae o wedi tyfu dros yr hanner blwyddyn diwetha a'i ben cyrliog yn ffitio o dan ei gên. Aiff ei breichiau amdano, a hanner diflanna ym mrethyn cynnes ei chêp hi, a sŵn mygu crio yn codi ohono. Mae o'n trio gwneud iddo swnio fel higian achos mae o'n hogyn mawr.

"Mi gei di ddŵad i aros ar dy holidês eto, siŵr. Mi fydda

i'n cadw gwely'r llofft gefn yn eirin iti."

Saif yn ôl rŵan, ac edrych arni'n bwdlyd.

"Ond pam?"

Gwnaiff ei gorau i roi ateb gwir.

"Mae 'na le gwag yn eich teulu chi hebddat ti, sti. Dŵad ata i am rom bach wnest ti, tra oedd dy fam yn mendio, ond mae hi'n well rŵan."

Doedd Elin ddim wedi amgyffred pan gytunodd hi i gymryd yr hogyn sut y basai hi'n teimlo ar ben hanner blwyddyn. Dydi hi ddim yn caniatáu iddi'i hun feddwl sut bydd hi arni hebddo fo. Gyda'i ddyfod, daeth rhythm bywyd teulu i'r tŷ: amser codi ac amser gwely, gwaith cartre, hwylio prydau bwyd a sgwrsys a storïau diddiwedd. Wrth ei weld rŵan yn brasgamu o'i blaen, gan roi ei fraich allan i fachu ambell weiryn hir a phlycio ynddo, mae'n anodd iddi hithau ddal.

Dydi'r un ohonyn nhw'n dweud gair ar ôl hynny, dim ond mynd o hwb i hwb i ben eu taith.

Cerddant ymlaen i fyny heibio Tŷ Lôn a Thyddyn Bach, cartre nain a thaid Elin, lle treuliodd lawer o amser yn hogan. Ymlaen heibio Meillionen, y tŷ ei hun i'w weld o'r lôn am fod y coed heb ddail, ac at Garreg Brân lle mae troad ar y chwith i lawr am y Ffridd. Yn y pant mae'r tŷ, wedi'i guddio o'r lôn, a rhaid mynd drwy'r giât bren i'w weld. Er bod gwlad gron o'u cwmpas wrth gerdded, gyda Garn Fadrun ar un ochor a Garn Boduan ar y llall, a'r môr yn gynfas las tu ôl iddyn nhw, welir fawr ddim o'r iard na'r tŷ yma heb fynd allan i'r caeau. Ond mae'n gysgodol yma, yn teimlo fel nyth.

Wrth ddrws y beudy mae Gruffydd Robaits a'i gefn atynt yn plygu dros ryw gontrapsiwn. Mae'n troi wrth glywed sŵn eu traed, a sylwa Elin fod ei locsyn mawr yn wynnach nag y cofia hi.

"Elin, sut wyt ti, 'ngenath i? Dynas ddiarth! A phwy sgen ti yn fan'ma?"

"Hughie, 'te Nhad, hogyn Lizzie a Jac, Penrhyn."

"Yr hyna?"

"Naci." Hughie sy'n ateb. "Yr ail."

"Wel, ar f'enaid i, mi fydd rhaid i ni roi cath ar dy ben di."

Try'n ôl at y teclyn. "Wedi cael benthyg yr injan weit-washio 'ma gin Cled Ŵan, y garddwr." Saer maen ym Mhlas Madrun ydi Gruffydd Robaits wrth ei alwedigaeth. "Ac yn trio'i dallt hi. Mae o eisio hi'n ôl ymhen yr wsnos i ddechra ar y tai allan. Drugaradd, mi faswn i wedi bod yn gynt efo brwsh." Mae'n sythu'i gefn ac yn ysgwyd ei ben. "Dowch, latsh, mi awn ni i'r tŷ, edrach oes yna olwg am damad o ginio."

Mae Hughie yn dilyn ei drwyn ar hyd y pasej i'r gegin yn gartrefol braf a'r ddau hŷn yn ei ddilyn. Yno a'i chefn atyn nhw yn ei du beunyddiol, a chap bach twt ar dop ei phen, mae Sydna Robaits, hogan ddela'r plwyf yn ddeunaw oed ond wedi camu drwy waith caled a magu plant. Dydi hynny'n tynnu dim oll oddi wrth ei golwg hoffus, a'i gwên lydan o groeso.

"Wel wir, pobol ddiarth. O lle daethoch chi?!"

Digon o datw pum munud iddi hi a'i gŵr mae hi wedi'i wneud. Caiff Hughie frechdan i aros pryd tra mae hi'n plicio mwy o datws ac Elin yn torri nionyn a sleisys o gig moch i bawb gael bwyta efo'i gilydd. Unwaith mae bob dim yn barod, daw Elin i sefyll uwchben y badell i'w mam gael eistedd, ac arbed dipyn ar ei phen-glin.

Aiff yr hogyn allan i chwilio am y gath, meddai fo, tra mae'r tri arall yn cael sgwrs i aros cinio.

"Mi aeth Anne yn 'i hôl felly?"

"Do, sti. Roedd hi'n disgwyl Johnnie adra ymhen ryw wsnos."

"Roedd hi'n deud eich bod am fod yn daid a nain. Ac mi fuo Jane a Bob draw."

"Wel, ydan, hogan. Dim ond gobeithio y bydd y ddau'n iawn."

"Ein gneud ni'n hen." A chwerthiniad cwta gan Gruffydd Robaits.

Ddoe, roedd Elin wedi penderfynu ei bod am drafod y newydd am farw Capten Hugh Williams gyda'i mam a'i thad. Ond rŵan ei bod hi yma ddaw y geiriau ddim. Mae hi mor braf yn y gegin, ac amser yn eu cwmni wedi mynd yn beth mor brin. Bydd rhaid iddi ddod yn amlach ar ôl i Hughie fynd adra. Ar draws ei meddyliau, daw llais ei thad.

"Well i ti gael gwbod, mi fydd Jane neu Anne yn siŵr o sôn wrthat ti."

"Sôn be?" Am funud mae hi'n gadael i'r tatw pum munud ffrwtian heb droi'r llwy bren. "Be sy wedi digwydd?"

"Wel dim yn gymaint fod dim byd wedi digwydd." Mae ei thad yn siarad yn bwyllog, a'i law yn ei locsyn. "Ac eto, mae yna rywbath wedi digwydd, yn saff ddigon i ti."

"Anne aeth i'r dre, ac ar y Maes mi darodd ar Owens, ti'n ei gofio fo? Mi fydda'n gweithio yn siop Pwlldefaid, ond mi aeth yn selsman dro'n ôl. Dilyn yr un trywydd yn union â Tomos, a deud y gwir."

"Ydw, wel ryw frith gofio." Dydi Elin ddim yn cofio, ond does arni ddim eisio'r hel achau manwl fydd yn dilyn o gyfadde hynny. "A be oedd gynno fo i ddeud?"

"Wel wedi galw oedd o yn siop Joseph Evans, yng Nghroesoswallt, rai wythnosa yn ôl bellach. Taro sgwrs, ynde, a holi am Tomos a'r wraig. A dyma'r gŵr ifanc yn deud dan ei wynt nad oedd Tomos dy frawd ddim yno."

"Be? Ddim yno'r diwrnod hwnnw?"

"Ddim yno, fel roedd Owens wedi dallt, ers rhai wythnosa os nad misoedd."

Mae Elin yn edrych o'r naill i'r llall.

"Lle mae o 'ta?"

Unwaith yn unig y mae hi wedi cyfarfod gwraig Tomos, pan ddaethant i ymweld â'r teulu yn fuan ar ôl y briodas yng Nghroesoswallt. Yn y Crown ym Mhwllheli yr oeddan nhw wedi aros, gan logi merlyn a thrap i ddod i'r Ffridd am y dydd, a phawb wedi dod yno i'w cyfarfod a chael gwledd o de a'r llestri gorau allan. Merch wallt tywyll gron oedd Margaret, yn medru siarad Cymraeg ond am droi i'r Saesneg bob gafael. A hithau'n unig ferch i siopwyr roedd y chwiorydd wedi disgwyl dipyn o grandrwydd, ac ni chawsant eu siomi; roedd Margaret Elizabeth wedi'i gwisgo o'i chorun i'w sawdl yn y ffasiynau *ready made* diweddaraf. Roedd hi'n ddigon clên efo pawb ohonyn nhw, wrth siarad am ei phethau ei hun, ond hogan tre oedd hi i'w bonyn. Gwerinwyr oedd ei thaid a'i nain hithau, siŵr o fod, ond fod ei rhieni wedi codi dipyn yn y byd, diolch i lathen o gowntar.

Ceisia Elin gofio sut roedd Tomos a'i wraig efo'i gilydd; ddaw y darlun ddim. Ond aeth deng mlynedd heibio.

"Mae'n rhaid fod rwbath wedi digwydd, a'i fod o wedi gadael. Ffrae ella?"

"Ffrae? Ffrae am be?"

"Wel dwn i ddim, mae pobol yn ffraeo, tydyn. Y busnas? Pres?"

"Wel, chymerish i ddim ati," meddai Sydna Robaits yn ffrom, "waeth i mi ddeud y gwir. Roedd hi'n ormod o wraig fawr o'r hannar gin i."

"Ydach chi wedi gyrru llythyr iddi hi i ofyn be sydd wedi digwydd?"

"Naddo wir." Ei thad sy'n ateb. "A dydw i ddim ar fwriad gneud. Ond mi fûm i'n meddwl tybed a oes yna rywun allai holi be sy wedi digwydd i ni hyd y patsys. Fedri di feddwl am rywun, Elin?"

Cyn i Elin gael cyfle i feddwl, heb sôn am ateb, daw sŵn o'r pasej, a dyma gwraig y tŷ'n dweud, "Lle aeth yr hogyn, dwch? Mae'r gath yn fan'ma."

Cânt eu hateb y munud hwnnw wrth i greadur tebyg i arth wen ymddangos yn nrws y gegin. Am funud, does dim modd gweld be ydi o, nes i lais ddweud, "Trio helpu chi o'n i."

"Helpu, mi ro i iti helpu!" Mae Sydna Robaits ar ei thraed ac yn hoblan tuag ato. "'Dest ti 'rioed i'r afael â'r injan weitwashio 'na?" Mae'n troi at ei gŵr. "Gruffydd, be oedd ar eich pen chi'n gadael honna allan ar yr iard?"

"Wel am 'mod i'n mynd i weitwashio'r beudy ar ôl cinio." Mae Gruffydd Robaits yn osgoi llygad Elin. Cwyd yn bwyllog a mynd i gael golwg ar Hughie sydd wedi'i wyngalchu'i hun yn dra effeithiol – ei wallt du'n glaerwyn, ei ddillad yn diferyd ar y llawr teils a'i draed fel dwy bawen lliw eira. Stwff tena ydi'r gwyngalch, tebycach i lefrith na hufen. Ond mae wedi mynd i bob man, ei glustiau a'i ffroenau hyd yn oed.

"Sut olwg sy ar y beudy?"

Daw Elin atyn nhw a dweud yn ymarferol: "Mi fydd rhaid i ti dynnu'r dillad 'na, Hughie. A benthyg rhai Taid nes eu bod wedi sychu."

"Dydw i ddim yn daid!"

"Ac ella bydd rhaid i ni dy roi di yn y celwrn i dy sgwrio di."

Edrycha arni drwy aeliau ac amrannau sy'n dripian o wyngalch, a hwnnw wedi dechrau sychu.

"Gwasgu'r peth rong wnes i."

"Gwasgu'r peth rong, myn brain i. Pwy faga blant?" Mae Sydna Robaits yn troi at ei merch. "Cofia di ddeud wrth ei dad a'i fam o, Elin, ei fod o wedi bod yn hogyn drwg yn gneud tryga yma."

"Gadwch iddo fo rŵan, Sydna. Neu mi fydd wedi mynd i grio."

"Tyd i molchi. Fydd rhaid i ti dynnu'r dillad 'na bob cerpyn."

"A pwy sy'n mynd i llnau ar d'ôl di? Y tylwyth teg?"

"O!" gwaedda Elin ar draws ei mam, wedi clywed oglau llosgi, ac yn rhuthro at y badell. "Mae'r tatw pum munud wedi cydiad!"

12

Mae Elin wedi arfer â chyfrinachau. Fel cyfrinach y pum can punt. Roedd honno fel carreg fach gron, wedi'i llyfnu gan y môr, yn swat tu mewn iddi. Mae cyfrinach y methu cario'n wahanol. Mae honno'n trymhau ei chalon. Ond rhwng y rheini, yn y dyfnder mae yna gyfrinach arall, wedi'i chladdu mor ddyfn nes iddi anghofio amdani bron. Mae enw arni hyd yn oed, enw twyllodrus o swynol: *Wildrose*. Am flynyddoedd y mae Elin wedi gwneud ei gorau i anwybyddu'r gyfrinach yma, sydd fel cyllell fôr agored, gan ddysgu symud fel nad ydi'n ei chyffwrdd bron byth. Ond mae'r newyddion yn *Y Cymro* wedi'i hansefydlogi, ac mae'n ei phigo ers dyddiau. Ar y bore pan oedd hi'n llwyr fwriadu pobi pentwr o ddanteithion i Hughie fynd adra efo fo, eistedd wrth fwrdd y gegin mae hi a'i phen ar ei dau benelin.

Mae hi'n gwybod yn iawn lle mae'r ripórt ar y *Wildrose*. Yn nrôr y seidbord mae o, efo gweddill eu papurau pwysig. A'r pum can punt.

Y diwrnod y cyrhaeddodd y ripórt hwnnw, ddechrau mis Gorffennaf 1889, roedd John wedi mynd allan i sgota mecryll efo criw o Nefyn. Bu'r amlen hir wen â'r stamp Brasil ar fwrdd y gegin am oriau yn disgwyl iddo gyrraedd yn ôl. Roedd o adra ers tair wythnos erbyn hynny, wedi gweithio'i basej yn ôl i Lerpwl o Dde America. Wnâi Elin byth anghofio'r syndod a gafodd o'i weld o'n sefyll yn y drws cefn mewn dillad diarth un bore a heb ei gist; roedd o i fod ochor arall y byd!

Roedd dau ddarn o bapur yn yr enfilop. Cadwodd John y cyntaf heb ei ddarllen ar ôl gweld y pennawd arno, a mynd ati i rowlio smôc. Rhoddodd yr ail ddalen o'r golwg ym mhoced ei wasgod. "Mi ffria i facrall bob un i ni," cynigiodd hithau ymhen dipyn i'r distawrwydd. Roedd ymhell wedi amser cinio. "Y gynta leni, 'te. Rhowch chwartar awr i mi." Ond roedd beth bynnag oedd ar y ddau ddarn papur wedi mynd â stumog John i gyd. Dywedodd ei fod am fynd i orwedd, ac aeth i'r llofft a chau'r drws arno'i hun. Welodd Elin mono fo wedyn tan yn gynnar gyda'r nos, ond pan ddaeth i lawr doedd dim golwg ei fod wedi cysgu winc arno fo. Aeth am dro ar hyd ben 'rallt cyn iddi nosi a phan ddaeth yn ei ôl, edrychai'n debycach iddo fo'i hun, a bwytaodd ei swper.

Penderfynodd Elin beidio â holi.

Dros yr wythnosau wedyn gallech fod wedi sgrifennu beth ddywedodd John am hynt brìg y *Wildrose* ar gefn y stamp o Frasil. "Mi aeth hi'n 'total loss'. Chollwyd neb. Welodd 'run dyn erioed y fath deidia mewn afon." Doedd yna neb o'r criw yn byw yn lleol – rhai o ochrau Porthmadog oedden nhw. Nid y byddai Elin byth bythoedd wedi mynd i holi neb yng nghefn John, ond doedd y digwyddiad ddim wedi bod yn destun sgwrs yn y cylch. Ac roedd hi wedi derbyn be ddywedodd o'n ddigwestiwn.

Ond pe bai rhywun wedi gofyn sut oedd ei gŵr yn ystod yr wythnosau hynny, mae'n debyg y byddai hi wedi gorfod cyfadde fod yna newid ynddo. Câi drafferth mynd i gysgu, câi hunllefau a gweiddi drwy'i hun, a deffro gefn trymedd nos wedi chwysu gymaint fel y byddai'n rhaid iddi newid y cynfasau. Bob dydd âi o'r tŷ i gerdded am filltiroedd neu i bysgota. Ac roedd o'n fyr ei amynedd, yn flin, mor gwbwl wahanol iddo fo'i hun. Beiai Elin ei hunan i raddau; roedd cymaint o waith efo Miss Glad erbyn hynny ac oriau'n mynd i dendiad arni fel bod John yn cael cam.

Dair wythnos ar ôl i'r llythyr o Frasil gyrraedd daeth un o hogiau Nefyn i'r drws i chwilio amdano, a chafodd gynnig lle ar long yn hwylio o'r Felinheli i Stettin. Mynnai fynd, er i Elin wneud ei gorau i'w berswadio i beidio. Doedd dim troi arno. Cyn cychwyn gwelodd o'n rhoi'r amlen â'r stamp Brasil yn nrôr y seidbord ac o hynny ymlaen, yno y cadwodd hithau hefyd bob llythyr o bwys yn eu bywyd. Dyma eu hoffis bach nhw.

Yr wythnos wedyn y penderfynodd hi agor y cas llythyr a darllen ei gynnwys. Byddai'n eistedd wrth droed y gwely'n reit aml i gael Miss Glad i gysgu, ac yn troi'r hyn oedd wedi digwydd yn ei meddwl, fel tylino toes. Teimlodd gnofa o euogrwydd wrth agor y drôr, ond dim digon iddi ei chau yn ôl chwaith. Rhesymai â hi'i hun y byddai John wedi mynd â'r enfilop efo fo os nad oedd am iddi weld be oedd ynddo. Neu wedi ei guddio mewn lle saff. Na, roedd o wedi ei adael iddi gael ei ddarllen yn ei hamser ei hun.

Adroddiad oedd yna, nid llythyr. Adroddiad Llys Morol swyddfa'r Conswl Prydeinig yn ninas Pará ar hynt y *Wildrose* a rhan John Jones, ei John hi, yn ei dryliad. Deallai Elin y rhan fwyaf o'r geiriau Saesneg a'u troi i'r Gymraeg yn ei phen. Roedd y brìg mewn cyflwr da yn cychwyn o Lerpwl, wedi'i hailgalcio a chopr newydd wedi'i osod ar y cêl. Roedd ar ei thaith i fyny afon Pará ger tre ddiwydiannol Bragança, ac i fod i ddadlwytho ei chargo o halen ymhen llai nag wythnos. Ond er eu bod wedi gwneud amser da ar ôl gadael Lerpwl ddiwedd mis Ebrill, ni chyrhaeddodd erioed ben ei thaith . . .

Wrth ddarllen ymlaen roedd y geiriau wedi dechrau dringo allan o'r dudalen, a chrafangio dros Elin yn chwilod mawr du. Wedi ymwthio i'w cheg ac i lawr i'w chorn gwddw, a'i mygu hi a chau ei pheipen wynt hi. Rhai eraill wedi crafangio i mewn dan goler ei blows ac i'w brest a chladdu eu ffordd i'w chnawd meddal tendar, a phigo dan ei cheseiliau . . . 'guilty of neglecting to' . . . 'did not take the necessary steps' . . . 'suspension of certificate of competency'. Maen nhw yn ei llygaid hi, yn ei phigo hi, ac yn turio i mewn i'w chlustiau hi. Ac er mai prin y mae hi'n gallu gweld y papur erbyn iddi orffen darllen, mae hi'n gwybod y bydd y geiriau yna, y pla chwilod du brawychus yna, yn amhosib cael eu 'mad.

Dydi hi ddim yn adnabod y John yma. Y John esgeulus a adawodd i hyn ddigwydd. Y John oedd wedi gwneud camgymeriadau fel capten, heb gymryd y *lead soundings*, heb ddiogelu'r *logbook*. Y John oedd yn berchen ar gron-ometer ail-law. Y John oedd wedi hwylio i fyny'r afon gyda hen *track chart* da i ddim.

Ar ddiwedd yr achos llys roedd un dyn o'r enw Capten W. Grey Morris wedi dweud ei bod yn hen bryd cynnal arolwg newydd o'r arfordir o Maranham i'r gorllewin tua Demerara; ni wnaed hynny ers dros ugain mlynedd. Gallai Elin fod wedi cusanu Capten W. Grey Morris. Roedd o'n profi iddi nad ar ei gŵr roedd y bai i gyd am beth oedd wedi digwydd.

A chofia Elin iddi droi ac edrych ar Miss Glad oedd wedi cysgu'n sownd drwy ymosodiad y chwilod du. A bod un chwilen ddu hyll wedi chwyrnu yng nghlust Elin y gallai hi fod wedi mynd efo John i ddinas Pará, fel gwragedd capteiniaid dewr a mentrus a gwerth eu halen, pe bai Miss Glad wedi marw'n gynt.

Pan gyrhaeddodd John adra o Stettin ar ben chwe mis, a rhoi ei gyflog ar fwrdd y gegin, cafodd Elin gadarnhad mai wedi hwylio fel mêt yn hytrach na chapten yr oedd o; roedd y cyflog yn llai na hanner. Ddywedodd hi ddim, dim ond rhoi'r arian yn y drôr yn barod i fynd i'r banc. Gwnaeth y daith yna ar yr hen *run* i'r Almaen les iddo ac roedd yn weddol yn ei hwyliau'n ôl.

Golchodd talcen tŷ o don drostyn nhw ill dau bryd hynny a'u gadael yn syn, yn syfrdan ond yn dal i sefyll. A'r cwbwl wnaethant ar ôl iddi gilio oedd gadael i'w dillad sychu yn y gwynt, ac i'w cyrff stopio sgrytian gan sioc, ac wedyn ailddechrau byw fel petai dim byd wedi digwydd.

Aeth yn rhy hwyr o'r hanner i Elin godi gwres yn y *range* a phobi dim byd i Hughie fynd adra efo fo. Does ganddi ddim stumog at bobi prun bynnag. Mae hi'n codi ar ei thraed o'r diwedd i fynd i dorri brechdan. Toc daw'r hogyn adra yn fwg ac yn dân, wedi cael y fath fore difyr ar draeth Henborth efo Capten Rol ac Adi.

"Calcio oeddan nhw. 'Dach chi'n gwybod be ydi calcio, Anti Êl?"

"Ydw. Hen waith afiach ydi o. A pheryg. Mi fasat ti wedi gallu brifo dy fawd efo'r morthwl calcio mawr 'na, sti."

"O, do'n i ddim yn calcio. Chwilio am hoelion copor fues i iddyn nhw." Mae'n stopio bwyta ac yn estyn dyrnaid o hoelion budr o boced ei drowsus a'u gosod yn bentwr ar y bwrdd. "Doeddan nhw ddim eisio'r rhain, maen nhw'n gam. Dwi am fynd â nhw adra i Moss a fi chwarae efo nhw." Edrycha i fyw llygaid Elin. "Os nad oes arnach chi eisio nhw."

"Mi gymera i hon." Mae Elin yn codi clamp o hoelen dew. "Diolch, Hughie. Mi ro i hi ar wal y twll dan grisia 'ma, ac mi fydd jest y peth i ddal fy mrat. A bob tro y bydda i'n ei estyn, mi gofia i amdanat ti, a'r amser hapus ydan ni wedi'i gael."

Mae Hughie wedi ailddechrau claddu'r potas pys. Does dim fel gwynt y môr i godi archwaeth.

"Ddaeth yna ddyn i siarad efo ni, Edwart Wilias. Mae o'n hwylio o Port dydd Iau, ar y *Blodwen*. Wyddoch chi sut mae o'n mynd at y llong?"

Edward Williams. Ned Wilias. Lôn Llan. Ydi, mae hi'n gwybod pwy ydi o. Mae hi'n adnabod y teulu.

"Na wn i."

"Wel, mae o'n cychwyn i Bwllheli o Groes Nefyn efo Asaph Jôs carier. Ac wedyn, mae o'n dal stemar, y *Rebecca*, o chwarel Carrag yr Imbill. Bob cam i Gei Llechi

Porthmadog." Mae Hughie'n cymryd brechdan, ei phlygu a'i rhoi o'r golwg bron yn y potas pys, ac yn troi ati tra mae'r sudd yn treiddio iddi. "Faswn i'n medru mynd efo fo, sbario chi. Faswn i rêl boi."

Mae rheswm yng nghynnig yr hogyn ond dydi Elin ddim yn cymryd arni chwaith. Mae Ned yn ddyn call, yn dad ei hun, a synnai hi ddim nad ydi Lizzie a Jac yn ei nabod o. Câi sbario mynd yr holl ffordd i Benrhyndeudraeth ac yn ôl wedyn. Nid nad ydi hi am fynd, gweld pawb a throsglwyddo Hughie'n ôl yn dalach, ac wedi llenwi, ac yn gwybod y *tables* i gyd. A gweld y babi newydd. Nid hynny.

Ond mi fyddan nhw'n holi. Yn holi'i pherfedd hi. Hynny fedr hi mo'i ddiodda.

Ar ôl golchi llestri cinio, aiff i'r llofft ac estyn cês Hughie. Bydd ganddo fwy'n mynd adra am fod Mary wedi torri hen siwt i wneud trowsus a chrysbas iddo. Ac mae hithau wedi gwau jyrsi a balaclafa. Roedd estyn y bag i fod yn help i dorri'r garw. Ond ei hatgoffa am John yn cychwyn mae o, a'i gist ar y landin am ddyddiau wrth iddi ei llenwi.

Penderfyna'n sydyn fynd i Lôn Llan i ofyn. Os bydd Ned Wilias yn fodlon mynd â'r hogyn efo fo, bydd rhaid iddi ddal y post efo llythyr yn gofyn i'w dad ddod i'w gwfwr i'r Cei Llechi ym Mhorthmadog bnawn Iau.

Fiw i Hughie ddod efo hi ac mae hi'n ei yrru'n ôl i'r traeth i chwilio am fwy o hoelion copor i'r casgliad.

13

Does yna ddim llawer o swsian a hel mwythau wedi bod dros y misoedd diwetha. Mae Hughie a hithau'n agos, ond ar wahân. Mae yna afael llaw weithiau wrth gerdded, greddfol bron, a hwthiadau bach i'w gael i fyny'r grisiau neu allan drwy'r drws yn y bore. Mi roith ei llaw ar ei ysgwydd o, yn gadernid. Mae hi wedi cribo'i wallt cyrliog trwchus o am lau sawl tro, a'i ben ar ei harffed. Weithiau mi godith o'i grys a gofyn iddi grafu'i gefn. Ac mae hi'n gwneud wrth gwrs, o'r penysgwyddau i'r cyrion efo dipyn o oglas i'w glywed yn chwerthin.

Ond hogyn Jac a Lizzie ydi o. Ac nid hogyn bach ond plentyn 'dat ysgwydd, efo pengliniau solet, a'i feddwl ei hun.

Sws bach dwt ganddi hi ar ei ffordd i'w gwely, pan fydd o'n cysgu'n sownd.

Ond mae'r bore 'ma'n wahanol. Y bore 'ma, mi fyddan nhw'n ffarwelio.

Ar lawr y gegin mae ei fag o, a'r dillad haf ddaeth amdano ynddo o dan ei byjamas a'r siwt. Gwnaeth Elin bentwr o frechdanau, ac mae yna gacen gyraints. Mae y rheini mewn cwd papur, ac mi gân brynu llefrith yn y dre.

Y trefniant ydi fod Ned i alw am Hughie tua saith, a bod y ddau wedyn i gerdded draw i Nefyn lle bydd Asaph Jôs yn eu cwfwr efo'i drol a'i ful. Caiff Hughie reid ar y drol bob cam i Bwllheli.

Mae hi'n agor drws y cefn. Oes, mae yna ias ynddi, ond o leia dydi ddim yn bwrw glaw.

"Mi fydd arnat ti angan dy gap. A chofia ddal gafael arno fo pan fyddwch chi ar y stemar 'na, rhag ofn i'r gwynt 'i gipio fo! Rho fo yn dy bocad. Ydi'r petha gen ti?"

Mae yna hances i'w fam, cerdyn post i'w dad efo llun Abergeirch arno a thaffi i'r hogiau. Ym mhoced ei grysbas maen nhw wedi'u stwffio, ond mae Elin yn rhoi y rheini hefyd yn y bag.

"Fydda i'n deud wrth Moss 'mod i'n medru rhwyfo cwch bach rŵan. Mi ydw i, dydw?"

"Wyt am wn i, ond paid â brolio."

Ar hynny daw sŵn troed drom ar y cowt cefn. Mae Hughie'n llowcio gweddill ei uwd a dyna Ned Wilias a'i gap llongwr ar ochor ei ben yn gwenu'n hwyliog yn y drws. Dau funud ydyn nhw nad ydi'r bag wedi'i gau, a'r hogyn yn ei gôt.

"Does gen i ond diolch i chi, Ned." Mae Elin Jones yn estyn darn coron.

Mae'n ysgwyd ei ben yn arw i'w wrthod.

"I dalu'r cariar a'r stemar, mae'n rhaid i chi'i gymryd o." Ac mae'n ei wthio i'w law. Mae'n ei gymryd wedyn, ac yn poeri arno cyn ei roi yn ei boced. "Ddo i â'r newid i chi."

"Prynwch faco, Ned, i chi'ch hun. 'Dach chi wedi gneud cymwynas efo mi."

Fel dyn môr a dyn teulu, mae Ned yn gwybod yn well na'r rhan fwyaf mor anodd ydi ffarwelio. Does yna ddim loetran.

"Tyd 'laen, Hughie, neu beryg y bydd rhaid i ni gerddad yr holl ffor' i Bwllheli tu ôl i'r drol!"

Ac ar hynny mae'r hogyn yn troi ac yn gafael amdani hi, ac mae hi'n cofio'r goflaid ffyrnig ar y ffordd i'r Ffridd, pan ddywedodd hi y byddai'n rhaid iddo fynd adra.

"Wna i sgwennu."

"Cofia di neud rŵan, a 'nghofio fi at bawb."

"Ddo i'n ôl yn yr haf, i'ch helpu chi efo'r fusutors." Mae o'n gwasgu yn dynnach cyn sefyll yn ôl. "Fyddwch chi'n iawn eich hun?"

Daw bloedd o'r drws. "Awê, 'wash i!"

Ac wedyn does yna ddim ond eu lleisiau nhw, a gwynt

oer drwy'r drws, a chlep fawr. A distawrwydd.

Ac mae hi'n cerdded yn gyflym drwadd i'r ffrynt i ddal eu cefnau nhw'n mynd, y ddau'n siarad o'i hochor hi, yn llenwi'r lôn a'u bagiau ar eu cefnau. A thu ôl iddyn nhw, draw i'r dwyrain, yr awyr yn glasu.

Mae ei huwd hi'n dal yn y sosban, wedi caledu'n glap llwyd. Roedd yna Sgotyn yn hwylio efo John fyddai'n rhoi uwd fel'na rhwng dwy frechdan. Mae o'n troi ei stumog hi rŵan. Ac mae yna lwmp ym mhen draw ei gwddw fasa'n nadu i ddim byd fynd i lawr.

Ar ôl eistedd am yn hir wrth y bwrdd a'i phen i lawr, cwyd a mynd i'r twll dan grisiau. Yno aiff i lawr ar ei chwrcwd a chropian ar ei phedwar i'r pen pella. Heb olau cannwyll, mae hi'n ffureta yn y tywyllwch nes dod o hyd i'r botel. Mae ei phwysau, a'r sŵn sloshian, yn dweud wrthi ei bod o leia hanner llawn.

Does ganddi ddim syniad sut i gymryd brandi. Mae'n tywallt y cwbwl i wydryn, dŵr o big y tecell am ei ben, a llwyaid fawr o siwgr. Wedyn mae'n eistedd wrth y bwrdd ac yn ei yfed fesul joch hegar. Teimla ei thu mewn yn poethi fel ffwrnas.

Mae'n rhoi'r bar ar ddrws y cefn. Yn eistedd am dipyn, yn aros iddo weithio. Ac yna'n siglo mynd fel y mae hi, yn ei dillad, yn ôl i'w gwely.

14

Sŵn pry du yn y ffenest sy'n ei ddeffro. Ac mae'n meddwl: sut mae hwnna wedi byw drwy'r hirlwm 'ma . . .

Mae'i cheg fel cesail c'loman a'i bol yn troi. Rhydd ei dwylo tu ôl i'w chefn i ddatod botymau'i ffrog, dim ond y rhai canol, a chwilio wedyn am ruban ei staes i roi plwc ynddo fo. Anadla allan. Yn ei phen, mae'r cribau sy'n dal ei gwallt i fyny'n pinsio. Dyma'u tynnu nhw a'u dal yn ei llaw nes i'r metel gnesu i wres ei chorff. Mae'i gwallt yn cosi'i gwegil. Try'r gobennydd drosodd, i gael yr ochor oer.

Trwy'r cyrtan, mae'r golau'n dweud ei bod wedi pasio canol dydd.

Mi fyddan nhw ill dau wedi cyrraedd y dre erbyn hyn, ac yn ei cherdded hi tua Charreg yr Imbill i ddal y stemar. Ella na fydd dim cyfle i fwyta'u cinio nes eu bod nhw wedi bordio. Fydd Jac yna i'w cwfwr nhw mewn pryd?

Heno, fydd dim rhaid iddi hi wneud swper; fydd yna neb i'w fwyta ond hi. O ran hynny, mi fasa'r uwd yn gwneud y tro'n iawn, wedi'i aildwymo a thriog am ei ben o.

Wrth feddwl am yr uwd, daw cyfog i'w llwnc. Tria'i lyncu, ond mae'n codi eto. Mae'n rhuthro am y ddesgil ymolchi ac yn gafael ynddi â'i dwy law. Caiff ei chorff ei sgrytian. Roedd ei stumog yn wag, a dim ond beil sur ddaw.

Dim ond ar ôl iddi stopio cyfogi mae hi'n edrych o'i chwmpas ac yn gweld mai yn llofft Hughie mae hi. Rhaid ei bod wedi cerdded yma drwy'i chwsg.

15

Mae'n nes at amser te na dim arall erbyn i Elin ddod i lawr yn ei hôl i'r gegin. Ar y bwrdd – llestri brecwast heb eu golchi. Cânt eu lympio'n ddiseremoni yn y ddesgl olchi.

Does yna neb yn gwybod be mae hi wedi'i wneud heddiw, lle'r aeth ei heddiw hi. Fydd yna neb yn ddigon agos i wybod. Mae yna demtasiwn i ddweud wrthi hi'i hun mai tacluso buo hi, ar ôl Hughie, a chael trefn yn ôl ar y tŷ. Creu darlun o'r diwrnod yma y gall hi fyw efo fo.

Ar ei ffordd i nôl priciau tân o'r cwt i ailgynnau'r *range* aiff â'r botel frandi efo hi, a'i stwffio i'r clawdd ym mhen draw'r ardd. Wrth droi'n ôl, mae'r clwt llysiau o'i blaen yn goch, ddisgwylgar. Mae'n rhy gynnar i blannu ffa a phys eto, yn rhy gynnar hyd yn oed i chwyn. Ond rhowch bythefnos arall ac mi fydd y tymor yn troi, y tatw'n dechrau taflu egin a'r pridd yn llacio mymryn bach. Mi roith natur rythm yn ôl i'r dyddiau.

Erbyn y daw y gnoc betrus ar ddrws y cefn, mae Elin wedi ymdrefnu. Mae'r tân wedi cydiad, a'r sosban uwd yn wlych. O'i blaen ar y bwrdd mae *Cymru* a'i glawr fflamgoch yn cynnig awr o ddiddanwch.

Oedd yna gnocio, ynta hi oedd wedi dychmygu?

Mae hi'n llyfu ei dannedd â'i thafod. Yn dal ei llaw o flaen ei cheg. Yn cofio am John a'i drwyn ffurat. A chyn iddi gael cyfle i feddwl am beidio ateb, mae'r drws yn agor. A'r ymwelydd yn dal i gnocio wrth ddod i mewn.

"Elin Jôs?"

John Richard, tad Pegi, sydd yna. Mi ddylai fod wedi adnabod y llais. Mae'n cadw'i phellter. Fydd o ddim yma'n hir, achos mae o yn ei gôt a'i het, ar ei ffordd adra o'i waith yn ôl ei olwg. Dydi o ddim yn un i hel tai.

"Ddrwg gen i styrbio, Elin Jôs, ar noswylio, ac wedi galw yn y Post. Ac wrth ddod am yma be welwn i ond y dyn 'na o'r dre pia Gorffwysfa Row yn ei nelu hi am yr hen dŷ bach ar y pen a golwg fel y diawl ei hun arno fo. Wedi bod yn y Castle drwy'r pnawn yn ôl 'i olwg."

Fedr Elin wneud dim ond edrych ar ei chymydog.

"Faswn i ddim yn dŵad ar draws eich tŷ chi i'ch poeni, Elin Jones, ond fod Pegi wedi deud fod yr hogan . . ."

"Adi."

"Dyna ydi'i henw hi, ia? 'I bod hi wedi bod yma am de'n ddiweddar, a'ch bod chi'n gneud efo nhw." Mae'n edrych arni, ac fel petai'n ei gweld am y tro cyntaf. "Ydach chi'n iawn? Fasach chi'n lecio i mi nôl Pegi?"

"Na, diolch i chi. Dwi siort ora." Mae hi'n troi i estyn am ei siôl. "Mi a' i heibio, er mwyn tawelwch meddwl i ni'n dau. Ro'n i wedi bod yn meddwl mynd i wynt y môr cyn nos."

"Un gwyllt ydi o, 'chi, dwi wedi gweld sut mae o'n trin 'i ferlyn. Deud llawar am ddyn."

Y munud yr aiff John Richard drwy'r drws cychwynna Elin allan – rhag ofn iddo yrru Pegi draw. Gallai Pegi fod wedi snwyro rhywbeth â'i chweched synnwyr. Mae'n cloi a chadw'r goriad ym mhoced ei ffrog.

"Lydia Catherine Williams. I am evicting you for non-payment of rent, and rent debts amounting to six pounds, twelve shillings and fourpence."

"Mae Mam wedi talu pedair punt i chi wythnos dwaetha!"

"Lydia Catherine Williams. I am evicting you for non-payment of rent, and rent debts amounting to two pounds, twelve shillings and fourpence."

"Be ddeudodd y llymbar?" Mae Lydia Catrin yn sefyll tu ôl i'w merch yn y drws, yn barod i amddiffyn ei chartre.

"Bod arnat ti bres i mi o hyd, Lydia Catrin, yr hen sguthan i ti, ac os na cha i nhw heddiw, *heddiw*, rŵan, y munud 'ma, mi fyddi di a dy epil allan ar eich tina! Dwi wedi cael llond bol arnach chi, ac mae'n well gen i gael eich lle chi o beth diawl na gweld eich hen wepia hyll chi bob tro y do i yma i drio hel arian sy'n ddyledus i mi. Dyledus. Dallt hynna, Lydia?"

"Dos adra, a diolcha am be ti 'di'i gael! A tria beidio'i biso fo i gyd yn nhafarna dre."

Ateb y Robert Ifans wynepgoch i hyn ydi troi'n wyllt at y merlyn broc sy'n sefyll yn stond yn y lôn yn aros am ei feistr, a mynd ati i'w dynnu o'r llorpiau. "Dyffeia i chi'ch dwy! Meddwl y gallwch chi gael y gora arna i? Gawn ni weld pa 'run."

Tra mae o wedi troi'i gefn, yn tynnu'r tinbren, mae Lydia ac Adi yn rhuthro i gau a chloi'r drws, ac yn gwthio'r bwrdd yn ei erbyn o.

Mae Robert Ifans yn chwysu rŵan, drwy'r ymdrech gorfforol o ryddhau'r merlyn, ac mae'i wyneb yn fflamgoch. Tafla'i het i'r drol. Yn ansad ar ei draed mae'n ceisio gorfodi'r creadur i fagio i'r drws, nes bod ei grwper ar y coedyn. Dydi'r merlyn ddim yn hapus a chwyd ei draed blaen mewn ofn. Eiliad ydi Robert Ifans yn ymestyn i'r trwmbal am y chwip.

"Reit 'ta, gawn ni weld pwy ydi'r mistar!"

Daw gwyn llygaid y merlyn i'r golwg wrth i flaen y chwip ei daro ar ei wddw. Dalia'i feistr y ffrwyn yn rhy dynn nes bod y metel yn torri i gnawd ei geg. Wrth i'w geg agor yn lletach, mae'r cnawd meddal yn torri ac yn gwaedu. Daw'r perchennog yn nes, a sefyll a'i gefn at y drws. Gyda phob cic o'i esgidiau hoelion mawr mae'r merlyn yn crynu drwyddo ac yn ceisio neidio 'mlaen. Mae fel rhyw dric syrcas dychrynllyd.

O dan y pwysau, ac uwch y sŵn gweryru a'r pedolau'n taro carreg y rhiniog, y cicio a'r damio, clywir y coedyn yn cracio ac yn rhoi. Ac mae ond y dim i'r dyn a'r merlyn fynd i lawr yn un pendramwnwgl. Llwydda Robert Ifans i roi ei draed odano a llusgo i'r ochor. Mae'r merlyn yn canfod ei draed ôl, ac yn torri'n rhydd. Does dim ond y clo newydd ac un styllen yn aros o'r drws. Tu ôl iddyn nhw, mae Adi a Lydia'n sefyll yn nüwch y bwthyn.

"ALLAN!"

Maen nhw'n rhy syfrdan i symud.

"Mi howtlua i chi, myn diawl i weld! Heliwch ych trugaredda uffar! A waeth i chi heb â meddwl am y drws cefn, mi fordish i fanno gynna. Oeddach chi'n meddwl mai sŵn trana oedd 'na?"

Mae Adi yn gweld eu bod wedi'u cornelu ac yn mynd ati i hel eu pethau'n wyllt wrth i Robert Ifans ddechrau cicio'r bwrdd â'i holl nerth i allu cael atyn nhw. Sosban. Hetar smwddio. Dysgl enamel, blanced, rhacsys o sgidiau: maen nhw'n fflio heibio'i ben o ac yntau'n gwyro o'u llwybr.

Y tu ôl iddi mae Lydia'n sefyll ac yn wylofain, a'i chri yn treiddio o ddüwch y tŷ bach i'r nos:

"O Dduw, prysura i'm gwaredu, brysia, Arglwydd, i'm cymorth. Cywilyddier a gwarthrudder y rhai a geisiant fy enaid ... gwaradwydder y rhai a ewyllysiant ddrwg i mi ..."

"Cau dy geg, y bitsh, cyn i mi dy dagu di!"

"Minnau ydwyf dlawd ac anghenus; O Dduw, brysia ataf ..."

"Mi blinga i di!"

"... fy nghymorth ... ydwyt ti, O Arglwydd ..."

Ochor pen sy'n rhoi taw iddi hi cyn i'r salm o felltith gyrraedd ei therfyn.

Mae Elin yn teimlo fel rhywun yn mentro allan am y tro cyntaf ar ôl bod yn sâl, yn fregus o hyd, yn dendar. Tynna'i siôl yn dynnach amdani. Dydi'n dal ddim yn teimlo'n un darn, yn gyfan. Wrth iddi gerdded ar hyd y Lôn Isa daw'r sŵn cythrwfwl ati drwy'r gerddi. Mae hi wedi gwneud ei rhan – dywed wrthi'i hun – wedi rhoi benthyg ei harian hi a John iddyn nhw heb sicrwydd y gwelith hi o byth eto. Dyna oedd ei chyfraniad hi. A hybu Adi, annog Adi, gwneud te crempog i Adi. Dangos drws dihangfa iddi.

Ond yn ôl y clindarddach sy'n codi dros doeau'r tai, doedd hynny ddim yn ddigon. Dydyn nhw ill dwy ddim yn ddihangol.

Ac mae hi'n meddwl ble mae drws trugaredd.

Erbyn iddi gerdded i fyny drwy'r llwybr croes, mae'r ddrama drosodd. Mae Dan Pwll Blew wedi llwyddo i gornelu'r merlyn a'i roi'n ôl yn y llorpiau a mynna bres cwrw am ei drafferth. Does gan Robert Ifans ddim nerth ar ôl iddo fordio'r drws a'r ffenest ffrynt ac mae wedi gafael yng ngwegil Evan y llanc drws nesa, a sodro'r mwrthwl yn ei law efo cománd i wneud siâp arni.

O flaen eu cartre, yn sŵn yr hoelio, mae Lydia ac Adi yn sefyll a chruglwyth bach o bethau wrth eu traed: dilladach, y celwrn, sosban a thecell, haearn smwddio, gobennydd, y gadair a mat rhacs.

Mae yna bobol o gwmpas yn tuchan a thwt-twtian gan ffwdanu ymysg ei gilydd, fel adar to, ond troi yn eu hunfan mae pawb. Byw o'r llaw i'r genau ydi hanes pob teulu. Bychan ydi'r tai teras y ddwy ochor i'r lôn. Ar ôl i Robert Ifans fynd daw'r wraig dros y ffordd, Bet Hughes, â phlatiad o fara menyn, a'r gŵr wrth ei chwt efo'r tebot. Mae Lydia'n tyrchu ymhlith y pethau i ddod o hyd i ddwy gwpan. Mae'n poeri yn ei hun hi'i hun a'i llnau efo'i bys cyn ei hestyn am de. Yn ei sgert mae Adi yn sychu'i hun hithau.

"Mi gaiff o'i gymypans, cofiwch, yn y byd a ddaw. Chadwith y diafol mo'i was yn hir."

Mae Lydia ac Adi'n yfed eu te, a Lydia'n rhoi y brechdanau nad ydyn nhw'n gallu'u bwyta yn ei phoced.

"A chofiwch nad oedd gan Iesu Grist ei hun ddim tŷ."

"Ond dydi hynny'n ddim cysur i ni, William Hughes."

"Rŵan, Lydia, thâl siarad fel'na ddim." Mae'r diacon bach yn gafael yn dynnach yn y tebot. "Nid ei fai O ydi o eich bod chi wedi methu talu rhent."

Erbyn hyn mae Elin wedi cyrraedd a'i gwynt yn fyr. Aiff ar ei hunion at y ddwy a rhoi'i braich am ysgwydd Adi. Mae William Hughes a hithau'n adnabod ei gilydd yn iawn, yn gyd-aelodau yng Nhabernacl. Mae'n gwyro'i ben i'w chydnabod ac wedyn yn ei ysgwyd y mymryn lleiaf.

Mae Elin yn edrych ar y petheuach, yn gweld y drws a'r ffenest wedi'u bordio – yn deall.

"Mae'n gwilydd i'r dyn 'na! Ac mae o'n gwybod yn iawn mor ddiymgeledd ydyn nhw." Edrycha'n ymholgar ar William Hughes. "Be fasa ora i'w neud heno? Ydach chi'n meddwl y basa posib agor y festri, William Hughes? Y rŵm bach?"

"Go brin, dim heb gael gair efo'r gweinidog. A chwarfod diaconiaid. Ac mae Katie Wilias yn wael, tydi. Wedi cael ail strôc fawr."

Doedd hi ddim wedi clywed am hynny, ac mae'n ei thaflu. Ond rhaid iddi ddal ato fo.

"Am heno?"

Mae Adi a Lydia wedi mynd i eistedd ar glawdd yr ardd drws nesa i gael eu gwynt atyn a gorffen eu te.

"Dydyn nhw ddim yn aeloda."

Mae Elin yn chwilio am ras i beidio'i ateb – yn edrych i lawr ac yn trwsio'i cheg yn sownd. Ac yn ei hatgoffa'i hun mor hawdd ydi canfod y brycheuyn yn llygad ei brawd. Mae'r dyrfa oedd wedi hel yn dechrau gwasgaru, a drysau y tai gyferbyn yn cau. Aiff i eistedd rhwng y ddwy, ac mae William Hughes yn manteisio ar y cyfle i drotian yn ôl dros y lôn efo'r tebot.

"Fedrwch chi fynd at eich dewyrth, Lydia? Moses Dafis y Bryn. Dros dro, nes gallwch chi gael lle arall, neu neud trefniada."

Mae Lydia Catrin yn codi oddi ar y clawdd ac yn sythu.

"Fydd Moses ddim eisio'n gweld ni."

"Trïwch o, mi ddo i efo chi."

"'D awn ni ddim i'r wyrcws. Mae hynny ar 'i ben. A chyn i chi drio bod yn Samariad trugarog, Elin Jones, ddown ni ddim acw. Mae'n ddigon ych bod chi wedi cymryd y mangl, a tasa'r burgyn yna'n ffeindio ein bod ni acw, mi allsa ddod draw, a'i fachu fo."

"'Sarna i ddim eisio mynd i aros i dŷ Moses Dafis." Dyma'r tro cyntaf i Adi dorri gair.

"Pam, neno'r Duw? Mi est yno'n ddigon sgut i nôl benthyg 'i gwch o."

"Do, ac mi oedd 'na dwll, lle oedd y cachu ieir wedi hel, ac wrth i mi drio'i symud o, mi aeth y twll yn fwy."

"Fydd o ddim callach o hynny gefn nos fel hyn, siŵr. Tyd 'laen, hogan. Mae 'nghefn i jest â hollti."

Ac o lech i lwyn maen nhw'n cychwyn, ar ôl rhannu'r gwaith cario rhyngddyn nhw, yn griw bach o dair i gyfeiriad y Bryn a chroeso ansicr.

Ar y Lôn Ucha, tua chroesffordd Bryncynan, mae merlyn Robert Ifans yn gwybod y ffordd adra a'i fistar yn gorfeddian fel sachaid o datws ar y styllan rech, ei chwyrnu yn codi dros y cloddiau.

16

Mae'r tŷ mor dawel heb yr hogyn. Mae hi am wneud tân drwadd at y tri bob dydd, pan fyddai o'n cyrraedd o'r ysgol, ac yn dal ei hun yn y pasej efo llond llaw o briciau tân a phwced lo. Mae hi'n torri gormod o frechdan bob gafael ac yn gorfod gwneud pwdin bara wedyn. A phan fydd rhywun yn dweud stori dda, neu pan gaiff bwt o newydd yn Siop Glanrafon, bydd yn eu dal yn agos ati i'w rhannu efo Hughie.

Ddaw dim siw na miw o'r Bryn dros y tridiau nesa er bod Elin yn dal ei gwynt. Roedd Lydia Catrin yn iawn, croeso llugoer a gafwyd gan Moses Dafis. Doedd o ddim am symud o'i wely iddyn nhw, iddyn nhw gael dallt. A doedd o ddim ar fwriad bwydo dwy o ferchaid oedd wedi'i robio fo'n barod, perthyn neu beidio. Mi gaen nhw aros am dridiau i wneud trefniadau a gweithio i dalu am eu lle. Ond deled y Sul, doedd o ddim eisio'r un ohonyn nhw ar y cyfyl. Thalai hi ddim i'r ficar alw a'u ffeindio nhw ill dwy fel dwy afr fynydd wedi troi i mewn i ardd rhywun a gwneud eu hunain yn gartrefol.

Daw llythyr gan Lizzie o Benrhyndeudraeth yn riportio i Hughie gyrraedd adra'n saff, a'u bod yn ei weld o wedi tyfu, ac yn dotio'i weld yn darllen fel person plwy. Mae hi wedi anghofio diolch am y *photograph*.

A daw llythyr gan John. Roedd Elin wedi rhoi'r gorau i obeithio am lythyr ganddo o Boston. Roedd yn deall digon i wybod y byddai rhaid iddo gysylltu â'r crwner unwaith y docient, a gwneud trefniadau gyda'r harbwrfeistr a threfnwr angladdau. Byddai angen anfon cêbl i'r cwmni yn Lerpwl ac aros am gyfarwyddiadau Siân, gweddw Capten Hugh Williams. Mae'n deall mai cyfrifoldebau John fyddai'r tasgau hyn i gyd bellach fel *first mate*. Ac wedyn, roedd y gwaith arferol wrth ddod i borthladd – trefnu dadlwytho cargo, talu aelodau'r criw, casglu arian y *freight*, mynd i weld offisials y porthladd a'r *agent*, a delio â swyddogion y *customs*.

Go brin y byddai o, chwe mil milltir forol i ffwrdd, wedi dychmygu y byddai'r newyddion am farwolaeth y capten wedi mynd ddim pellach na swyddfa Thomas Williams & Co. yn Water Street, Lerpwl. Ond newydd drwg mewn clocsiau oedd hi. Ac unwaith y cyrhaeddodd y newyddion trallodus bentre a chartre Capten Hugh Williams yn y Felinheli, doedd yna neb allai ei gadw dan glawr. Nac o afael y wasg.

Ond roedd hi'n falch o hynny. Roedd wedi torri'r garw.

Cambrian Queen
City of Boston
26 Mawrth 1893

F'annwyl briod,

Anfonaf hyn o eiriau gan obeithio'ch cael mewn iechyd da. Bu farw ein cadben Hugh Williams dridiau allan o Boston a'i oed yn wyth ar hugain. Bûm ar fy nhraed nos yn ei ymgeleddu, ond yr oedd arno angen amgenach gofal nag y gallwn ei roi iddo. Amheuir mai y pentics wedi troi'n llidiog a chwalu yn ei ymysgaroedd oedd y drwg.

Mae'n sobor o oer yma a'r harbwr yn rhewi'n gorn bob nos.

Byddwn yn hwylio am New York ymhen tua deg diwrnod os daw dadmer.

Ydwyf,
John

Ar ôl ei ddarllen, mae'n ei roi ym mhoced ei ffrog ac yn ei estyn yn aml, i chwilio ynddo am gliwiau rhwng y geiriau. Roedd hi mor, mor falch o'i dderbyn ac eto mae wedi ei gyrru i gyfnod newydd o ofidio.

Cwyd yn wynt mawr dros nos ar ôl i'r llythyr gyrraedd, ac mae'r cesig gwynion allan. Dyma fis y teidiau mawr, ac mae'r llanw mor uchel fel na fedr Elin gerdded ar hyd y traeth i Henborth o'r Bwlch i chwilio am Capten Rol. Does dim llathen o draeth sych iddi ei droedio. Mae ei synnwyr yn dweud wrthi am fynd i gartre'i ferch, ac mai yno y byddai hen ŵr call ar y fath fore, o flaen y tân, ond mae'n ei adnabod o'n well na hynny. Does dim amdani ond cerdded y llwybr i fyny tua fferm Porthdinllaen ac i'r dde wedyn ar draws y caeau, gan ddal gafael yn dynn yn ei het wrth i'r gwynt o'r de-orllewin ei hyrddio tua'r clogwyni a'r creigiau du odanynt.

Fel mae hi'n cyrraedd pen draw y trwyn, heibio Ogof Bebyll, a throi i lawr y lôn gul garegog sy'n arwain i'r traeth, mae'r gwynt yn darfod mwya sydyn ac mae'n clywed ei hanadlu ei hun. Mae'r cloddiau uchel yn creu twnnel cysgodol iddi. O'i blaen mae'r bae yn dawel, a'r môr yn ddigyffro heblaw am ryw gosi bach yma ac acw. Trodd ambell long ddiarth i mewn am loches ddi-dâl – dacw sgwner, a chwch pysgota sy'n ddiarth iddi, un o'r Eil o' Man ella. Does dim cymaint o ferw ag arfer, dim ond criw o ddynion ar fwrdd brìg draw wrth y Trwyn Llwyd yn ceisio cael trefn ar y mênsel, a dau neu dri yn llnau gwaelod brigantîn ar y blocs.

Mae Elin yn ei gwneud hi draw at y *Mairwen*. Rhaid sefyll am funud, a throi'i chefn i estyn yr adroddiad yn y cas llythyr efo'r stamp Brasil a stwffiwyd yn ddiogel i'w staes. Dydi o ddim gwaeth, dim ond wedi plygu dipyn, a'i hoglau hi arno. Wrth nesu at y llong, mae hi'n gweld strimyn o fwg yn codi ohoni: bydd wedi hel broc môr i dwymo'r gali a chadw gwres ei gorff. Mae'r hen ystol fach ar yr ochor, a rhaff wrth ei hymyl wedi'i chlymu'n sownd wrth y capstan i ddal gafael wrth ddringo. Does yna neb yn edrych; dyma godi ei ffrog at ei chanol a phlygu'r deunydd yn blyg dros ei braich ac i fyny â hi ar y bwrdd.

Mae Capten Rol a'i gefn ati yn y ffocsl, a chlyw o mohoni i ddechrau. Wrthi mae o, wedi codi caead y stof fach lle mae'r tân wedi cochi a llonyddu, ac yn trio gollwg taten go fawr i gornel fach i bobi. Hen hoelen chwech a thro ar ei blaen hi sydd ganddo fo at y gwaith. Mae'i holl gorff wedi tynhau yn yr ymdrech.

Dydi ddim am iddo fo rusio.

"Capten Rol?"

"'Tawn i'n marw'r munud 'ma, Elin Jones, o lle daethoch chi?"

Mae'r daten wedi syrthio i'r twll, a dyma droi i geisio gweld yn union lle mae hi. Mi hi wedi cael congl, a dyma roi'r caead yn ôl yn daclus ar y stof a tharo tecell i ferwi.

"Neith hi 'panad?"

Mae Elin yn cofio'r te ofnadwy a gafodd gan Adi y tro diwetha y bu hi ar y llong yma, ac yn ysgwyd ei phen. Fwriadwyd mo'r gali gul yma i ddynes mewn ffrog efo dipyn o fflowns yn ei sgert, a dydi ddim yn mynd i fod yn hawdd cael sgwrs iawn yma. Ond o leia does dim peryg i neb eu clywed – does neb i'w chlywed hi'n dod i fan'ma i olchi corff ei gŵr.

Mae'n estyn yr adroddiad.

"Ydach chi'n cofio rhywbath am hyn, Capten Rol? Mae bron i bum mlynadd yn ôl. Mi gollodd John ei dicad captan am dros hannar blwyddyn."

Mae'r capten yn edrych yn graff arni cyn cymryd yr adroddiad o'i llaw ac estyn sbectol weiran fach o boced ei wasgod, sydd am neidio oddi ar ei glust. Mae'n ei osod ei hun ar fymryn o fainc. Dechrau darllen.

"O ydw, cofio'n iawn. Mi roedd mab yng nghyfraith i 'nghefndar, hogyn o Benmorfa, yn un o'r criw. Llong o'r Port oedd hi, yntê. *Wildrose*, yno bildiwyd hi." Mae'n ddistaw wedyn, yn darllen, a'i fys yn dilyn y print mân.

"Fuoch chi'n hwylio yng nghyffinia afon Pará, Captan?"

"Naddo, hogan." Ac ysgwyd ei ben. "Am Valparaiso, ac Iquique ar y West Coast, a Newfoundland y byddan ni'n mynd fwya."

"Be dwi'n fethu ddallt, Captan, ydi sut ei fod o wedi gneud cymaint o betha mawr o'i le. A fynta'n gapten, ac wedi pasio'n dda."

"Rhaid i chi gofio, Elin Jôs . . ." – mae'n codi'i ben i edrych arni, ond yn gadael ei fys lle mae o – ". . . nad oedd John yn y *naval court* i achub 'i gam. Un ochor o'r stori gawn ni yn fan'ma. Mi fydda'r ripórt yma'n mynd yn syth i gwmni siwrans y cwmni oedd pia'r llong . . . chofia i ddim y munud 'ma pa gwmni oedd o ond ta waeth. Wedyn, mi fasa'r cwmni eisio cael arian am y llongddrylliad, a'r cargo. *Cargo of salt.*"

"Ond be sy'n fy mhoeni i ydi'r list o'r petha wnaeth o o'i le."

"Dowch weld, rŵan. *Failing to take lead soundings* . . . Wel mi fasa hynny'n dibynnu ar ba mor gwit roeddan nhw'n teithio. Os oeddan nhw'n cael eu cario gan lanw'r afon, a gwynt o'u cefna, mi fasa wedi bod yn anodd gneud hynny." Mae'n darllen ymlaen yn araf. "*Log book lost* . . . Synnu dim, o dan yr amgylchiada. Mi fasa wedi bod yn ddigon o job iddyn nhw drio achub 'u hunan heb sôn am beth felly. Ond o safbwynt y llys wrth gwrs, roedd o'n fai."

Elin sy'n dod at y pwynt nesa; mae'n cofio eu trefn ar ei chof.

"Be am y *chronometer*?"

"Oedd gynno fo un ei hun? Gofiwch chi weld *chronometer* gynno fo, pan oedd o adra?"

"Roedd gynno fo secstant, a thelisgop 'i hun, dwi'n cofio hynny ... *Compass* ..."

"Wel, fedra i ddim deud ond mae'n bosib mai un y cwmni oedd o. Wedi deud hynny, mi ddylsa John fod wedi sylwi cyn gadael y *port* os oedd yna nam arno fo, a gofyn am un yn 'i le fo."

Mae'r capten yn rhoi ei ben i lawr ac yn ailafael yn y darllen. Ac yn ochneidio.

"*Inadequate charts*. Y gwir ydi fod gwaelod y môr wrth geg afon yn gallu newid llawar mewn cyfnod byr. Mae'r dyn yna ofynnodd am ailfapio'r môr yn yr ardal wedi mentro deud hynny, dydi. Bod angen ailsiartio'r arfordir yna. Tasa yna *charts* newydd, a John wedi cael copi ohonyn nhw, digon posib na fasa'r peth ddim wedi digwydd."

Mae'r capten yn pasio'r darn papur yn ôl i Elin, ac yn chwilio am ei getyn. Y ffordd handïa i'w danio ydi efo sbilsan o'r stof. Darn o linyn wnaiff y tro'n iawn.

"Soniwyd dim gair am yr holl beth acw. Dim un gair."

Mae'r capten yn ei llygadu.

"Bosib iawn fod John yn meddwl bod yn well peidio'ch poeni. Glywish i 'nhaid yn deud am ddynion fuo yn Waterloo. 'Chydig iawn o sôn fydda 'na adra. Dynion môr yn ddigon tebyg. Be fedar dynas mewn tŷ 'i neud 'te, ond poeni. Dim math o help i neb." Mae'r capten yn chwerthin yn gwta. "Ac o leia chafodd neb ei fyta gan grocodeil."

"Crocodeil!?"

"Mi lwyddon i ddod i'r lan i gyd, do, yn ôl be glywish i, ar ôl i'r llong fynd yn chwalfa. Ar ryw draeth coediog, a dim hanas o'r un adyn o gwmpas. Mi fuon yno am ddyddia. Soniodd John ddim am hynny chwaith?"

Dim ond ysgwyd ei phen mae Elin, yn gegrwth.

"A'r diwadd fuo, a nhwytha jest â llwgu, iddyn nhw benderfynu gneud coelcerth ... llosgi eu dillad i gyd bob cerpyn. Ac mi sbotiodd rhywun ar gwch pysgota nhw. A dyna sut achubwyd nhw." Tynnu eto ar y cetyn. "Mae hynna rhyngoch chi a fi, Elin Jones."

"Pam na fasa fo wedi sôn? Fedra i ddim dallt."

Unig ateb Capten Rol i hyn ydi taro ochor ei drwyn.

"Diolch i chi."

Mae'n anodd symud ymlaen o hynny wedyn, er bod popeth wedi cael ei ddweud. Sŵn y tecell yn codi i'r berw, yn sgrechian fel gwylan, sy'n codi Elin ar ei thraed yn y diwedd.

Aiff i sefyll ar y bwrdd, a daw'r hen gapten bach ati wedyn, efo'i gwpanaid o de du, a dail yn nofio ar yr wynab.

"Glywsoch chi bod Lydia ac Adi wedi cael eu efictio? Robert Ifans wedi'u troi nhw i'r lôn." Fedr hi ddim troi am adra ac i fyny i'r hyrddwynt heb sôn am hyn.

"Mi soniodd y ferch 'cw rywbath, ond ro'n i'n meddwl ella mai stori goets fawr . . ."

"Maen nhw efo Moses Dafis clochydd am y tro. Does gynnyn nhw ddim pres i dalu rhent, maen nhw 'di gorfod benthyg i dalu'u dyledion rhent."

"Wel, mi fedran fynd ar y plwy, am sbel, nes cael trefn ..."

"Captan Rol, rydach chi wedi bod ar y môr yn rhy hir os ydach chi'n deud hynna."

Ac ar y nodyn hwnnw y mae Elin yn gadael yr hen gapten sydd wedi bod mor ffeind efo hi.

Ond mi ŵyr yntau fod yna rywfaint o fai arno am droi pen yr hogan, a'i thynnu ato i boetsio ar y *Mairwen*. Roedd cymaint haws cael help llaw ganddi hi na'r hogiau, oedd â'u bryd ar longau go iawn, nid un sy'n sownd ar ryw ricyn o draeth.

17

Fydd Hugh Ifans ddim yn cnocio fel rheol.

"Oes eisio i mi dalu am hwn?" Mae Elin Jones yn troi'r cas llythyr ag imprint cwmni Thomas Williams & Co. arno drosodd yn ei llaw.

Ysgwyd ei ben mae'r postmon.

"Meddwl o'n i y basa'n well i chi gael gwybod fod Katie Tŷ Capal wedi marw neithiwr, gryduras. Crebrwn mawr i ddynion. Ddydd Mawrth nesa."

Dydi Elin Jones ddim eisio mynd i gladdu neb, na gwisgo mowrnin, ond er hynny mae sôn am gnebrwn i ddynion yn unig yn codi ei gwrychyn. Ai arbed poen i ferched ydi'r syniad tu ôl i'r peth? Ac a ydi dynion gymaint â hynny'n gryfach na merched i fedru wynebu claddedigaeth? Ac yn fwy na'r ddau beth hynny – onid ydi dynion a merched i fod i allu cysuro'i gilydd? Nid Hugh Ifans ydi'r un i fedru ateb y cwestiynau trwm yma, ac felly mae hi'n cau'r drws ac yn gadael iddo fynd ymlaen ar ei rownd.

Mae gan Elin fwy na digon o waith adra, a'r Pasg ar ei gwarthaf. Golchi blancedi. Llnau carpedi. Sgwrio lloriau. Ond dydi o ddim yn teimlo'n bwysig bellach, a does ganddi ddim math o stumog ato fo. Gymaint o llnau a wnaeth Katie Wilias mewn cartre a chapel a dyna hi wedi mynd, o fewn blwyddyn i'r fenga droi allan, i wlad lle nad oes llnau.

Felly mae hi'n newid ei hesgidiau am rai cryfion, yn gwisgo'r gôt gynnes deilwrodd Mary ei chwaer yng nghyfraith o hen gôt i John, ac yn cychwyn am adra, am y Ffridd. Mae Elin yn dipyn byrrach a chulach na'i gŵr, a bu'n rhaid tynnu'r gôt i mewn fodfeddi yn y sêms iddi ffitio. Hyd yn oed wedyn, wrth iddi gerdded, mae Elin yn teimlo fel pe bai John yno efo hi am ychydig, yn cau'n dynn amdani.

Mae Sydna Robaits wedi cael llygod bach yn y pantri. Felly bydd hi bob gaeaf. Dros y dyddiau diwetha mae Gruffydd Robaits wedi dal chwech, ac mae'n hercian allan yn cario'r seithfed gerfydd ei chynffon rŵan, a'i wraig yn dilyn i wneud yn siŵr ei fod yn ei thaflu'n ddigon pell.

Mae'r gath yn eu gwylio'n ddilornus oddi ar silff y ffenest.

Sŵn troed Elin glywan nhw, wrth groesi'r cowt at y tŷ.

"Myn cato, o lle doist ti, Elin? Doeddan ni ddim yn disgwyl gweld neb heddiw, nac oeddan, Sydna?"

"Tyrd i'r tŷ, hogan. 'D aeth dy dad ddim i weithio bore 'ma, mi faglodd ar y ffordd adra neithiwr, cofia, a tharo'i ben-glin. Gei di olwg arno fo wedyn."

"Be ddigwyddodd, Nhad?" Mae Elin yn edrych ar ei thad sy'n sefyll yn syth fel powltan ar un goes. "Oes angan doctor? Rhag ofn fod rwbath wedi torri?"

"Nac oes, ddim byd wedi torri, oel Morris Ifans neith yn tsiampion. Dy fam sy'n ffwdanu, fel bydd hi."

Unwaith maen nhw'n ôl yn y gegin, mae Gruffydd Robaits yn ei ollwng ei hun i'w gadair freichiau. O dan ei gap brethyn, mae croen ei ben moel yn binc gola efo ambell gudyn hir yn mestyn drosodd. Yn ddiweddar mae Elin wedi mynd i sylwi fel y mae'r ddau'n heneiddio.

"Mi fedra i aros i odro a phorthi heno 'ma, sbario dipyn bach arnach chi."

"Na, does dim rhaid, mi ddaw Defi Maesoglan. Mae dy dad a fynta'n dallt ei gilydd."

"Dwi wedi deud y cofia i amdano fo yn fy 'wyllys." A chwerthin harti.

Mae Sydna Robaits yn mynd ati i dywallt y sosbennaid tatw sydd ar y tân i'r tun rhostio, ac yn torri nionyn yn fân i'w roi am eu pennau nhw a thamaid o ddripin sy ganddi mewn jwg. Sgeintiad o halen wedyn. Ac i mewn i'r popty.

Wrth dynnu ei chôt, mae Elin yn estyn y llythyr o'i phoced ac yn ei roi o ar y bwrdd.

"Mi ddaeth hwn bora 'ma. Gan gwmni Thomas Williams mae o."

"Wel, dwyt ti ddim am ei agor o?"

"Mi wna i gwpanad i ni."

Tra mae'r tecell yn codi berw mae Elin yn egluro wrth ei mam a'i thad fel y bu farw Capten Hugh Williams, y *Cambrian Queen*, pan oedd y llong yn nesu at Boston. Doedden nhw ddim wedi cael *Y Cymro*, darllenwyr *Y Faner* ydyn nhw yma yn y Ffridd; Rhyddfrydwyr mawr ers cyn '68. Mae llythyr John ganddi ym mhoced ddofn ei sgert; mae hi'n dweud wrthyn nhw be oedd ei gynnwys. Caiff wrandawiad astud. Yna mae'i thad yn cymryd y cas llythyr oddi arni ac yn hercian i'w roi o dan big y tecell, cyn ei basio'n ôl iddi.

Mae Elin yn darllen y brawddegau agoriadol yn ddistaw, ac yna'n dechrau dyfynnu yn ddigon araf iddyn nhw allu dilyn . . . "to inform you that your husband Mr John Jones has been promoted to the position of Captain of the *Cambrian Queen* following the sudden and tragic death of Captain Hugh Williams."

"Dow, go dda rŵan! Mae gynnon ni ddau gaptan yn y teulu rŵan, Johnnie a John."

Dalia Elin i ddarllen ymlaen: "Captain Jones will take up his position at the port of New York. We are writing to you because your husband Captain Jones has requested that you, Mrs Jones, join him there. It is expected that the ship will reach the port within the next fortnight. If you will write us your intentions, we will cable your message through to Boston where the *Cambrian Queen* is currently at anchor undergoing minor repairs and taking on cargo. We will naturally provide any assistance with travel arrangements as may be required.

We are

Yours faithfully

Thomas Williams"

Ac mae'r gegin yn dawel.

"Cofiwch chi," ydi cyfraniad Sydna Robaits yn y diwedd, "mae yna ddigon o bobol yn mudo i'r Mericia. Mae tri mab Ty'n Ffynnon wedi mynd, ac yn gneud yn dda yn ôl y sôn."

"Dydi o'n gneud dim sens i mi," meddai ei gŵr. "Erbyn i ti gyrraedd, mi fasa fo wedi hen hwylio. Mae'n daith o fis, chwech wythnos, dydi."

"Mynd efo stemar fasa rhaid i mi 'te, Nhad."

"Stemar?"

"Ia, debyg."

Mae ei thad yn ysgwyd ei ben ac yn estyn am ei bot baco. "Paid â mentro. Ddarllenist ti be ddigwyddodd i'r *Naronic* yr wythnosa diwetha 'ma? Colledig yn yr Atlantig a dim hanas ohoni. Stemar, marcia di, Elin."

"A prun bynnag, fedri di ddim mynd, na fedri." Ei mam ydi'r un ymarferol. "Be am dy fusutors di?"

Mae Elin yn ailddarllen y llythyr, ond yn dawel iddi'i hun y tro hwn.

"Dydi o ddim yn glir, ond dwi'n meddwl mai am i mi fynd ato am y cyfnod y byddan nhw yn y porthladd mae o. Nid y daith ar ei hyd."

"A faint fydd hynny?"

"Dwn i ddim, mis neu chwech wythnos."

"Dydi o ddim ffit o bell i fynd am cyn lleiad. *Holiday* ydi o i fod?" Mae Gruffydd Robaits yn ochneidio wedyn, ac yn taro golwg ar ei wraig. Mae Elin yn troi i edrych arni hefyd ac wedyn ar ei thad.

A daw i sylweddoli fod rhywbeth ar droed rhyngddyn nhw. Mae yna rywbeth yn mudferwi rhwng ei mam a'i thad. A hynny ers cyn iddi gyrraedd y buarth y bore 'ma. A chyn iddi estyn y llythyr o Lerpwl.

"Roeddan ni wedi gobeithio y gallat ti'n helpu ni, Elin, a bod yn onast; mi oeddan ar ein ffor' draw acw. Heblaw am y pen-glin mi fasan wedi dŵad y dyddia nesa 'ma."

"Lwc i mi ddŵad yma felly. Pam? Be sy wedi digwydd?"

"Wel, Mr Morris gweinidog ddaeth ata i ar ôl y bregath nos Sul diwetha, yntê, Sydna. Wedi cael llythyr oedd o gan weinidog yr Annibynwyr yng Nghroesoswallt, y Parchedig Evan Evans. Mi sonion ni wrthat ti, do, pan ddoist ti draw efo'r hen foi bach, Hughie. A deud oedd y gweinidog yn y llythyr fod Tomos mewn tŷ lojin ar hyn o bryd yn y dre, a ddim yn dda ei iechyd o gwbwl. Roedd o'n aelod efo nhw, wrth gwrs, ac – mae o'n beth reit gas a deud y gwir – roedd o wedi mynd ar eu gofyn nhw, am bres felly. Roedd yna rai o'r aeloda wedi bod yn ffeind iawn efo fo – dim sôn am deulu'r wraig, o gwbwl ..."

"Mi ddeudis i am honno o'r cychwyn, do? Dwn i ddim be welodd Tomos ynddi."

"Ei phres hi, ella?"

"Ond deud oedd y gweinidog 'i bod yn anodd i eglwys roi arian, achos os wyt ti'n dechra efo un aelod, lle wyt ti'n stopio? Ac roedd gan y capel ddyled ar ôl codi galeri. Beth bynnag i ti ..."

"Eisio i chi yrru pres iddo fo oedd o, Nhad?"

Mae'r ddau'n edrych ar ei gilydd.

"Does yna ddim llawar wrth gefn yma, sti, Elin. Mi fydd eisio talu rhent hanner blwyddyn cyn bo hir. Roeddan ni wedi bod yn siarad a meddwl tybad alla un ohonoch chi roi menthyg? Mae'n anodd meddwl amdano fo yn fanna yn wael 'i iechyd ..."

Mae Elin yn meddwl am yr arian y mae hi wedi rhoi'u benthyg i Lydia Catrin. Gaiff hi nhw'n ôl? Mae'n ceisio dyfalu faint fyddai pris tocyn i New York. Mae ofn dyled fel pwll mawr du.

"Ydach chi wedi gofyn i Anne?"

"Do. Maen nhw wedi bod yn gwario ar y tŷ'n ddiweddar, medda hi. Fedrwn ni ddim mynd ar ofyn Jane, sti, na Meri."

"Mae yna rywbath od iawn yn y stori."

"Meddwl oeddan ni iddo fo ddŵad adra yma. Mi

fendith yn well o lawar. A gobeithio oeddan ni ill dau yn fan'ma ella y basat ti, Elin, yn gallu mynd i'w nôl o, a dŵad â fo adra."

"Mae o dan law y doctor, yn trio rhyw feddyginiaeth newydd, weldi. Y gobaith ydi, ymhen rhyw bythefnos, y bydd o'n ddigon cry i deithio."

"Ond be am John?" Mae Elin yn clywed ei llais yn swnio'n biwis. O'i blaen, mae'r llythyr yn gofyn iddi ymuno ag o yn New York. Maen nhw newydd wrando arni'n ei ddarllen.

"Fydd John yn dallt i ti. Dim ond i ti egluro'r amgylchiada." Ac ar hynny mae Gruffydd Robaits yn troi at ei benglin poenus, fel petai'r drafodaeth ar ben, ac yn rowlio coes ei drowsus i fyny i weld faint o chwydd sydd yna.

Aiff Sydna Robaits ati i osod y bwrdd at ginio.

Ac mae oglau'r tatws yn popty yn dechrau codi pwys ar Elin. Fedr hi ddim meddwl am eistedd wrth y bwrdd yma'n claddu.

Mae'n codi ac yn mynd drwadd i'r parlwr lle mae'n oer, a lle mae'r llun dynnwyd o Tomos a'i wraig Margaret adeg eu priodas ddeng mlynedd yn ôl yn dal ar y dresel wrth ymyl y *photograph* newydd o Hughie a hithau. Roedd Tomos yn llond ei groen yr adeg hynny, a llond ei ben o wallt golau cyrliog. Edrychai'r ddau yn fodlon, yn smyg hyd yn oed. Dydi Elin ddim yn lecio meddwl am ei hunig frawd yn wael, ei briodas wedi chwalu a heb yr un sentan at ei fyw. Nes penelin na garddwrn. Ond dydi ddim yn teimlo'n agos ato felly chwaith. Bydd yn darllen ei lythyrau pan fydd yn anfon un yma unwaith yn y pedwar amser, ond dydi hi ac o ddim yn llythyru. Dydyn nhw ddim yn glòs, fel y mae hi a'i chwiorydd yn glòs. Fel roedd hi a Catrin yn glòs. A Hughie a hithau.

Ac mae hi'n teimlo'i hun yn dechrau cael ei thynnu, rhwng y bobol ffeind, syml yn y gegin drws nesa sy'n dad a mam iddo fo a hithau . . .

A John.

18

Mae golwg pell Moses Dafis yn ardderchog ac wrth weld y ficar yn troi i fyny tua Lôn Tyn Pwll trwy ffenast fach y gegin, mae'n cythru i ennill y blaen arno. Efo chwyrnad "Cadwch o'r golwg" ar Lydia ac Adi mae o'n bachu crysbas lian ac yn ei chychwyn hi i lawr y llwybr i'w gwfwr. Os oedd y Parchedig R. T. Jones wedi disgwyl cael sgwrs hamddenol efo'i glochydd am hynt a helynt y plwy, mae ar fin cael ei siomi.

"Bora go lew, Ficar."

"Ond digon oer, cofiwch, mae'r gwynt 'ma'n gafael."

"Ar fy ffordd i nôl torth oeddwn i. Mi gerddwn ni'n o sbriws i gael gwres ein cyrff." A dyma Moses yn cychwyn martsio a'r ficar yn gorfod troi ar ei sawdl a chodi wib i'w ddilyn o. "Ddoe clywish i am Katie Wilias dlawd. Mi faswn i wedi galw heibio'r Ficrej heddiw, 'chi, i weld efo'r trefniada."

"Un o Nefyn yn enedigol, ynde, Moses, ei theulu o Dai'r Lôn."

Mae'r clochydd yn nodio. Mae'n nabod pobol y dre drwy'r trwch.

"Ro'n i wedi meddwl tybed a fydde'r teulu am gladdu yn y fynwent newydd. Mi fase'n hwylus iddyn nhw ymweld. Neu ym Morfa hyd yn oed."

Claddu ydi un o'r ychydig bethau sy'n talu i Moses Dafis y dyddiau hyn. Mae dyn o Benmaenmawr a symudodd i'r dre wedi dechrau trin clociau yn Stryd y Ffynnon dan ei drwyn o, ac wedi mynd â llawer o'i fusnes. Nid yn unig mae o ddeugain mlynedd yn fengach, ond mae'n gleniach o lawer. A ydi o'n well trwsiwr clociau? Amser a ddengys. Daeth yr hen arferiad o roi arian ar y rhaw i'r clochydd yn y fynwent i ben, a feiddiai Moses Dafis ddim mentro hynny yng nghynhebrwng gwraig Tŷ Capel prun bynnag. Ond mi gaiff ei dalu gan y ficar, a childwrn gan rai aelodau o'r teulu agosa, fel petai adlais o'r hen arfer wedi para yn y tir.

"A be basiwyd?"

"Mynwent yr eglwys." Ac mae'r ficar yn sefyll ac yn agor ei freichiau i ddangos na all ddeall y peth.

"Call iawn."

"A pham ydach chi'n dweud peth felly?"

"Wel, fanno mae ei theulu hi, ynde, ers cyn co'. Mi fuo hi'n chwarae yno'n blentyn fel finna. Mi fydd hi wrth 'i bodd yno."

Mae'r ficar yn pletio'i geg rhag dweud dim. Ddysgodd y dyn 'ma ddim byd mewn trigain mlynedd o wrando'r Gair ac adrodd y Credo bob Sul? Aiff yn fân ac yn fuan ar ei ôl. Wrth iddo gyrraedd giât y Ficrej daw'r ymwahanu. Fydd yna ddim gwahoddiad i mewn am de ddeg heddiw.

"Claddu bora drennydd, Moses Dafis. Gwasanaeth yng Nghaersalem ac wedyn draw i Nefyn. Am ddeg, felly mi fyddwn yna at hanner dydd. I chi gael gwybod efo canu'r gloch."

"Ffenciw fawr, Mr Jones."

Ac ar hynny mae Moses Dafis yn codi'i gap, ac yn prysuro'n ôl am ei gartre efo dim mwy o esboniad na, "Wedi gadael sosban ar tân!" dros ei ysgwydd gan adael y ficar yn syllu ar ei ôl ac yn ysgwyd ei ben.

Mae Lydia wedi cael mymryn o waith golchi, ac ar ôl cael gwynt sychu da'n mynd ati i'w smwddio ddiwedd y pnawn. Broc môr wedi'u hel gan Adi sydd yng ngrât y Bryn, yn llosgi'n olau. Maen nhw wrthi hynny fedran nhw'n helpu a chadw o ffordd y dyn yn y bwthyn cul, ond er ceisio'i blesio a'i osgoi mae'r awyrgylch yn dynn a bregus. Bob tro mae'r clociau'n dechrau taro, mae Lydia'n neidio. A fedr hi ddim dechrau meddwl ymlaen i gynllunio beth mae hi ac Adi am ei wneud na lle maen nhw am fyw, os na chân nhw aros yma. Aeth tridiau'n ddeg diwrnod yn bythefnos ond mae o'n fwy blin gyda phob diwrnod sy'n pasio. Dydi ddim yn braf yma. Ac mae hi ar bigau. Ond ar wahân i ddweud ei phader, a chymryd unrhyw waith ddaw ei ffordd, fedr hi ddim dychmygu be arall y gall hi ei wneud. Mae'r dyfodol yn ddrws caead o'i blaen.

Aeth Moses allan i'r cwt ym mhen draw'r ardd ers meitin ac mae Lydia'n manteisio ar y cyfle i wneud paned iddi hi ac Adi, gan fod yn gynnil efo'i ddail te. A dyna lle maen nhw ill dwy yn cael munud bach o gysur tra mae'r hetar yn poethi pan ddaw o yn ei ôl efo dwy raw, a'u gosod i bwyso ar ddrws y cefn.

"Angan torri bedd tua'r eglwys. Mi a' i i ddechra arni. Dowch chitha'ch dwy fel y bydd hi'n twllu."

Mae Lydia'n dal i yfed ei the. Yn gosod ei llaw chwyddedig ar un Adi. Dim ond y llaw sy'n dal y gwpan de sy'n crynu wedyn.

Mynna ennill y blaen arni.

"Iawn i chi neud rhywbath am ych lle, dyffeia i chi."

"Dydi hynna ddim yn beth parchus i ni 'i neud."

"Be ydi'r ots? Dydach chi ddim yn barchus, nac 'dach? Dim yn gapelwrs, nac 'dach? Orffennwn ni'n gynt, tri ohonan ni, a chael dŵad adra cyn hannar nos."

"Mae pawb yn deud fod 'na ysbryd ym Mryn Mynach."

"Duw, duw, lol ddiawl. Os oes 'na, mi faswn wedi'i weld o bellach."

"Dwi'n siŵr bod 'na ddigon hyd y lle 'ma fasa'n fwy na pharod i'ch helpu chi, Dewyrth."

"I be awn i i dalu 'de?" Mae'n rhochian chwerthin drwy'i drwyn. "Torra frechdan i mi, Lydia. A chofiwch roi digon amdanoch ych dwy, mae'n oeri at y nos."

Ac ar hynny mae o'n cilio i ben pella'r gegin, at un o'r

clociau mawr, ond nid o glyw chwaith, ac yn dechrau troi'r
bysedd i'r cloc daro – taro a tharo fel cnul. Mae Lydia yn
rowlio'r gwaith smwddio sydd ar ei hanner yn daclus, ac yn
tynnu'r hetar oddi ar y tân.

Mae hi'n gwybod nad ydi ddim haws â thaeru efo fo.
Ond mae hefyd yn sylweddoli bod rhaid iddi wneud
ymdrech anferth i agor y drws yna sy'n rhwystro'r ffordd
ymlaen yn ei phen hi.

Erbyn i Lydia ac Adi droi i Stryd Llan, mae hi wedi hen
nosi. Mae'r tai bach swat bob ochor i'r stryd fel gwalau
tyrchod, a dim ond llygedyn o olau fflat yn ambell ffenest.
Anaml y bu Adi yma ac mae hi'n ansicr ei throed; lôn o
gerrig gwastad o'r traeth ydi, yn anwastad i'w cherdded,
ac mae'n rhoi llaw yng nghesail ei mam. Rhed llygoden
fawr ar draws eu llwybr o'r hen ladd-dy bach yn y cefnau,
debyca, fel yr oglau carthion a gwaed sy'n llenwi'r awyr.
Does dim enaid o gwmpas, ac maen nhw'n cerdded yn
dynn yn ei gilydd, yn nelu at ben draw y stryd. Mae Lydia'n
gwybod pwy sy'n byw yn y rhan fwya o'r tai bob ochor ac
yn dweud eu henwau dan ei gwynt wrth nesu at yr eglwys.
Jonet a Herbert Jôs, Huw Neli Ann, Captan Dic Ŵan, Ifor
Maes Bach, Rhobat Ellis sy ar y môr, Morris y crydd, Abel
Pritchard carier, yr hen Fusus Gwynne, Captan Ifans a'i
ferch Jane, Robin bach setsman a'i deulu, Cati a'i brawd
Robat sy'n saer ar y môr . . .

Wrth iddyn nhw gyrraedd wal uchel y fynwent gron
sy'n amgáu'r eglwys, clywant y rhaw wrth ei gwaith.
Metel ar garreg. Cerrig mân yn chwalu wrth gael lluch i
ganlyn y pridd. Tuchan. Maen nhw'n rowndio'r gornel ac
yn mynd i fyny drwy'r giât. Rhaid ei fod o wedi'u clywed
nhw'n dod.

"Be cadwodd chi, genod?" Mae'n rhoi'r gorau iddi am
funud wrth eu gweld yn nesu, yn sythu'i gefn. Mae wedi

gosod ei lamp ar lawr wrth ei ymyl a'i golau melyn yn dangos ei fod droedfedd dda i lawr yn barod, a phentwr daear ffresh yn tyfu ar y dde iddo. Defnyddiodd linyn a darnau pren i fesur chwe throedfedd Katie Wilias gan gadw'n glir o'r pydew esgyrn wrth y wal, lle ailgladdwyd tomennydd o ysgerbydau dros amser i wneud lle i gyrff newydd. Eistedda am funud ar feddrod cyfagos i lenwi'i getyn, ac amlinell ei ên bigfain fel penrhyn Carreg Llam. Unwaith mae'r baco'n cydiad, mae'r mwg yn codi'n syth ac yn cuddio'i wep.

Daw'r ddwy yn eu blaenau rhwng beddi, i'r gornel ddwyreiniol bella lle mae o. Hon fydd un o'r claddedigaethau ola yn y fynwent drymlwythog hon. Mae hi wedi gwlitho'n drwm dan draed. Mae'n amneidio at gaib ar lawr wrth ei raw. "Barod i roi tro bach arni, Lydia'r hen 'ogan?" A thynnu ar y cetyn.

"Mae arna i eisio mynd adra."

"Adra. Lle ydi fanno?" A'r hen chwerthiniad mochyn 'na eto.

A rhaid i Lydia Catrin ymwroli. Does yna neb yn mynd i ddod o'r tai o'u cwmpas i'w hachub hi ac Adi. Maen nhw dan gyrffiw gwirfoddol bob un. Mae'n llenwi'i brest â phlwc.

"Dydi'r lle 'ma ddim ffit i Adi. Dwi'n mynd â hi i'r Plas." Newydd feddwl am fanno mae Lydia. Wnân nhw mo'i throi hi o'r drws. Mi gaiff fod yn y gegin yn glyd ac ella bydd yno swper. Mae'n dechrau gwthio'i merch gerfydd ei hysgwyddau at y giât.

"Plas Coedmor, aie?" A thynnu tirsiau.

"Peidiwch â phoeni, sonia i ddim be sy'n mynd 'mlaen yn fan'ma."

"Cofia di frysio'n ôl. Fyddan ni fawr o dro efo'n gilydd ac wedyn mi gawn i gyd fynd adra i'n gwlâu."

Mae hwyliau da Moses Dafis wedi pylu erbyn y daw Lydia yn ei hôl. Bu'n rhaid iddi ddyfeisio rhyw stori sydyn am fynd i helpu perthynas claf tua Phistyll er mwyn perswadio Mrs Lloyd yr howscipar i adael i Adi aros. Roedd Mrs Lloyd ei hun ar gychwyn am adra ar y pryd, wedi gorffen ei gwaith am y dydd, ac felly dim ond Miriam y forwyn ac Adi fyddai yno. Rhoddwyd warnings i gadw'n dawel a pheidio deintio i'r pantri. Byddai angen i Lydia gyrraedd yn ei hôl cyn i Mrs Davies ddod i gloi a bolltio drws y cefn am un ar ddeg.

"Lle buost ti'n bodfedda ddiawl?" Ac mae'n amneidio at y gaib. "Gafael ynddi, wir Dduw."

Bu Lydia yn forwyn ffarm am gyfnod ac mae'n gwybod sut i drin caib. Daw ato ar ei hunion, achos does yna ddim dewis, ac estyn yr arf. Yna mae'n ei chodi uwch ei phen, ac yn dechrau ergydio'r ddaear o dan ei thraed yn bwyllog. Wrth iddi lacio'r pridd, mae yntau'n ei godi efo'r rhaw a'i sheflio ar ben y cruglwyth tu ôl iddo.

Mae twll y bedd yn tyfu'n gyflym a dau'n gweithio.

"Dal di ati." Mae'r clochydd yn sythu ac yn edrych o'i gwmpas. Ella eu bod wedi bod yn gweithio am hanner awr, dri chwarter erbyn hynny. Rhydd ei raw i bwyso yn erbyn y garreg fedd agosaf. "Dwi am bicio i'r Bull, dwi wedi trefnu i gwarfod rhywun yno. Fydda i'm cachiad nico."

Er nad ydi Lydia am fod yno ar ei phen ei hun, yn y tir neb hwn rhwng y byw a'r meirw, mae'n well na bod yn gaethferch o dan gománd ei dewyrth. Gwylia fo'n mynd, yn fain fel cribin, yn gorfod arafu wrth gyrraedd y stepiau rhag cymryd cam gwag. Cwarfod rhywun yn y Bull o gythraul; dydi hi ddim yn wirion.

Draw yn y Fron, mae'r tylluanod wedi deffro ac yn galw ar ei gilydd.

Mae hi'n gweithio wrth ei phwysau wedyn, yn ceibio a rhawio am yn ail. Synna at ei chryfder ei hun. Unwaith, mae'n taro ar rywbeth caled gyda'r rhaw, ac o wyro yn gweld mai asgwrn ydi o – penysgwydd yn ôl ei siâp. Mae'n ei osod yn barchus ar feddgist ac yn ailddechrau ceibio.

Mae rhywbeth yn adfywiol mewn defnyddio holl rym ei chorff. Mae'n rhyddhau ei dicter. A'i siom. A'i hofnau. Maen nhw'n pwyo eu ffordd drwyddi i ddüwch y bedd.

Erbyn i'w dewyrth ddod yn ei ôl o'r diwedd, at amser cau, mae hi wedi ymlâdd, pob asgwrn ynddi'n brifo a'i chefn yn gwyniasu.

"Cwarfod go hir. Be oedd o, cwarfod gweddi?"

Mae Moses Dafis wedi clywed yn iawn; does dim byd yn bod ar ei glyw o, y trwsiwr clociau. Daw tuag ati fymryn yn sigledig, ac mae'r oglau cwrw'n dod yn donnau o'i flaen.

Daw dow-dow at ymyl y bedd, i weld faint mae hi wedi'i wneud. Rhydd fys a bawd ar ei drwyn a chwythu allan. Wedyn sychu'r diferyn crog ar ei lawes. Edrych arni.

"Dim yn ddrwg, a meddwl. Ac wedi'r cwbwl, fi fasa'r gwiriona, ynde, yn cyfarth a gast gen i."

Mae'r ceibio'n peidio, a chlec y gaib wrth iddi daro carreg fel cnul.

"Gast. A honno'n talu dim am ei lle."

"Unwaith y ca i bres mi dala i i chi. Dan hynny, mi wna i neud bwyd, golchi, llnau . . ."

"Llnau o ddiawl."

"Does gynnon ni nunlla arall i fynd, nac oes."

"Wyrcws. Ddigon da i chi."

"Os awn ni i'r wyrcws, dyna fydd 'n diwadd ni. Fy niwadd i, beth bynnag." Mae ei llais yn torri.

"Paid â dechrau ryw sniflian ddiawl efo fi, i drio cael cydymdeimlad. Dwi 'di clywad dy hanas di, Lydia Catrin. Ti'n meddwl medri di gadw cyfrinach fel'na dan gynfas?" Mae'n ysgwyd ei ben, a charthu'i wddw. "Chdi a dy ddynion."

Mae hi'n gwyro yn ara i godi'r gaib i osgoi ei lygaid sgodyn yn oer-rythu arni. Mae pob asgwrn a chyhyr yn ysu ar ôl yr oriau o lafur garw. Ond os bydd rhaid ailddechrau, a cholbio ymlaen drwy oriau'r nos i waelod y ddwy droedfedd, mi wnaiff hi hynny. Os mai dyna ydi'r tâl.

"Dwi'n cymryd eu bod nhw'n talu iti am dy ffafra. Talu'n dda, tybad?"

Dydi hi ddim yn ateb. Fo sy'n torri'r distawrwydd bregus gynta.

"A chael gwerth eu pres?" Mae o'n cymryd ei amser wedyn. Yn estyn ei getyn. Ei lenwi. Ei danio. Gwneud iddi ddiodde.

"Fedra i ddim cadw neb sy ar gêm fel'na dan fy nho i, mi fyddi di'n dallt, dwi'n siŵr, a finna'n was cyflog i'r eglwys. Tasa'r peth yn dod i glustia'r ficar, yr awdurdoda . . ."

Mae hi'n camu dros y cortyn i'r bedd ac yn ailddechrau ceibio. Rhaid iddo godi'i lais fymryn.

"Os na fedrwn ni ddod i ddealltwriaeth, 'n dau. Be ddeudi di? Rhyw hwyl bach diniwad fasa fo rhyngtha chdi a fi." Mae'n cymryd cam tuag ati ac yn edrych i lawr arni. Amneidia i gyfeiriad yr eglwys. "Mae gin i oriad."

Estynna botel chwarter o wisgi o boced ei grysbas, tynnu'r corcyn a'i dal allan ati. "Cym dropyn gynta, i gnesu ac i godi hwyl . . ."

Mae'r ceibio'n peidio.

Yna mae'n ei glywed yn bustachu tuag ati, ac yn gweld ei gysgod yng ngolau gwan y lamp – mor fawr. Cyn iddi gael cyfle i ddianc, mae o wedi gafael ynddi a'i law esgyrnog yn cau am ei braich.

"Gollwng di'r gaib 'na rŵan, a tyd efo fi. Jest dipyn bach o sbort diniwad. Dipyn bach o gysur i hen lanc . . ."

Mae hi'n ymladd i ddod yn rhydd o'i grafanc. Daw'r llaw arall i lawr am ei gwddw, a'i chodi oddi ar ei thraed.

"A fydd neb ddim callach."

Mae Lydia'n tuchan wrth ymladd i'w rhyddhau ei

hun. Ond dydi'r cryfder ddim yna ar ôl y trymgwaith y mae hi wedi'i wneud dros yr oriau diwetha. Dydi'r nerth ddim ynddi i gwffio'n ôl. Ceisia ostwng ei phen i blannu ei dannedd ym môn ei fraich.

"A ddeuda i'r un gair wrth Adi. Dim un gair."

Aiff yn llonydd yn ei afael, yn gadach llipa.

"Dwi'n ŵr bonheddig, ti'n gwybod hynna, yn dwyt? Mi fydda i'n cadw at fy ngair. Rŵan, tyd ti'n hogan dda efo fi, a gawn ni cwtshi-cw bach neis ar garpad y gangell, ac wedyn mi awn ni adra'n un teulu cytûn."

Bu golau'r lamp yn wincian ers meitin, wrth i'r paraffin brinhau yn ei gwaelod. Yn y munud hwnnw, wrth i Moses Dafis afael yng ngwegil ffrog Lydia a'i gwthio o'i flaen fesul hergwd i gyfeiriad drws yr eglwys, a'i ddwrn rhydd yn ei chefn, mae hi'n diffodd.

19

Wrth sefyll uwchben y badell bore trannoeth yn gwneud teisen gri i fynd i Dŷ Capel, daw Elin i benderfyniad. Cyn bod y deisen ola wedi oeri, mae wedi estyn yr ystol fach bren o'r cwt allan a'i chario i ben y landin. Aiff i nôl brwsh llawr wedyn i wthio drws yr atig o'i le, cyn gosod yr ystol yn erbyn yr agoriad. John fasai'n mynd i fyny i'r atig fel arfer, a hithau'n galw cyfarwyddiadau o'r gwaelod ac mae hi'n dal sylw, fel petai am y tro cyntaf, mor gul ydi'r twll. Does dim amdani ond tynnu ei ffrog a'i phais, a'u rhoi ar y gwely cyn mynd i fyny yn ei throwsus pais. Fydd hi'n mynd i nunlla os baglith hi a thorri ei choes. I fyny yno, mae hen luniau, lamp olew a'i gwydr wedi torri, bocsiad o lyfrau llychlyd a'r crud y mynnodd Mary ei chwaer yng nghyfraith ei roi iddi.

Tu ôl iddynt yn y pen draw, mae'r carpet bag a brynodd i fynd i Hamburg efo John. Mae'n ei daflu i lawr, a'r llwch yn codi'n donnau ohono. Bydd angen hwn arni, lle bynnag yr aiff. Cyn ailwisgo, mae'n gollwng ei gwallt tonnog gwinau yn rhydd i gael y llwch ohono ac yn ei ysgwyd. Gwna hynny iddi deimlo'n rhywbeth mwy na dim ond gwraig tŷ. Bydd John weithiau yn codi ei gwallt yn uchel efo'i ddwylo mawr a chusanu'r croen meddal gwyn ar ei gwegil, a'i locsyn yn ei chosi.

Mae ei chalon o dan ei bodis cotwm yn ei thynnu tua Lerpwl ac wedyn New York. A'i hysbryd o ddyletswydd, lle bynnag yn union yn ei chorff y mae hwnnw'n preswylio, yn pwyso arni i ufuddhau i'w rhieni a mynd i nôl ei brawd i Groesoswallt. Pobol y wlad ydi ei mam a'i thad, pobol a'u traed yn y tir. Mynd ar led iddyn nhw ydi mynd i Eifionydd i weld teulu, neu i'r dre i gymanfa bregethu neu i ffair ben tymor. Ac er bod ganddyn nhw ddau fab yng nghyfraith ar y môr, dydi hynny wedi lledu dim ar eu gorwelion nhw. Cwta dair milltir sydd rhwng eu tyddyn a'r arfordir, eto mae'n fyd cwbl wahanol. Yn ystod eu priodas hir treuliodd y ddau bob nos yn yr un gwely. Wyddan nhw ddim be ydi bod ar wahân. Ydyn, maen nhw'n gwybod o'r gorau be ydi hiraethu am y marw, ar ôl colli Catrin fach, ac mae ôl yr hiraeth hwnnw arnyn nhw byth. Ond wyddan nhw ddim be ydi hiraethu am y byw.

Fel yma mae Elin yn rhesymu wrth waldio'r carpet bag efo brwsh dillad yn y cowt. Waldio a waldio ei holl rwystredigaeth ohono.

Ond wedyn, ar ôl dod yn ôl i'r tŷ, a rhoi'r carpet bag i eirio o flaen y *range*, mae hi'n meddwl am Tomos eu cyntaf-anedig yn ei dŷ lojin tlodaidd, yn gofyn i'w gapel am bres, a ddim yn dda ei iechyd. Ei lythyrau anaml a'i briodas ar chwâl.

A dydi pethau ddim mor syml.

Roedd Tŷ Capel yn llawn 'dat y drws; golchi llestri a hwylio paneidiau yn y pantri efo Martha y bu Elin drwy'r pnawn. Doedd hi ddim wedi cael cyfle dim ond i ysgwyd llaw â Gwilym, gan weld yn syth na fasai dim pwrpas iddi sôn wrtho heddiw am ei helyntion hi ei hun. Pan wagiodd y tŷ o'r diwedd, roedd hi'n falch o gael troi am adra. Mae wedi codi i chwythu a sgriala hen dun gwag ar hyd y stryd tuag ati.

"Elin!"

A daw yn ymwybodol o sŵn traed tu ôl iddi hi, a rhyw sŵn arall, clindarddach llestri a metel yn taro'n erbyn ei gilydd. Mae'n troi rownd. Anghofiodd hi'r tun teisen, tybed?

A dyna lle mae Sam Richards yn pydru dŵad, yn cario llond ei hafflau o betheuach, yn llestri a gogor a fforch grasu a thun cig. Yn edrych fel dyn rag an' bôn.

"Dwi wedi gorffan clirio acw. Rhyw fanion betha fel hyn ar ôl. *Utensils . . .*"

"Does arna i ddim angan dim byd."

"Dim i chdi!" Mae o'n hanner rhedeg i ddal i fyny efo hi, ac yn chwerthin. "I'r ddynas yna a'r hogan sy wedi cael eu troi allan . . . Mi ddoish â'u mangl nhw acw. Ydi o'n dal acw?"

"O, Lydia Catrin ac Adi! Ydi, ydi mae o." Mae'n edrych arno fo, yn fyr ei wynt ac mor awyddus i blesio. "Ond maen nhw efo perthynas, dros dro, nes cân nhw le 'u hunain."

Daw i gerdded wrth ei hymyl hi wedyn. Mae'n dal y gogor iddi a hithau'n ei gymryd yn ufudd.

Mae'n haws i Sam ddod at y pwnc o bwys heb edrych arni hi. Y rheswm o dan yr holl 'nialwch yma dros ddod i'w gweld hi.

"Wyt ti wedi cael llythyr? O Lerpwl?"

Ac mae hi'n arafu ei cham, yn stopio i edrych arno.

"Pam?" Mae'n tynhau fel powltan. "Ydi o yn fusnas i ti?"

"Hugh Ifans y postman soniodd . . . dim ond wrth basio." Bydd hwnnw'n cael clywed faint sydd dan y Sul y tro nesa y bydd Elin yn ei weld. "Ac roedd yn rhaid i mi gael rhannu fy newydd efo rhywun. Mi ydw inna hefyd wedi cael llythyr . . . o Lerpwl." Mae'n gwenu fel giât. "Wedi cael lle ar y *Cambrian Queen*, yn fêt. A dim ond ers chwech wythnos dwi wedi pasio. *Promotion!*"

Fedr Elin ddim credu ei chlustiau. Ac mae hi'n rhythu arno fo.

"Do. Ac mi fydda i'n hwylio allan i New York i joinio'r llong ddiwadd 'r wsnos nesa. Ac, os ydw i wedi dallt yn iawn, mi fydd dy ŵr di, John, hefyd yn fêt ar y feri llong. Ac mi fyddwn ni'n fêts efo'n gilydd!"

"Captan." Mae o'n swnio'n ddiarth i'w chlustiau hi ei hun hefyd. "John fydd y captan, Sam." Ac mae hi'n ailddechrau cerdded o'i flaen, ei ffwtwocio hi o'i flaen ac yntau'n dod o'i lled-ôl, fel ci yn dilyn ei feistres, a'r llestri'n tincian.

20

Y traeth ydi'r unig le all gynnig llonyddwch. Ar ôl i Sam fynd, a gadael yr holl 'nialwch o dan y mangl, mae hi'n 'huddo'r tân, ac wedyn yn gwisgo'r hen gôt, siôl drosti, a menig. Mae hi'n ddiwetydd, ac wedi codi'n wynt mawr. Bydd hyd yn oed llanciau'n mynd i wardio, a hen sgotwrs yn troi i'w cutiau lan môr i smocio a datod darnau rhaff i wneud cwlm. Ac er bod y dydd wedi mestyn, mi fydd yn tywyllu'n gynt ar dywydd sâl fel hyn.

Nid am Henborth mae hi'n anelu chwaith, ond troi i'r dde, ar hyd y lôn droellog sy'n arwain i ben 'rallt ac am draeth Nefyn. Mae digwyddiadau'r dyddiau diwethaf wedi clymu'i thu mewn yn dynn. At John y carai hi droi. Ond dydi o ddim yma. At ei chwiorydd wedyn, Jane, Meri ac Anne, ond a phethau fel y maen nhw efo Tomos, all hi ddim gwneud hynny chwaith. Pegi ydi ei ffrind mawr, ond allai hi ddim agor ei chalon i Pegi. Drws nesa, mae Pegi'n rhy agos, yn rhy annwyl a syml iddi allu dweud wrthi. Does arni ddim eisio Pegi'n poeni amdani, ac yn ffysian uwch ei phen hi.

A daw hiraeth am Hughie. Petai Hughie yma, mi allen nhw fod wedi chwarae gêm y pnawn yma, neu ddarllen efo'i gilydd a chwerthin yn yr un llefydd yn ei stori wneud amdano'n trechu'r môr-ladron ffyrnig. Mi fyddai Hughie wedi sgwrsio drwy'i phryderon hi, ac wedi'i chael ar ei phengliniau'n chwarae marblis neu'n ei pherswadio i ddilyn rhyw rysáit newydd o lyfr Mrs Beeton fel y 'blancmange' yna. Ond mae Hughie yn ôl yng nghanol bywyd ei deulu, a heddiw mae hi'n cerdded ei hun i olwg y môr.

Sul y Pasg ydi'r diwrnod pwysicaf yng nghalendar yr Eglwys, ac mae'n bygwth o flaen Moses Dafis fel cyw drycin. Fu o ddim yn y pentre ers noson torri bedd Katie Wilias. Neu fore trannoeth. Mi dalodd yn dda i Arthur mab Tyn Pwll fynd i gau y bedd hwnnw ac i ddweud wrth y ficar ei fod yn sâl yn ei wely. Arthur a ganodd y gloch ar gyfer y gwasanaeth dydd Iau Cablyd, a dydd Gwener y Groglith hefyd. Fu Moses ei hun ddim dros riniog y drws. Ond bydd rhaid iddo fynd drannoeth, cyn i bobol ddechrau siarad. A bydd rhaid iddo molchi, a siafio ac estyn ei ddillad parch at Sul y Pasg o bob dydd yn y calendar eglwysig. Ers dyddiau, bob tro mae'n cau ei lygaid i geisio cwsg mae'n ei gael ei hun yn yr eglwys ar ei benabliniau, ei ddwylo y naill ar ben y llall fel nyth bach. Y ficar uwch ei ben yn dal y cwpan cymun wrth ei safn ac yn dweud yn undonog: Corff a gwaed ein harglwydd Iesu Grist a geidw dy gorff a'th enaid i'r bywyd tragwyddol.

Mae ei wn yn gorwedd rhwng dwy hoelen yn y trawst, gard y glicied wedi'i fachu drwy un a'r llall yn cynnal pwysau'r barilau. Ar ôl gorffen crystyn y dorth amser te, mae'n estyn yr hen ffrind a'i osod ar fwrdd y gegin a'i agor. Daw â'r tecell a thywallt dŵr o'i big i lawr y ddau faril. Mae diferion dŵr du yn disgyn fel dagrau ar lawr ... Dyma bry copyn bach yn disgyn allan ac yn rhuthro am loches traed y dresel. Estynna gortyn a darn o glwt wedi'i glymu ynddo o ddrôr y bwrdd a'i dynnu drwy un baril, ac wedyn y llall. Dal y gwn o'i flaen ac edrych i lawr y barilau i olau'r tân. Y chwith ac wedyn y dde. Ei osod ar ei ysgwydd a nelu.

Gwell iddo roi ei sach dros ei sgwyddau, a chap stabal a'i big i lawr. Mae'n gosod ei wn dros ei fraich wrth gychwyn ac yn gweddïo na welith o'r un adyn. Ar bnawniau braf, bydd yr hen gapteiniaid yn hel at ei gilydd ar lannau'r ddau bwll ar ben 'rallt i rasio modelau o'u sgwneri a'u barcs. Ond maen nhw wedi gweld mwy o dywydd na'r rhan fwyaf ac yn gwybod pryd i roi mwy o lo ar y tân, a swatio rhag y storm.

Mae'r gwaed wedi ceulo ar y graith ar gefn ei ben a'r cap yn cuddio'r gwaetha ohoni. Feiddith o mo'i phigo rhag ofn iddi ddechrau gwaedu eto. Ond mae ei ben yn dal i ddyrnu ddydd a nos, a bu'n rhaid iddo stopio'r clociau i gyd.

Mae llwybr llydan i lawr i'r traeth o ochor y trwyn, ac i lawr hwnnw yr aiff Elin, a'i dwylo allan bob ochor i gadw'i balans. O'i blaen mae'r môr yn aflonydd, ac yn llwyd ei liw. Gwêl yr hen smac *Eunice* a'i starn yn y dŵr, ei llond o heli a'i hasennau yn y golwg. Wrth ei hymyl, cwch bach wedi'i glymu'n ddiogel, fel ci wrth sawdl ei feistr. Does dim enaid i'w weld yn yr ierdydd, ond mae hi'n adnabod y lle'n ddigon da i wybod fod yna rywun o gwmpas bob amser. Ar hynny dyna olau bach yn wincian yn ffenest Hen Dafarn. Wrth gyrraedd y gwaelod mae'r mastiau llongau fel coed mawr yn codi uwch ei phen hi, a'r gwynt yn sgrechian yn y blociau.

Ond unwaith mae hi yno – ar y traeth ei hun, mae'r clogwyn yn gysgod rhag y sgowlio o'r de-orllewin. Mae'n fyr ei gwynt ac yn sefyll am funud neu ddau i sadio. Byddai unrhyw un fasai'n ei gweld yn barnu ei bod yn bell o'i chof. Dydi hwn ddim yn dywydd i loetran, a gallai'r cymylau isel uwch y bae fod yn llawn glaw. Byddai gwraig gall wedi aros gartra. Os daeth yma i chwilio am ateb, wel does yma ddim byd ond gwylanod yn crio a mwngral yn rhedeg yn ôl a blaen at y tonnau heb neb ar ei gyfyl.

Mae'n gweld Sam Richards a'i lygaid glas yn datgan heb sychu'i geg ei fod wedi'i godi'n fêt ar y *Cambrian Queen*. Mae'n gweld y llythyr a ddaeth o Lerpwl . . . *Captain Jones asks that you join him aboard* . . . A'i thad a'i mam, wedi mynd yn hen cyn eu hamser, yn troi ati.

Dyna'r ci yn ei llygadu, ac yn llamu ati'n llawen, yn

gwirioni, yn falch o'i gweld. Lwmp afrosgo ydi o, a blewyn coch, cwta. Mae yna gi defaid ynddo fo'n rhywle. Aiff i lawr yn ei chwrcwd i roi o bach iddo fo. "Helô, pwy wyt ti? Ddoist ti i'r traeth ar dy ben dy hun bach? Fasa well i ni fynd â chdi adra, d'wad? Wyt ti am ddangos i mi lle'r wyt ti'n byw?"

Mae'r ci yn ysgwyd ei gynffon, wrth ei fodd efo'r sylw.

"Tyd." Mae Elin yn cychwyn cerdded ar hyd y traeth at waelod y lôn gam. "Tyd! Mae'n amser mynd adra."

Wrth i'r ddau gerdded yn glòs yn ei gilydd mor agos at y dŵr fel bod rhaid i Elin godi godre'i ffrog uwch ei fferau, daw sŵn ergyd o'r tu ôl iddyn nhw. Mae'r ci'n adnabod sŵn y glec – yn dychryn drwyddo. Yn edrych ar Elin a'i lygaid yn llawn ofn. I ffwrdd ag o fel mellten gan droi'n ôl i weld a ydi hi'n dilyn.

Mae hi'n syllu'n ôl at y llwybr a'r allt, ond welith hi un dim. O gyfeiriad y topiau y daeth y sŵn. Ergyd o'r tywyllwch tu draw. Fel un daran cyn storm.

Mae hi torri i redeg ar hyd y traeth, yn troi i mewn at gysgod y clogwyni, ac yn codi ei siôl dros ei phen.

Ar dop yr allt, mae'r ci yn aros amdani a'i dafod allan.

O'r pellter tu ôl iddi, daw ergyd arall.

21

Roedd y gwynt wedi troi ac fel mae'n cyrraedd pen yr allt, dyma'r glaw i lawr. Yn ddigon call i beidio troi'r filltir am adra, mae Elin yn rhoi ei phen i lawr a nelu am lwybr Lleiniau, i lawr at Stryd y Felin, heibio gweithdy'r crydd. Mae rhywfaint o gysgod rhwng y cloddiau ond mae'n gwlychu'n gyflym.

Tu ôl iddi, o fewn trwch trwyn i'w sawdl, mae'r ci coch yn dilyn.

A hithau'n nos Sadwrn, bydd siopau'r dre i gyd yn agored yn hwyr ac mae angar wedi hel ar ffenestri Siop Sebra. Aiff llaw Elin i waelod tamp poced ei chôt ac mae ei phwrs hi yno. I mewn â hi, er nad ydi hon yn un o'r siopau lle mae'n arfer gwneud neges.

Mae hi dan ei sang. Dyma gymryd ei lle yn y ciw tu ôl i chwarelwr â sach tamp ar ei gefn yn drewi o faco sy'n gweiddi siarad efo rhywun o'i flaen. Wrth shifflan yn ei blaen, ei golwg at i lawr i osgoi'r bagiau blawd a'r potiau pridd, aiff i hanner breuddwydio. Fedr hi ddim prynu ceirch na reis – byddai'r cwdyn papur wedi chwalu ymhell cyn cyrraedd adra. Mi gymerith hi hanner pwys o lard a darn o gaws. Fydd y lard ddim gwaeth a chaiff fwyta'r caws ar y ffordd am adra. Daeth llwgfa drosti mwya sydyn.

Mae cloch y siop yn canu a daw gwraig drwsiadus i mewn – gwraig fonheddig ag ambarél. Ar y cynta, dydi Elin ddim yn siŵr ohoni, ond wedyn mae hi'n ei chofio. Nid yn nhre Nefyn y gwelodd hi'r wraig yma ddiwetha ond dramor yn ninas Hamburg, yng ngwesty'r Central, pan aeth hi yno am de efo'r genod o Borth-y-Gest. Rhaid fod pum mlynedd ers hynny. Roedd pawb fel petaen nhw ar wyliau'r diwrnod hwnnw, ac yn cyfarch ei gilydd wrth eu henwau cyntaf. Ond dydi o ddim yn teimlo'n iawn i wneud hynny heddiw, yma. A dweud y gwir, mae Elin yn teimlo mai hyfdra fyddai ei chyfarch o gwbwl. Mae'n troi i ddotio at y dewis helaeth o fotymau ac edafedd sydd ar werth yma, llawer gwell na dim byd gewch chi ym Morfa.

"Elin Jones?" Mae gan Ebrillwen Davies lais isel, cynnes. "Gawsoch chi'ch dal yn y gawod yna? Mae'ch llawes chi'n socian!"

"Helô, Mrs Davies. O, mi ga i sychu rŵan, 'chi. Dwi ar fy ffordd i dŷ fy chwaer yng nghyfraith." Doedd hi ddim wedi bod ar fwriad mynd i dŷ Mary tan yr eiliad honno, ond mae pobol yn gwneud gymaint o fyd am wlychu, ac oeri, dal annwyd ac annwyd yn troi'n niwmonia fel ei bod jest yn haws dweud hynny.

"Fedra i gael gair bach efo chi cynt?" Mae Ebrillwen Davies yn siarad yn dawel. "Fedrwch chi aros amdana i?" Mae'n estyn ei hambarél i Elin. "Fydda i ddim yn hir."

Daw tro Elin, a'r hen ddynes fach tu ôl iddi yn ei phrocio efo blaen ei ffon.

Ar ôl cael ei mymryn neges, mae Elin yn sefyll dan yr ambarél yn aros i Ebrillwen Davies ddod allan. Llaciodd y glaw, ac mae yna bobol hyd y stryd eto er ei bod yn amser noswyl. O Benisa'rdre, daw hogyn yn twsu heffar ddu ar benffrwyn, yn sgwrsio efo hi wrth iddyn nhw fynd dow-dow. Edrycha'r ci coch arnynt yn pasio ac wedyn yn ymholgar arni hi.

"Mae'n ddrwg gen i'ch cadw chi. Doeddwn i ddim yn lecio siarad yn y siop yn fanna i bawb wybod ein hanes ni. Ond wedi deall, Elin. . . ydi'n iawn i mi eich galw chi'n Elin?"

"Ydi, siŵr."

"Am Capten Hugh Williams, Llanfair Is Gaer. Roedd Griffith ac yntau'n ffrindiau, 'chi. John eich gŵr oedd ei fêt, yntê. Ac i farw fel'na, mor ifanc ac mor agos at y tir, a gwaredigaeth bosib."

"Pendics oeddan nhw'n feddwl oedd o."

"Meddwl am ei wraig o, y beth bach. A dim plant, wyddoch chi." Dim ond am eiliad mae hi'n petruso. "Ond ella'i bod yn well felly."

Dydi Elin ddim wedi sôn wrth neb ond ei rhieni, a dydi ddim ar fwriad gwneud. Ond mae'r ddynes o'i blaen yn wahanol; mae hi o'r un byd â hi, a bydd yn deall.

"Mi ydw i wedi derbyn llythyr gan y cwmni. Maen nhw wedi codi John yn gapten. Ac mae o wedi gofyn imi fynd allan ato fo. I New York."

"O, rhaid i chi fynd, Elin! Mi fues i ar y môr am dair blynedd efo Griffith, a'r plant nes daeth hi'n amser i'r hyna fynd i'r ysgol. Mi anwyd Gwen ar gefnfor y Pasiffig."

Mae'r ddwy yn dechrau cerdded i fyny'r stryd wrth i ddrws y Newborough agor, ac i haid o ddynion môr swingio allan i'r stryd.

"Mae bywyd capten yn unig, tydi. Gorfod cadw trefn ar ei griw ym mhob tywydd, bwyd yn sâl weithia, a'r undonadd. A gwas i'r cwmni ydi'r captan a dweud y gwir, y dyddia yma."

"Ychydig iawn fydd John yn sôn."

"Fel'na maen nhw 'de, i gyd yr un fath, 'chi. Maen nhw'n meddwl mai rhyw betha gwan ydan ni'r merchaid!"

Mae Elin yn troi i edrych a ydi'r ci yn dal i'w dilyn nhw. Ydi.

"Mae'ch dyletswydd gynta chi fel gwraig capten i'ch gŵr, achos fo sydd dan yr iau efo chi, ynde."

"A be am bawb arall? Mam a Nhad, deudwch?"

"Mae pawb arall yn dod yn ail. Plant, debyg iawn, ac wedyn gweddill y teulu."

"'Dan ni'n rhai drwg, John a fi, am drio arbed ein gilydd. Cadw'n gofidia dan gaead."

"O, na, mae'n rhaid i chi siarad. Mae o bron mor bwysig â charu."

Ac mae hi'n wincio, ac Elin yn cochi at ei chlustiau.

"Ewch, wnewch chi ddim difaru."

"Wel," meddai Elin. "Diolch i chi, Mrs Davies, am eich cyngor."

"Ebrillwen."

"Ebrillwen. Am adra awn ni'n dau rŵan, dwi'n meddwl hefyd, mi wela i Mary eto. Neu mi fydd fy nhân i wedi diffodd! Tyd, 'wash i."

"Cymerwch fy ambarél i rhag ofn iddi ddod yn law eto. Ac os galla i fod o unrhyw help . . . Mae acw ddrws agorad, cofiwch chi rŵan."

Ac ar hynny maen nhw'n partio, gwraig Capten Davies yn mynd draw am Blas Coedmor ac Elin a'r ci coch yn troi i fyny Allt Pen Bryn am bentre Morfa. Hanner y ffordd i fyny'r allt maen nhw pan mae drws yn agor a dyn yn gweiddi, "Fanna wyt ti, Mot, y diawl! Tyd i tŷ! Ti 'nghlywad i? Munud 'ma!"

Aiff y ci coch yn ufudd, heb ddim mwy na chipolwg bach euog i gyfeiriad Elin.

Ac wedyn mae hi ar ei phen ei hun. Ond mae hi'n gwybod i le mae hi'n mynd.

Mae cegin Plas Coedmor yn fwrlwm, ac aroglau biff yn rhostio at drannoeth yn ddigon i dynnu dŵr o ddannedd. Swper ffwrdd-â-hi o wy wedi'i ferwi fydd hi i'r plant heno a phawb fynd dros eu hadnodau. Cafodd Miriam fynd adra dros y Sul ac mae Mrs Lloyd hithau wedi gorffen gwaith y dydd. Ond mae Adi yno, yn eistedd wrth y bwrdd a'i gwallt i fyny, yn torri allan i'r plant efo siswrn – siâp llong, siâp cloc mawr, siâp cert a cheffyl. Wrth glywed y drws allan yn agor, mae'n troi'i phen. Yn gwrando.

Daw Ebrillwen Davies trwadd a rhoi ei basged neges ar y bwrdd, cyn mynd i hongian ei chôt ar yr *hallstand* bambŵ ddaeth Griffith iddi o Singapore. Mae'r sgwrs wedi codi'r hen hiraeth ynddi hithau.

Wrth basio'r tai sylweddol sy'n cael eu codi gyferbyn â'r ysgol lle bu dim ond glastir, mae Elin yn sylweddoli'n sydyn nad ydi hi ddim ei hun. Mae yna ddynion ifanc, dri neu bedwar, yn eu dillad gwaith a'u hesgidiau hoelion yn brasgamu yn eu blaenau, gan siarad yn llond lôn o dwrw. Wrth eu cwt daw criw fengach, efo ambell hwb a naid, ac mae hi'n clywed y geiriau 'ergyd' a 'plisman' a 'ben 'rallt' a 'gwn' ar dafodau cyffrous o'i chwmpas.

Dyma un o'r hogia hyna'n troi, yn dechrau cerdded wysg ei gefn ac yn gweiddi heibio iddi ar rywun ymhell tu ôl iddo, "Tyd 'laen, tân dani! Maen nhw'n deud fod 'na ryw foi gwallgo 'di trio saethu rhywun yn rwla uwchben allt môr, heibio Tafarn Mur Pysgod. Gwna siâp arni, wir ddyn!"

Daw dyn hŷn, difrifol yr olwg i gydgerdded wrth ymyl Elin. Dydi hi ddim yn ei adnabod o, ond mewn creisis mae pawb yn siarad efo'i gilydd, a'r ddrama yn eu cydio ynghyd. "Maen nhw 'di gyrru am blismyn o'r dre. Mae o'n swnio'n ddifrifol iawn."

Rhaid i Elin godi godreon gwlyb socian ei sgert i fedru cynnal yr un cyflymder ag o. Ac mae hi'n clywed yr ergydion eto yn ddwndwr yn ei phen. Ac yn meddwl – pwy? Mae'r tir gwastad hwnnw uwchben gallt y môr yn gwnhingar o fân fythynnod. Mae hi'n adnabod trwch y preswylwyr trwy fod wedi cerdded gymaint y ffordd honno dros y chwe blynedd a aeth heibio. Ac mae hi'n rhedeg drwy'r preswylwyr posib yn ei phen, drosodd a throsodd.

"Mi glywais i'r glec," meddai hi, "ro'n i i lawr ar y traeth. Dwy glec, a deud y gwir."

"Ewch adra wir, 'y mechan i," meddai'r dyn diarth cyn cyflymu ei gerddediad. O'u blaenau mae'r llanciau wedi torri i loncian ac yna rhedeg. "Pwy ŵyr nad oedd yna ddau ohonyn nhw, neu giang hyd yn oed?!" A chan godi'i law mae o wedi croesi'r lôn, yn barod i droi i fyny Lôn Tyn Pwll at leoliad y drosedd. "Cadwch yn saff!"

Unwaith y maen nhw wedi mynd i gyd, yn un haldiad i gyfeiriad pa drosedd bynnag oedd wedi digwydd, arafa Elin Jones. Mae wedi dechrau pigo bwrw eto, ac agora'r ambarél i fochel.

Ac wrth agosáu at adra, daw'n ôl at ei gofidiau'i hun. Ac mor braf teimlo fod Ebrillwen wedi dangos llwybr croyw iddi a hynny gyda chymaint o sicrwydd. Pan ddaw dydd Llun, yr unig beth y bydd rhaid iddi hi'i wneud fydd gyrru *cable* i Thomas Williams & Co. Lerpwl i ddweud wrthynt am gadw lle iddi ar y stemar i New York. A bydd rhaid i'w mam a'i thad ffeindio ffordd arall o gael Tomos adra, os ydi o am ddod adra, ac yn ddigon iach i deithio. Gallai Bob gŵr Jane fynd i'w mofyn o, neu hyd yn oed Gruffydd Robaits ei hun; mae digon o ddynion trigain oed yn crwydro ar wyliau ac ar fusnes y dyddiau hyn.

Ond mae un peth y gall hi ei wneud iddynt – mae mor glir â haul ar bared wrth iddi roi ei goriad yn nhwll y clo – a hynny ydi rhoi benthyg arian iddynt glirio dyledion Tomos a chlirio ei enw. Mae'r arian yna wedi bod yn y drôr yn y parlwr ffrynt ers dros ddwy flynedd, yn ennill dim llog a neb yn gofyn i beth y mae'n dda.

Mae'n taro'r ambarél ar fwrdd y gegin a drwadd â hi ar ei hunion i'r parlwr, ac agor y ddrôr. Yn y gwaelod y bydd y cas llythyr a 'Mr a Mrs J Jones' arno, o dan yr holl bapurau a gwaith clarcio arall. I ddechrau mae'n swlffa, ond wedyn mae'n gorfod tynnu'r ddrôr allan, eistedd wrth y bwrdd a mynd drwy'r cynnwys fesul eitem.

A phrin ei bod yn gallu gweld ei llaw yn y düwch erbyn iddi orfod cyfadde wrthi'i hun, yn syfrdan. Does yno ddim cas llythyr, a does yna ddim arian. Dim ceiniog o'r pum can punt.

RHAN DAU

Cambrian Queen
June 9ʰ 1893

Annwyl Gyfaill

*Dyma ni heddiw o'r diwedd wedi codi angor yn New York
ac ar fin hwylio. Yr ydym wedi symud o'r berth ar y wharf ers
rhai dyddiau, ar ôl gorffen llwytho a'r criw i gyd abôrd. Mae
amryw o longau eraill o Brydain, Germany, Rwsia a Ffrainc
o'n cwmpas yn yr East River. Mae'n dywydd ffafriol a chawn
wynt teg o'r gorllewin i'n cefnau. Daw y pilot ar y bwrdd maes
o law.*

*Daeth fflyd o lythyrau a cables gan y cwmni tra buom
yma, yn rhestru ordors yn ôl yr arfer. Roeddent yn awyddus
iawn i'm hatgoffa i wario cyn lleied ag oedd posibl ar ymborth
ar gyfer y daith yn unol â'r List of Stores – i brynu'r tatws
rhataf, a'r blawd isaf ei bris. Nid oes dim byd newydd yn
hynny ond drwg prynu'r tatws rhataf ydi bod perygl iddynt
bydru unwaith y down i dywydd poeth, ac wedyn y bydd
rhaid i ni eu taflu i'r môr, neu eu bwyta os aiff hi'n fain iawn
arnom. Fel capten newydd, ceisiais ufuddhau ond cawn eu
harthio yn y naill lythyr ar ôl y llall yn feichus. O leiaf caf
lonydd rhag hynny unwaith y cychwynnwn ar ein taith.*

*Yr oeddwn wedi anfon gair at y cwmni drwy'r Marine
Superintendent yn Boston yng nghanol yr helynt i gyd yn
gofyn eu caniatâd i Elin ymuno â mi yn New York am y
cyfnod y byddem wedi docio yno. Bu cryn ohebu, yn ôl a
ddeallaf, rhwng Water Street yn Lerpwl a Morva Nevin a
minnau'n dal fy ngwynt rhag iddi fethu dyfod ac yn pryderu*

wrth weld yr amser yn cerdded. Nid oeddwn ar fwriad iddi ymuno â mi am y fordaith, er mor braf fuasai i mi gael ei chwmni a'i chysur. Petawn i'n hwylio i Iquique neu Valparaiso efallai y byddwn wedi ystyried hynny er gwaethaf peryglon yr Horn. Aeth cynifer o gapteiniaid o orllewin Cymru â'u gwragedd a'u plant gyda nhw i'r parthau hynny dros yr hanner can mlynedd diwethaf nes i'r arfer fynd yn gyffredin. Ond mae'r Dwyrain Pell yn wahanol a pherygl clefydau malaria ac yellow fever yn ddigon i stopio dyn yn ei dracs. Mae Elin yn rhy werthfawr i'w mentro.

Yr oeddem wedi bod yn dadlwytho ers wythnos dda pan ddaeth gair o'r diwedd i'm hysbysu ei bod hi ar ei ffordd, ar yr Umbria. Bu oedi ac er trefnu iddi hwylio ar y dydd Mercher, sef Ebrill y 26ain, y dydd Sadwrn canlynol y darfu iddi hwylio yn y diwedd, a'r mate newydd yr un pryd. Rhaid bod mates yn brin fel aur yr ochor draw acw oherwydd dim ond un a yrrwyd, er addo dau. Gwyddwn mai union bum diwrnod o daith yw hi allan o Lerpwl, a dyna ble'r oeddwn yn cyfri'r dyddiau ac yn ceisio cael tipyn o drefn cyn iddi gyrraedd. Cerddais i lawr at y pier ar y North River i'w cwfwr ddiwedd y pnawn, ond yr oedd y steamship yn rhy hwyr yn cyrraedd ac ni châi basio a dadlwytho tan fore trannoeth. Yn ôl â mi felly erbyn wyth bore trannoeth, wedi cael reid mewn trol y tro hwn i mi gael sefyll yn y trwmbal a chwifio. Yr oedd yr ymfudwyr i'w cludo ymlaen i Ellis Island lle byddid yn mynd drwy eu papurau ac ati ac yr oedd yn drueni gweld rhai ohonynt wedi'u stwffio fel anifeiliaid i'r steerage, a phlant a babanod i'w clywed yn crio a golwg wedi hario ar bawb.

Daeth y saloon passengers i lawr ym mlaenaf, ac wedyn y second cabin ar eu holau. Elin a welodd fi'n gyntaf ac a ddechreuodd chwifio'i braich fel barcud. Roedd braidd yn swil o wenu pan oeddwn adref ddiwethaf ar ôl gorfod tynnu dant a adawai rywfaint o fwlch, ond gwenai fel giât wrth aros ei thro i gerdded i lawr y gangway. Daeth hanner y ffordd ar draws y byd ataf, ac ni allwn fod yn falchach.

Mewn steerage y daeth Samuel Richards, a'r cwmni yn talu, ond myfi a dalodd dros Elin. Y mae i'w weld yn ŵr ifanc digon dymunol – fel rhyw hogyn yr oeddwn i yn ei weld a dweud y gwir ar yr olwg gyntaf ac yn edrych yn gegagored ar bopeth o'i gwmpas ac yn taro rhyw winc ar hwn a'r llall. Gwisgai siwt frethyn fel newydd a het galed, a meddyliwn dybad ai rhyw city boy ydyw yn leicio swancio. Go brin y caiff ddiwrnod o 'wear' ohonynt ar ôl i ni gychwyn.

Yr oeddwn wedi gofalu fod popeth fel pin mewn papur yn y saloon cyn iddi gyrraedd, achos mae gan Elin safonau pur uchel o ran glendid a thaclusrwydd, fel dy briod dithau. Ac yn wir, yr oedd wedi ei phlesio ac yn dotio at bopeth, yn arbennig y peintiad o'r llong hon, y lle tân cysurus a'r llestri te best china. Eisteddodd wrth y piano a rhoi cynnig ar chwarae emyn o'r hymnlyfr, ond yr oedd arni angen mwy o bractis, rwy'n ofni! Cafodd ei synnu o weld fod yma stove bach fel y gallem baratoi ein prydau ein hunain, a phryfociai fi ei bod wedi anghofio sut i gwcio ar ôl cael ei thendans yn yr Umbria.

Edrychwn ymlaen at fyned â hi i weld rhai o ryfeddodau'r ddinas, i Madison Square Garden, a thŷ opera'r Metropolitan ac ar draws y Brooklyn Bridge. Ond pan ofynnais iddi beth ddymunai hi ei wneud tra oeddem yno, ei hateb oedd yr hoffai fynd i'r capel Cymraeg ar 13th Street a chyfarfod Maurice Roberts, sy'n gweithio yn y ddinas fel cyfreithiwr i gwmni'r diweddar Scott Lord, a fu'n 'congressman' dros y ddinas yma. Mae yn berthyn pell i'w thad, teulu Tan y Graig, Boduan. Aethom ar yr ail Sul a chael croeso ardderchog yno; hogyn clên iawn ydyw, dim ond fel ti a mi, ond yn alluog ryfeddol, mae'n rhaid, i fod wedi pasio mor uchel fel cyfreithiwr. Gymaint y mae Cymru'n cael ei gwaedu o'i gwŷr ifainc galluog i Loegr, America ac i'w mynwentydd . . .

Daeth cnoc ar y drws yn awr, a rhaid i mi roi terfyn ar y llythyr hwn i weld pwy sydd angen fy sylw. Gobeithio mai'r pilot sydd wedi cyrraedd i ni gael cychwyn er na chlywais i sŵn y tyg, wedi ymgolli wrth sgrifennu.

Ysgrifennaf fwy o'n hanes i ti'n fuan. Yr wyf yn gobeithio, gyfaill, i ti gyrraedd adref yn ddiogel, a dy fod bellach yn gorffwys.

Ydwyf,

Dy gyfaill pur

John

Annwyl Gyfaill

Erbyn hyn aeth deg diwrnod heibio ers i ni adael tir, ac ni welsom wylan ers dyddiau. Yr ydym wedi cael gwyntoedd ffafriol at ei gilydd. Ein position am hanner dydd heddiw oedd Lat 24° 31'N a Long 46° 35'W. Bu'n rhaid codi dau aelod criw newydd yn New York yn lle Carlson a Gordon, a hudwyd i weithio yn y busnas bildio er na roddodd yr un o'r ddau erioed ddwy fricsan ar ben ei gilydd. Be gawson ni yn eu lle ar ôl chwilio a chwalu? Llanc o Americanwr bach tila o'r enw Edward Wollaston sydd yn ofni llygod mawr ac uchder fel ei gilydd, a German o'r enw Adolf Strause. Sut y daeth hwnnw i New York yn y lle cyntaf, ai ar long yn ddiweddar ynteu bod ei deulu wedi ymfudo yno genhedlaeth neu ddwy yn ôl, ni allaf ddweud nac yntau. Mae o a Hans Bauman yn patro yn iaith yr Ellmyn bob cyfle ddaw a'u hwynebau'n agor wrth siarad iaith eu tadau. Ond fedran nhw mo 'ngwneud i achos yr wyf wedi codi mwy nag y buasai neb yn feddwl o German ar fy mynych deithiau i Stettin a Hamburg! Buaswn yn dweud wrth y mate am eu rhoi ar watch gwahanol heblaw bod yr hyna'n dysgu dipyn i'r llanc, ac yn cadw ei ysbryd i fyny. Am yr Yankee bach, dwn i ddim wnaiff o rywbeth ohoni wir; mae o'n sniffian dim ond i rywun sbio'n groes arno. Mi eith yr hogiau eraill i dynnu arno os na altrith yn bur sydyn, os nad ydynt wedi dechrau arni'n barod. Y mae eisoes wedi cael glasenw sy'n adlewyrchiad o'i natur blentynnaidd, sef 'Neddy'.

Ein cargo fel y trefnwyd yw llwyth o turpentine a petrolium mewn caniau 8 galwyn, fel o Boston y llynedd, a chymerwyd gofal mawr i'w stacio'n dynn yn yr howld. Fe ddylai'r caniau ddal ym mhob tywydd ond pwy all fod yn gwbwl sicr na allai un ollwng a hwnnw'n stwff mor 'flammable' a pheryglus. Yr wyf i fel tithau wedi clywed

cymaint o hanesion am gargo o lo yn poethi yn yr hen longau
coed ers talwm, a'r criwiau'n gorfod pwmpio dŵr môr i'r howld
i atal tân a selio'r hatches i gyd. Mae pethau wedi newid llawer
ers hynny ond mae'r hen storïau yn aros yn y cof; ofnaf dân
yn fwy na dim bron, a byddaf yn mynd i lawr i fwrw golwg fy
hunan bob yn eilddydd ac yn synhwyro yn y tywyllwch.

Sôn yr oeddwn i am ymweliad Elin a'r wythnosau dedwydd
a gawsom ni efo'n gilydd, fel yr honeymoon na chawsom ni.
Fel arfer, aros yng nghyffiniau'r dociau y byddwn ni forwyr,
ynde, a mynd am ryw dro gyda'r nos i weld beth welwn ni, a
holi bob amser a oes yna unrhyw un o Sir Gaernarfon ymhlith
y criwiau. Ac y mae yna, yn amlach na heb. Beth bynnag i
ti, wrth fynd am dro un noswaith yr oeddwn wedi dal sylw
ar sgwner, y Marylou, llong o Jamaica, debyca, yn docio a'r
criw wrthi'n dadlwytho bananas; roedd hyn y diwrnod cyn
i Elin gyrraedd. Mi welaist dunelli ohonynt, fel finnau. Ryw
chwarter milltir yn is i lawr na ni oedd hi. Drannoeth dyma
adael yr hogiau'n llwytho a mynd i lawr ag Elin gyda mi i
weld a fydden nhw'n fodlon gwerthu tipyn o'r ffrwyth i ni.
Cofiaf fod ar long yn Rangoon un tro a'r hogiau lleol yno yn
bwyta bananas yn wyrdd gan ddweud eu bod yn dda iawn
i'r traul. Ond byddai gwraig y capten bryd hynny yn ffrio
eu rhai nhw (rhai melyn) mewn menyn gyda siwgr am eu
pennau. Cawsom lond cwdyn papur o rai mawr gan hogyn
du, y boy ella, a gwelais o'n pocedu'r 50 cents gyda winc ar
Elin. O'r munud hwnnw bananas oedd popeth a dyna a gaem
i'n boreufwyd bob bore, gyda bara menyn a jam. Nid oedd hi
erioed wedi eu profi o'r blaen.

Ond buom yn crwydro ein dau. Aethom ar y tram i Central
Park yn Manhattan a cherdded o gwmpas yno fraich ym
mraich fel petaem yn New Yorkers ein hunain. Yr oedd gofyn
i ni fod am ein bywydau yno i osgoi nid yn unig y carriages
carlamus ond hefyd bobol ar gefn bicycles. Drwy'r prynhawn
edrychai Elin i fyny cyn amled ag yr edrychai o'i chwmpas
gan ryfeddu at uchder adeiladau'r papurau newyddion draw

yn Park Street. Buom yn siarad amdanynt gyda gyrrwr y gig
a'n danfonodd ni'n ôl at y llong ac meddai yntau: "You ain't
seen nothing here, lady. You should visit the city of Chicago!"

Ar un swae i'r ddinas aethom ein dau am de i'r Grand
Union Hotel. Roedd y parlwr lle'r eisteddem gymaint os nad
mwy na llawr Capel Engedi Caernarfon, a synnem yn arw
na fyddai'r te wedi oeri wrth ei gludo o bellafoedd y gegin.
Y fath grandrwydd oedd yno yn garped meddal dan ein traed,
y goleuadau electric ddegau ohonynt uwch ein pennau'n olau
ganol y pnawn a'r cadeiriau moethus. Dyna'r tro cyntaf i ni
gael ice cream, a chawsom ddewis strawberry, raspberry,
vanilla, almond, coconut, lemon, peach a mwy, na allaf eu
cofio wir. Ond bydd Elin yn cofio; y mae hi fel llyfr. A dyma
hi'n dweud, a'i bys bach i fyny wrth i ni wagio'r ail debotiad:
"Rhaid ni arfer efo dipyn bach o steil rŵan, John, a chithau'n
gapten." Ond tynnu arnaf i oedd hi, a daethom yn ôl i'r ddaear
yn ddigon sydyn ein dau pan welsom faint oedd y bil.

Mae llawer o waith clarcio wedi bod yn ddiweddar yn
ninas Boston a New York – dau bort mawr prysur gyda
swyddogion diamynedd fel y gwyddost. Mae'n siŵr eu bod yn
fy ngweld yn ddi-lun ond pa ddyn sy'n paratoi ar gyfer anfon
corff ei gapten adref ar draws y cefnfor, ac sy'n abl i ddelio â'r
fath ddigwyddiad yn ddigyffro? Diolchaf i'r Bod Mawr yn
ddyddiol ein bod wedi gwneud y penderfyniad iawn a dod â'r
corff i'r lan yn Boston beth bynnag, yn hytrach na chladdu
yn y môr. Ni allwn fyth fod wedi maddau i mi fy hun am
hynny. Yr oedd y pilot wedi cyfleu'r neges bod ein capten wedi
colli'r dydd i'r port officials ac o fewn awr i ni ddocio daeth
doctor y porthladd ar y bwrdd i gadarnhau'r farwolaeth: Dr
McCauley, dyn porthiannus, anodd ei ddeall yn siarad. Ond
deallais y byddai angen post mortem oherwydd sydynrwydd
y farwolaeth ac oedran y claf ac y byddai o'n gwneud y
trefniadau a minnau'n dilyn ei 'instructions'. Anfonodd fi i
offis yr harbourmaster i ddechrau, lle bûm yn aros fy nhro
ac wedyn yn mynd drwy lu o documents heb gael cynnig

hyd yn oed lasiad o ddŵr i dorri syched. Wedyn cerddais i'r
Boston City Hospital, horwth o le mawr, lle bûm yn sefyllian
tu allan i'r mortuary ar ôl imi ddod o hyd iddo yn y diwedd ac
yn troi fy nwylo. Bu'n rhaid i mi fynd i mewn i wneud 'formal
identification'. Ar ôl cael y darn papur gan y pathologist ymhen
hir a hwyr, anfonwyd fi i'r City Hall i geisio'r dystysgrif
marwolaeth ac yr oedd yn nosi arnaf yn cyrraedd yn ôl i'r
llong. Nid wyf yn credu y byddai hyd yn oed fy mam wedi
gweld bai arnaf am gymryd diod gadarn y noson honno [ond
ni wneuthum].

Tra bûm ynglŷn â'r pethau hyn roedd Sherwood y stiward
wedi cymryd arno'i hun i symud fy mhethau i gyd o fy
nghabin i'r captain's quarters. Hyd y cofiaf, ofynnwyd mo
'nghaniatâd i. Nid fy mod yn gweld bai arno, ceisio helpu
yr oedd y dyn a gweld ei waith, ond yr oedd yn rhy gynnar,
oherwydd nid oeddwn y pryd hynny wedi derbyn llythyr
gan y cwmni yn cadarnhau fy mhenodiad yn gapten y llong
hyd yn oed. O'm rhan fy hun, buaswn wedi aros nes i hwnnw
gyrraedd yn sicr, ac wedyn nes i Elin gyrraedd a symud yr
adeg hynny, efo'n gilydd. Ond mae'n siŵr ei fod yntau wedi
teimlo ac eisiau rhywbeth i'w wneud i basio'r oriau.

Ond does arnat ti, o bawb, ddim eisiau clywed rhyw bethau
fel hyn. Na, mae'r llong yn edrych yn nobl, a'r hogiau wedi bod
i fyny ar yr iardiau yn crafu'r hen baent i ffwrdd yn y gobaith
y cawn ni roi côt ffresh cyn cyrraedd y de. Mi fydd yn edrych
fel newydd wedyn a chyn smartiad bob tamaid â'r un llong
welwn ni ar ein taith. Dyddiau cynnar ydi ar y mate newydd,
Sam Richards, y tro cyntaf iddo hwylio fel second mate, ac mae
mor wahanol i Jòs Pugh ag y gall dau ddyn fod. Mae hwnnw
wedi bod ar y môr mor hir fel y gallai mochyn redeg rhwng ei
goesau heb gyffwrdd cnawd.

Ydwyf,
Dy gyfaill pur
John

Annwyl Gyfaill

Yr wyf wedi bod yn meddwl am Elin. Mae hi adref ers dros bythefnos bellach ac yn brysur yn tendiad ar ei visitors; mae yna waith efo nhw, maent yn canu'r gloch byth a hefyd yn swnian am unrhyw beth o fwstard i siwgr brown – pethau y gall bob dyn rhesymol fyw hebddynt – luxuries, ar eu holidays neu beidio. Ond mae eu dyfod nhw yn rhan o batrwm y flwyddyn iddi hi a chymryd y bookings a gwneud dipyn o baratoadau yn y gaeaf yn ei chadw'n brysur. Mi fyddai'n wahanol pe bai plant ar yr aelwyd ond nid oes ac felly waeth tewi am hynny ddim. Ni fyddwn ni'n dau byth yn sôn gair am y peth ymysg ein gilydd.

Heblaw am yr hen visitors yna buaswn wedi ceisio perswadio Elin i'w chancio hi efo ni tua Manilla yn y diwedd. Mae hi'n gryf ac yn iach ac yr oedd yr holl helynt yn Boston wedi fy ansadio yn o arw. Nid fod bai ar neb, debyg iawn, amgylchiadau oedd i gyfrif, ond teimlwn yn gystuddiol ynof fy hun ac yn ansicr a allwn ymgymryd â chyfrifoldeb a gwaith capten. Yr wyf yn gwybod y gwaith tu chwyneb allan, nid dyna oedd, ond fel dyn cyfarwydd ag uchder yr oedd ofn dringo wedi fy meddiannu ac ni allwn gael madael ohono. Ond o'r bore y cyrhaeddodd Elin, deuthum i drefn yn araf bach; yr oeddwn yn cysgu'n well, yn cael blas ar fwyd, ac yr oedd hi'n gallu symud fy meddwl a gwneud i mi anghofio fy hun. Cynigiai help lle gallai, gyda gwaith papur hyd yn oed, yr hwn sydd gas gennyf – dyn practical ydw i – ond yn fwy na dim fe'm cysurai. Pe baech yn rhoi gweddill merched y Ffridd i gyd efo'i gilydd – Meri, Jane ac Anne – ni fuasent yn gwneud hanner Elin.

Cawsom amser braf iawn ein dau tua New York, a nawr rhaid dygymod hebddi eto. Felly y mae hi ar y dynion i gyd

– bob morwr ar bum cyfandir. A rhaid imi beidio â chwyno, wrthyt ti o bawb; mae yna wahanu a gwahanu, on'd oes?

Ond yr ydym yn gyrru ymlaen yn dda a'r Queen yn dod i'w gogoniant ar y cefnfor a gwynt gorllewinol gwell na'r un injan stêm yn ei gyrru. Rhaid imi fynd rŵan i agor y 'siop' am hanner awr wedi pump GMT. Bydd rhaid dogni baco cyn cyrhaeddwn ben ein taith ar y rate y mae'r criw yma'n smocio, a minnau ymhlith y gwaethaf ohonynt.

Ydwyf,
    Dy gyfaill pur
    John

Cambrian Queen
Gorffennaf y 15ᵗʰ 1893

Annwyl Gyfaill
    Aeth pythefnos heibio ers i mi ysgrifennu atat ddiwethaf a'r tywydd yn cynhesu bob dydd. Cawsom wynt cryf y South East trades a gwneud 185 milltir forol y dydd ar gyfartaledd, 225 ar un diwrnod. Daeth yn amser tynnu'r hwyliau tywydd trwm a chodi'r 'tropical rags'. Dyna lle'r oedd Rainch yn ôl ei arfer yn bloeddio am ofalu fod yr hwyliau trwm yn sych grimp cyn eu storio, ac am eu rowlio nhw'n ddigon tyn a'u cadw mewn trefn, yr hwyliau lleiaf yn y llofft, a'r mênsel a'r staysails yn y 'tween decks, gydag enw bob hwyl yn y golwg. Dyna y drefn ar y Queen bob amser, ynde. Wrth i'r hogiau gario'r hwyliau haf i fyny ar eu hysgwyddau, deuai oglau cywarch a fflacs i'w canlyn a chodi hiraeth, dim ond am ennyd, am fywyd syml y sêlmecyr. Unwaith y meistrolodd Rainch ei grefft bodlonodd, a hyd a lled hwyl a llawr y llofft hwyliau yw hyd a lled ei fyd hyd y dydd hwn. Prynodd The Adventures of Sherlock Holmes pan oeddem wedi docio yn Southampton, a nawr fod yr hin yn cynhesu yn ei hamoc yn y llofft y mae'n cysgu'r nos, y llyfr ar ei frest a'i getyn ym mhoced ei wasgod.
    Daeth y mate ataf ar y poop y bore 'ma a dweud fod y dynion yn mwydro yn y ffocsl ers dyddiau am y miri oedd i ddod wrth groesi'r Line. Mae gennym dri yma sydd heb groesi o'r blaen, sef Wollaston, Strause a'r second mate, Richards. O edrych o safbwynt y criw, mae'r dyddiau'n undonog ac mae amryw ohonynt, na fedrant ddarllen debyg i ddim, yn blino ar gerfio neu wau i basio'r amser ac yn edrych ymlaen at dipyn o sbort. Fy hun, fel Cristion parchus y mae'r fath ffwlbri'n groes graen hollol, a phe bai Elin gyda ni ar y daith, byddwn wedi rhoi fy nhroed i lawr a gwrthod. Ond nid yw, ysywaeth. Felly

cytunais er mwyn heddwch a rhoi'r ordor i hove-to at ganol y
pnawn. Ar ôl cymryd ein position am hanner dydd gwelsom y
byddem wedi croesi'n ddiogel erbyn hynny.

Yr oeddwn i a'r mate wedi mynd i fyny ar y poop cyn i'r
sbloet ddechrau. John Hausard oedd y Brenin Neptune eto
fyth, coron o hen dun ar ei ben a sach yn glogyn a'i frenhines
Amphitrite, neb llai na Dic Robaits (sy'n ddigon hen i wybod
yn well) wedi'i wisgo mewn hen grys nos a dwy bowlen fawr
fel brestiau. Wrth iddynt ddod i fyny o'r ffocsl yn eu regalia, fu
erioed gymaint o weiddi a baldorddi. A dyna lle'r oedd Peters
ac Ellis yn tendiad ar y brenin wedi hanner tynnu amdanynt
a darnau o hen hwyl fel sgerti, ond yn dinnoeth. Daeth y cwc
o'r gali i ymuno â'r giwed a dim ond carn ei gyllell yn y golwg.
Canwyd y clychau. A dyna ddechrau'r seremoni.

Mi welaist y ddefod laweroedd o weithiau fel finnau, ond
nid yw'n ddim haws ei gwylio. Unwaith yr oedd y brenin wedi
cyrraedd ei orsedd, a'i frenhines wrth ei gwt, galwyd arnaf i
i gyhoeddi enw'r llong a'n cyrchfan. Yr oeddwn wedi tynnu
fy nghap cynt ac nid ymgrymais ond y mymryn lleiaf o flaen
Neptune. "Cambrian Queen, bound for Manilla." Y prentisiaid
a'i cafodd hi gynta – eu dwyn gerbron brenin y dwfn, hanner
eu stripio a'u sgwrio, y cwc wedyn yn eu heillio a shafio'u
pennau cyn i'r lleill eu plastro mewn red lead, tar a phaent
gwyn. Yna'r un gymysgedd anghynnes ag arfer o saim, toes a
nytmeg yn cael ei stwffio i lawr eu corn gyddfau, nes eu bod yn
cyfogi, cyn eu taflu i fath o ddŵr môr a dal eu pennau odano
a hwythau'n gwichian. A dyna nhw'n 'shellbacks' ill dau fel
ninnau, ac yn barod am hemisphere y de.

Bûm yn cadw golwg ar y mate newydd drwy hyn i gyd, a'i
wylio'n gwelwi er gwaetha'i liw haul. Edrychai o'i gwmpas o
bryd i'w gilydd, ond heb ddal llygad neb, dim ond rhythu ar y
lleill yn bwrw drwyddi ac yn mopio ar y rhialtwch. Bûm ar y
môr yn ddigon hir i wybod y byddai gweddill y criw'n gweld
hyn fel test arno. Ac felly y bu. Cafodd ei hambygio'n o arw, ei
guro â rhwyf, y brwsh shafio yng nghefn ei wddw a hanner

ei foddi yn y bath. Ac er bod gennyf gydymdeimlad gwyliwn innau o'n ofalus i weld sut y dôi trwyddi. Ceisiodd gymryd y goes hanner y ffordd drwy'r proceedings ond fe'i daliwyd cyn iddo gyrraedd y starn a chafodd hi'n saith gwaeth wedyn. Ymhen tipyn, fy stumog yn troi, trois at y mate a dweud, "That'll do," a chododd yntau un ael. Estynnodd y poteli grog oedd wedi'u cludo ar y daith yn arbennig ar gyfer yr achlysur hwn o'r locer, a phan welodd y dynion y rheini buan yr anghofiodd pawb am Richards y mate a llamu am eu siâr.

Erbyn heno, mae popeth wedi tawelu a'r dynion yn y ffocsl yn dawel, wedi cael rhywbeth o'u system a'r rum, am wn i, wedi gwneud pobun yn fwy cysglyd. Amser swper, nid oedd dim hanes o'r mate newydd a holais y stiward beth oedd ei hanes, yr hwn a ddywedodd ei fod yn "all right, but a bit sore".

Ar ôl swper, gofynnais i'r stiward lenwi'r bath i mi, ac roedd yn braf cael gorwedd ynddo a chau fy llygaid, a dim ond bod am ychydig.

Ydwyf,
    Dy gyfaill pur
    John

PS Llong sych yw hon ac ni fydd dim tropyn o ddiod gadarn arni weddill y fordaith.

Annwyl Gyfaill

Yr ydym yn y doldrums ers dyddiau. Mae hi'n llethol o boeth, yn 44° ar y dec y bore 'ma, ac nid yw fawr gwell yn y nos. Cysgaf heb hyd yn oed grys amdanaf a chysga amryw o'r hogiau ar y bwrdd gan fod y ffocsl fel popty. Cymylog ydyw gan mwyaf – yr un hen gymylau mawr gwyn, du a llwyd ag a welsom ni gymaint o weithiau, ac ambell un pinc tlws ond da i ddim. Cliriodd yr awyr yn sydyn y bore 'ma a chythrodd y mate a minnau am ein secstants i drio cael ein position. Rwyf wedi sylwi ers tro – wn i ddim a yw'r gwres yn ei wneud yn waeth – fod Jòs Pugh yn fyr ei wynt ar unrhyw ymdrech. Thâl hi ddim ffwdanu yn ei gylch, ond mentrais, "Dach chi'n ôl reit, mate?" wrth ei weld yn ei blyg wrth f'ochor heddiw. Edrychiad dirmygus a gefais yn atebiad. Ond mae'r gwres yn gwneud pawb yn flin.

Rwyf yn ôl ac ymlaen ar y poop deck ers tridiau o fore tan nos, a'r mate yn gorchymyn "Brace the yards!" ar y chwa lleiaf o wynt, a'r bechgyn yn halio hynny allant nes fod y chwys yn llifo. Bydd y Queen yn cael gwynt dan ei haden am ryw awr a symud mymryn yn ei blaen ond yna'r brisyn yn marw i ddim yn hollol ddirybudd. Aros am wynt arall. Tacio. Aros. Ailgychwyn. Arafu. Tacio eto. Roedd pawb yn llawn rhyddhad pan dduodd yr awyr pnawn ddoe, gyda mellt a tharanau'n clecian, y llifddorau yn agor a dafnau glaw enfawr yn bownsio ar y bwrdd. Cafwyd glaw trwm am hanner awr. Chollodd neb y cyfle i ail-lenwi tybiau a thanciau dŵr, ac i ymolchi! Y munud yr arafodd rhoddwyd pawb yn ôl ar waith sbleisio a tsipio achos mae segura'n farwol yn y tir neb llonydd yma, a'r gwres yn gallu gwallgofi dynion.

Fy ofn mawr i, a gallaf ddweud wrthyt ti, er na chymerwn i mo'r byd â chyfaddef wrth neb arall, yw collision. Daw niwl trwchus drosom ar adegau, fel uwd o dew, nes bod hyd yn oed sŵn y clychau'n fwll, a lleisiau'r dynion yn gorffen yn eu cegau. Cadwn ddau ddyn on watch ddydd a nos, i wylio ond yn fwy na hynny i glustfeinio am unrhyw smic a allai fod yn llong arall. Rhown oleuadau yn y bow a'r starn drwy oriau'r nos. Tarais sgwrs am berygl gwrthdrawiadau'n gyffredinol efo Richards y mate newydd, gan feddwl y byddai wedi gweld mwy na digon o niwl ar hyd yr East Coast yna. Gwrandawai ond doedd ganddo ddim gair o brofiad i'w gyfrannu heblaw fod steamers yn fwy diogel am eu bod yn gallu symud o'r ffordd heb wynt. Soniais am helynt y North Erin, un o stimeri Robert Owen o Newcastle yn y Dardanelles 'nôl yn '86, ac edrychodd yn syn arnaf, er na ddywedodd ddim byd. Mae'n gwestiwn gen i a glywodd sôn amdani erioed. Pan fydd yn nervous, mae'n troi i siarad Saesneg.

Yr oeddwn wedi penderfynu erbyn bore heddiw nad oedd dim dewis ond rhoi y cychod allan a rhwyfo ein ffordd o grafangau'r doldrums, ei llusgo hi'n llythrennol – fel y gwnaethom y tro hwnnw ar yr Ocean Crest. Hysbyswyd y mates. Ond fel yr oedd y dynion yn bwyta'u boreufwyd am wyth, a'r cychod yng nghrog dros ochor y llong, ninnau'n tri yn sefyll uwchben y criw, yn aros yn ddiamynedd iddynt orffen eu coffi i ni gael dechrau arni, cododd awel o'r de. Daeth. Aeth. Daeth drachefn. O fewn pum munud yr oedd y prentisiaid i fyny'n llacio'r buntlines, a gweddill y criw'n troi'r iardiau a thrimio'r hwyliau ar gyfarwyddyd gwyllt y mate. Erbyn deg yr oedd y Queen o'r diwedd yn torri drwy'r dyfroedd yn swel a chynffon hir wen o ffril o'i hôl. Dyna ni'n ddihangol o'r carchar yna!

Gwelais adeg pan ellid cael pump neu chwech o longau yn y doldrums ar yr un pryd o fewn hanner can milltir i'w gilydd, yn gogor-droi yn y gwres llethol. Yr oedd hynny cyn y depression yn y busnes llongau pan oedd mwy o drampio ar led mewn llongau bach a mwy o berygl cael collision, debyg iawn. Yn y dyfodol, mae'n debyg y bydd dynion wedi canfod

rhyw declyn i roi rhagrybudd ond tan hynny ni ellir gwell na
chorn, clust a llygad.

Ydwyf,
    Dy gyfaill pur
    John

Annwyl Gyfaill

Y mae'r dyddiau hyn, er bod y tywydd yn deg, yn undonog, a fawr o alw amdanaf o un pen i'r diwrnod i'r llall. Bûm yn gweithio ar lun mewn edau o'r llong hon ac estynnais hwnnw neithiwr i basio'r amser.

A dweud y gwir, y mae bod ar fy mhen fy hun am gyfnodau hir yn pwyso'n o drwm arnaf, oherwydd yn yr adegau hynny weithiau, a minnau'n darllen, dywed, neu'n pendwmpian, daw darluniau hyll i 'mhen ac yno y maen nhw yn hofran fel adar cyrff yn fy herio. Dônt rywsut drwy ddrws cloëdig fy meddwl. Peth cydmarol newydd ydynt, ac ni allaf eu hesbonio na'u trafod â'r undyn byw. Siarad neu wneud rhywbeth corfforol yw'r ffordd orau o'u gwared ond nid mor hawdd gwneud hynny yn y quarters cyfyng yma.

Y mae'r drychiolaethau yn fy ngwneud i'n anniddig. Gyrrant gwsg ymhell. 'Yr Arglwydd yw fy mugail' yw y cysur gorau ym mhob ofn.

Ydwyf,

Dy gyfaill pur
John

Annwyl Gyfaill

Mae'n anoddach cysgu ers i ni gyrraedd y *Southern latitudes* ac ar ôl swper af i fyny ar y bwrdd i glirio'r pen a stretchio'r coesau. Bydd yr awyr uwchben yn sêr drosti, Mars a'r *Corona Australis* yn glir, y gwynt yn chwipio drwy'r canfas a'r môr amdanom yn boddi sŵn yr hogiau'n cadw reiat. A bydd popeth fel y dylai fod, er nad yw hynny byth yn para'n hir ar long.

A byddaf ar yr adegau hynny yn caniatáu i mi fy hun fynd yn fy meddwl yn ôl i fecws fy nhad. Y mae fel 'treat' amheuthun. Teulu o ofaint oedd ei hynafiaid o ben draw Llŷn, ond am ryw reswm cefnodd ar yr hen grefft honno a dewis mynd yn bobydd. Ni wnaeth arian erioed, dim ond byw o bobiad i bobiad. Byddai'n codi'n blygeiniol heblaw am y Sul, a chodwn innau ar ei ôl yn aml iawn a mynd ar flaenau fy nhraed i'r gegin. Tybed ai dyna pam yr wyf yn gysgwr mor sâl?

Erbyn i mi gyrraedd byddai'r pobiad cynta yn y popty mawr, a'r aroglau da, cynnes yn llenwi'r gegin. Ar y bwrdd – pelen fawr gron o does meddal, a Nhad yn dechrau'i thylino yn y man. Byddai yn chwibanu drwy'i ddannedd wrth weithio – alawon o eisteddfod y pentref neu donau emynau.

Dacw'r pot pridd llawn blawd yn barod i'w daenu ar ben pella'r bwrdd. Mae sgeintiadau ar y bwrdd yn barod – eira bore cynnar. Clywaf y cloc yn taro pump.

Mae drws y popty isa wedi'i gau a thoes yn codi yno.

Y bara mawr sy'n crasu gynta – torthau i deuluoedd y pentref. Bara gwenith wedyn i'r rhai sy'n gallu'i fforddio. Torth bach efo'r sbarion i unrhyw drempyn ddaw i'r drws cefn.

Aiff y bara cyraints a'r byns i'r popty ar ôl y bara beunyddiol – byddant wedi crasu mewn dim o dro heb orfod rhoi dim mwy o danwydd. Yn y dre mae yna siop lle gallwch chi brynu Eccles wedi'u crasu ar y lle, a Battenburg. Siop Beehive yw hi yn y

Stryd Fawr. Ond fydd fy nhad byth yn coginio ffansi bethau felly yma. Nid oes gan neb bres ar gyfer rhywbeth mor afrad â chacen siop. Cacen wy, slabiau o gacen bwdin a thartenni jam, ac afal a chyraints duon ar dymor gawn ni.

Bydd trwyn profiadol fy nhad yn dweud wrtho fod y bara yn y popty wedi crasu. Mae'n diffodd ei smôc efo'i fys a'i fawd a tharo'r stwmp tu ôl i'w glust. Dacw godi'r fraich bren hir i estyn y torthau o ben draw y popty. Mae ei ffedog laes at ei draed bron, fel hwyl fawr wen. Gallwn wardio'n ddiogel odani.

Rwyf yn closio at y popty ar flaenau fy nhraed er mwyn teimlo'r gwres yn fy nharo, ac i fachu bynsan. Ond mae braich gadarn fy nhad yn fy ngwthio draw. Lle peryg yw cegin y becws i hogyn dan draed.

Yn Hamburg, o, mae blynyddoedd ers hynny reit siŵr, mi welais i gacen ryfeddol. Schwarzwälder Kirschtorte. Hyd yn oed yn y porthladd cosmopolitan hwnnw, roedd yn speciality. 'A nice bit o' something' fel y bydd y stiward yn ddweud yn dra anaml. Unwaith yn unig y prynais i un, roedd yn costio hanner marc yr adeg hynny, a phrofi darn bach o nefoedd wrth ei bwyta.

Byddwn wedi hoffi cludo Schwarzwälder Kirschtorte adref i Nhad gael ei phrofi, i gael gweld ei wyneb wrth i flas yr haenau chocolate, yr hufen a'r cherries ymdoddi ar ei dafod. A chic bach wedyn o'r kirsch, beth bynnag yn union yw hwnnw, yn taro cefn eich gwddw. Ond mi fuasai wedi hen lwydo dros dair wythnos neu fwy ar long damp. Un ai hynny neu byddai'r llygod wedi mynd iddi.

Byddaf yn caniatáu i mi fy hun feddwl am fecws fy nhad, ond dim ond am ychydig amser. Ni thâl imi ymdroi'n hir yno. Rhaid dod yn ôl wedyn at ehangder y môr o dan fy llywyddiaeth i, y llong mor bitw â gronyn o haidd mewn melin, a'r siwrne drwy safn y nos.

Ydwyf,
  Dy gyfaill pur
  John

Annwyl Gyfaill

Cwpan dun yn llithro ar draws y bwrdd wrth fy ngwely a'm deffrodd i, a'r dŵr ohoni'n sbrencian drostaf. Oerodd y tymheredd dros y dyddiau diwethaf ac mae'n brafiach o lawer i gysgu. Yr oedd y gwynt wedi codi'n sydyn ers tua deg o'r gloch, a'r llong yn rowlio tua 30° port i starbord. Gwyddwn mai Richards oedd ar watch, a chodais. Wrth ddringo'r grisiau daeth rhu'r gwynt i'm cwfwr. Wrth yr helm yr oedd o, yn trio helpu Wollaston i lywio a'r llong yn pitsio yn wyllt. Rhoddais ddau ddyn ar waith yn lle'r trychfil oedd ddim ffit o ddibrofiad i fod yn llywio yn y fath wynt. Yr oedd Dic Robaits, wedi gofalu fod y lifelines wedi'u gosod, jest rhag ofn, meddai fo, er nad aeth hi ddim yn ddrycin. "All hands aloft," bloeddiais. "Bring in the royals and the t'gallant staysails." Ar ôl cael pethau i drefn, a'r llong erbyn hynny'n fflio mynd yn ei blaen a gwynt cryf o'i hôl, euthum â Richards o'r neilltu a gofyn iddo: "Pam na wnaethoch chi alw arna i, ddyn? Os nad ydach chi'n saff o rywbeth, gofynnwch bob amser, felly dysgwch chi." "There was no need, sir," atebodd. "I will be the judge of that," meddwn innau.

Daeth y Sul. Yr oeddwn wedi bwriadu cynnal gwasanaeth ar y bwrdd ond roedd hi'n chwythu cymaint, force 6, fel bod y Beibl yn neidio o flaen fy llygaid. Bodlonwyd ar adrodd ychydig adnodau oddi ar fy nghof a chanu'r emyn 'Eternal Father strong to save'. I orffen dyma gydadrodd Gweddi'r Arglwydd. Gallwn glywed y Gymraeg, German, a iaith y Ffin a'r Swid yn gwau drwy ei gilydd o dan y Saesneg. Wrth ganu yr oeddwn wedi penderfynu y dylid tynnu'r gaff topsail a'r flying jib yn nes ymlaen yn y gobaith y byddem yn cael mwy fyth o wynt dan ein haden; maddeued y Tad mawr i mi am fod mor fydol.

Ar ôl y gwasanaeth byr hwnnw aeth yr ail watch am eu cinio a phawb yn edrych ymlaen at y pwdin reis. Cychwynnais innau am y chartroom a Richards wrth fy nghwt. Yn sydyn daeth gwaedd o'r rigin, a dyna lle'r oedd Wollaston, neu Neddy, wedi dringo cyn uched â llathau'r topsail ac yn eistedd yno'n dal gafael am ei einioes ac yn igian mewn ofn. Mae'n rhaid mai cryfder y gwynt a'i dychrynodd; roeddem yn teithio ar dros 15 knot. "Get down, lad!" gwaeddais dros y gwynt. "One of you men, go and sort him out. Richards, he's on your watch, and your responsibility!" Edrychem o'n cwmpas ond nid oedd hanes o Richards erbyn hyn, ac âi'r sŵn crio'n uwch fel brefu myn gafr. "For God's sake," meddai Pugh ac i fyny ag o cyn i neb arall gael cyfle i ennill y blaen arno. Safodd pawb i'w wylio'n dringo yn bwyllog i fyny'r rigin i'r top ac yna yn ei flaen i fyny'r rhaffau nes cyrraedd y prentis cwynfanllyd oedd yn gorwedd erbyn hyn ar ei fol ar y llath – yn siglo uwchlaw'r cefnfor. Petai o wedi disgyn, roedd gormod o fôr i ni roi cwch i lawr i'w achub a buasai'n amen arno. Cyrhaeddodd y mate ato ac estyn ei fraich i'w godi i ddiogelwch, ac yna siarad yn dawel – yn rhy dawel i ni allu clywed dim. O dipyn i beth, stopiodd y crio. A dechreuodd y llanc symud fesul modfedd i mewn ar hyd yr iard ar gyfarwyddyd y mate, i lawr y mast at y platfform ac yna dal i ddisgyn nes cyrraedd coed y bwrdd. Dilynai'r mate. Ni wyddai'r Yankee bach ble i edrych wrth weld y dyrfa oedd wedi ymgynnull i wylio. Pan ddaeth ton fawr newidiodd ei liw mwya sydyn ac aeth am y port side a chwydu ei berfedd a'r gwynt yn ei godi a'i chwythu'n ôl drosto.

Yr oedd Richards wedi cyrraedd atom yn ei amser ei hun ac edrychai'n syn ar hyn oll. Ond cafodd wybod faint oedd dan Sul gan y mate. Aeth amdano heb sychu'i geg. "That lad," meddai, "had never been up there before today, in a near gale. So perhaps you'd like to inform the company how that is possible, Mr Richards." Yr oedd wedi dweud yn Saesneg, gael i bawb gael deall yr ergyd. Daliais sylw mwyaf sydyn fod Pugh

*yn edrych wedi hario, yn hŷn na'i ddeugain oed, a'r cnawd o
gwmpas ei geg yn las biws. "All right, Capt'n." Gwyliais o'n
cerdded wedyn tua'r poop, a sigl rhyfedd yn ei gerddediad –
y dyn hwn a allai aros ar ei draed mewn tymestl. Edrychai
fel meddwyn drama. "Richards, dowch i 'ngweld i ar ddiwedd
y watch yma," meddwn. "And one of you men, Roberts, give
Wollaston some climbing lessons once he's feeling better.
Trïwch roi dipyn o drefn arno, wir."*

*Ar ddiwedd y watch honno, ni ddaeth y mate i fyny,
ac anfonais Dic Robaits i lawr i weld beth oedd yn ei ddal.
Funudau wedyn, gwneud calculations yr oeddwn i ar y pryd,
clywais ei floedd, "Captan!" a gwyddwn fod rhywbeth o'i le.
I lawr â fi. Daeth Dic i 'nghwfwr yn siarad fel melin a golwg
styrblyd arno. Ar ôl cnocio a chnocio ond heb gael ateb, yr oedd
wedi mentro agor drws y cabin a chael Pugh yn gorwedd ar ei
wely a'i lygaid yn rhythu'n wag tua'r nenfwd. Nid oedd fel pe
bai'n ei glywed, meddai, ac ni allai weld ei fod yn anadlu. Yn
ôl â ni ein dau a minnau'n meddwl: yr oeddwn yn siarad ag o
ychydig dros awr ynghynt, yr oedd ar ei draed, ar ben y mast,
yn wir. Ni chwynodd unwaith ei fod mewn poen na gwendid.
Ond pan gyrhaeddais ei ystafell, deallais yn syth fod Dic yn
iawn. Edrychai'r creadur yn drancedig. Closiais ato, agor ei
grysbas a rhoi fy nghlust ar ei frest, ond ni chlywn guriad
calon. Yr oedd wedi marw yno ar ei ben ei hun a'i gorff eisoes
yn dechrau oeri. "Dos i nôl y stiward," meddwn, a tra oedd Dic
wedi mynd ar yr orchwyl honno, eisteddais innau ar y gwely
gyda'm hen gyd-weithiwr triw, yn gafael yn ei law wrth iddi
stiffio, ac yn dweud gair o weddi trosto. A throsom ninnau i
gyd.*

*Dyna i ti'r diwrnod a gawsom ni heddiw, y fath ddiwrnod a
ddaeth dros ein pennau ni i gyd.*

Ydwyf,

    Dy gyfaill pur
    John

Annwyl Gyfaill

Y tro hwn, ni fyddai angen mynd i chwilio am neb i roi post mortem nac am stifficet i brofi'r farwolaeth. Euthum i lawr i'r llofft hwyliau at Rainch ac roedd aroglau'r cwyr melyn a'r hemp yn cau amdanaf yn gysurlon, fel bod yn ôl yn Henborth. Cynigiodd y Swid faco i mi, a llenwodd y ddau ohonom ein cetynnau a thanio. Yr oedd y llong yn rowlio o hyd, ond prin y clywech ru'r gwynt yma, a gallwn fod wedi mynd i gysgu ar y sachau gan mor lluddedig oeddwn. Byddai Rainch yn gwnïo'r amdo o hen hwyl y pnawn hwnnw, gyda phlwm yn y traed a phwyth drwy'r trwyn yn ôl yr hen arfer i sicrhau fod y brawd wedi mynd i'r gogoniant. Byddwn yn claddu yfory am bedwar y pnawn.

Yr ydym yn nesáu at Benrhyn y Gobaith Da ond ymestynna'r daith i Manilla o'n blaenau, yn chwech wythnos – efallai fwy. Yn y chartroom eisteddais yn syllu ar y charts ac yn gofyn drosodd a throsodd i mi fy hunan: sut y gwnawn ni hyn? Collais fy nghapten. Collais fy mate wedyn. Ar y poop yr oedd mate dibrofiad, yr unig fate erbyn hyn. Nid oes gennyf hyd yn oed brentis y gallaf roi mwy o gyfrifoldeb iddo. Yn fy meddwl dyma fynd drwy weddill y criw: Robaits, Hughes, Beauman, Ellison, England, Williams, Peters, Truman ac ymlaen . . . y job lot ohonynt. O leiaf yr wyf yn adnabod y rhelyw, nid fel rhai o longau Callao sy'n gorfod codi criw gwahanol ar gyfer pob taith.

Euthum i roi trefn ar ei bethau. Mor ychydig o eiddo oedd ganddo i gyd. Yr oedd digonedd o le yn ei gist ar ôl cadw ei Feibl, a'r llong mewn potel oedd ganddo ar ei hanner, a phwrs yn cynnwys y pres mân oedd ar ôl o New York. Ni welwn bwrpas cadw ei ddillad a dywedais wrth y stiward am eu golchi a'u cynnig yn rhad i'r hogiau. Un bychan a sgwâr o

gorffolaeth oedd o, fel cas cloc wyth niwrnod. Doedd yna neb
tebyg iddo o ran cymeriad na phrofiad.

Yr oeddwn i, os nad oedd neb arall, wedi gweld ers dyddiau
nad oedd y dyn ddim yn iawn. Byddai wedi ffromi pe bawn
wedi gofyn iddo a oedd yn sâl, ac felly cadwais fy ngheg ar
gau. Af drwy'r Ship Captain's Medical Guide, ond nid oes
ynddo fawr ddim ar gyfer clefyd y galon, os mai dyna a'i
lladdodd o. Bu cyfnod pan fyddai'n dod i ofyn am Saline
mixture at gamdreuliad o hyd, a chlywais un doctor ifanc yn
haeru fod y 'Nitrate of Potash' sydd yn hwnnw yn peri i'r galon
guro'n afreolaidd. Wn i ddim. Pe bai rhywun wedi dod o hyd
iddo heddiw, tybed a fyddai brandi wedi ei adfywio? Ond am
ba hyd, sydd gwestiwn. A phe bai wedi cymryd at ei wely, a
fyddai wedi goroesi nes cyrraedd tir? Ond wedyn fel yna y
mae heart attack, yn taro'n ddirybudd fel bollt. Yr oedd wedi
gweithio'n ddiarbed ohono'i hun ar hyd y blynyddoedd am
mai dyna oedd ei natur o, a rhaid fod y caledwaith ym mhob
tywydd wedi bod yn ormod o straen yn y diwedd.

Clywais o'n dweud unwaith iddo golli ei rieni'n ifanc ac
mae'n gwestiwn gen i a oedd ganddo gartre o gwbwl. Bu yn
Ysgol y Bermo am dymor neu ddau, dyna'r cyfan a wn, a
mynd i'r môr yn ddeuddeg oed. Wyddai o ddim i sicrwydd faint
oedd ei oed. Na, y llong y digwyddai fod yn gweithio arni oedd
ei gartre, ac yn y ports y byddai'n gollwng stêm gan fynd ar y
min nosau hynny ar ôl gorffen dadlwytho nid efo'r criw ond ei
hun bach, i fyny'r strydoedd tywyll. Caiff Thomas Williams &
Co. y dasg o ddod o hyd i ryw aelod o'i deulu i dderbyn y gist,
a'i gyflog am yr wythnosau ers i ni adael New York.

Rhaid i mi fy hunan fynd i gymryd y watch nesaf, ac felly
terfynaf y llythyr hwn atat gan obeithio fod ein Tad nefol yn
gwylio trosom yn ei fawr dosturi ac yn goleuo'n llwybr.

O hear us when we cry to Thee
For those in peril on the sea.
     Ydwyf,
        Dy gyfaill pur
        John

Cambrian Queen
Medi'r cyntaf 1893

Annwyl Gyfaill

Am bedwar o'r gloch heddiw, ar yr eight bells, claddwyd y mate ac er nad dyma'r tro cyntaf i mi fynd drwy'r ddefod ar y môr, yr oedd yn brofiad na chefais ei debyg. Yr oedd y saer wedi hoelio planciau yn ei gilydd i wneud elor frys, ac arni y gosododd dynion ei watch y corff byr, trwm yn ei amdo cyn ei gario o'i gabin a dal yr elor uwch y tonnau. Darllenais innau eiriad y gwasanaeth claddu o'r Llyfr Gweddi, a rhoi gair o deyrnged iddo. Fydd yna ddim coffâd iddo mewn na chapel na phapur newydd yng Nghymru; dim ond ar dafodau ei gyd-forwyr y cofir amdano. Codwyd cefn yr elor a gollwng y corff i'r eigion.

Ar ôl y tawelwch, wrth i bawb danio'u smôc a dechrau siarad trwy'i gilydd, a'r cwc yn gweiddi, "Tea for every'un," euthum i chwilio am Richards. "Chi ydi'r mate rŵan," meddwn wrtho. "Only mate. Mi fyddwn yn cymryd bob yn ail watch, chi a fi." Nid oedd yn edrych yn rhy hapus i gael y dyrchafiad annisgwyl hwn, ac yr oedd rhan ohonof yn cydymdeimlo ag o, ond ni allwn ddangos hynny. Yn sicr, nid oeddwn innau wedi breuddwydio wrth gychwyn ar y daith hon, dros flwyddyn a hanner yn ôl, y byddwn yn gapten cyn ei diwedd, ac wedyn yn gapten a mate. Mor rhyfedd ydyw troeon yr yrfa.

Rhyngot ti a mi, yr wyf yn mawr obeithio y bydd modd i'r cwmni yrru mate arall i mi yn ystod yr wythnosau tra byddwn yn dadlwytho ym Manilla. Bydd yn anodd cael un o'r ports yn Australia a'r tymor grawn mor agos, a chymaint o gystadleuaeth i ddod â'r llwythi grawn cyntaf yn ôl i Brydain. Meddwl yr oeddwn yn fy ngwely neithiwr efallai y gellid cael un o Singapore neu Hong Kong.

Digwyddodd rhywbeth anesboniadwy y prynhawn yma, ac ni chredaf fod neb wedi sylwi ond fi. Wedi i gorff y mate gael ei ollwng i'r dwfn, daeth rhyw dawelwch dros y dyfroedd, fel petai'r môr yn suo'r hen seadog i gysgu yn ei freichiau. Tawelodd y gwynt am sbel. Ond pan edrychais yn y Log Book yn nes ymlaen, nid oedd y darlleniadau'n cadarnhau hynny. Wind strength 6. Sea waves 6 oedd y cofnodion. Ychwanegais innau'r geiriau: Mate buried at sea today. Second mate promoted for duration of voyage.

    Ydwyf,

        Dy gyfaill pur

        John

Annwyl Gyfaill

Yr ydym ym Manilla ers tridiau wedi cael taith weddol
hwylus, diolch Iddo. Daethom i mewn gefn nos a'r goleudy
yn wincio arnom o bellter i ddangos y ffordd. Er ei bod yn
glòs a thamp yma, a hwrlibwrli o'n cwmpas ar y cei, y mae
llonyddwch yr afon ei hun fel eli ar friw.

Cefais gyfle i wneud rhywfaint o waith brodio ar y darlun
o'r Queen, hyd yn oed. Pan fyddwyf yn brodio, caf fy mod
yn gorfod rhoi fy holl sylw i'r pwythau, ac nad oes lle yn fy
meddwl i ofnau ac amheuon, na dim arall, dim ond i'r pwyth
nesaf bob gafael. Gwnïais ymhell i'r nos ambell waith pan
gawn drafferth cysgu, a gorfod datod wedyn ambell dro wrth
ganfod anwastadrwydd. Gwaith y nos, y dydd a'i dengys.

Yr ydym ar fin dechrau dadlwytho ein cargo ar ôl gwneud y
trefniadau efo'r agent. Yr un drefn â'r tro blaen fydd hi: y criw
yn dadlwytho'r cyfan i'r paraw, a'r Filipinos wedyn yn mynd
â'r llwythi i fyny afon Pasig i'r lanfa. Mynnant bentyrru'r
caniau petrol a turps ar ben ei gilydd nes bod y cychod yn
drwm yn y dŵr – llwyth dyn diog! Mae hi lawn mor boeth a
llaith â phan oeddem yma flwyddyn yn ôl, os nad gwaeth, a
dillad dyn yn glynu yn ei groen. Nid hawdd cysgu'r nos.

Bore heddiw, roedd bwrdd y llong a'r hwylbrennau'n drwch
o chwilod mawr coch, a phlisgyn caled ar eu cefnau. Welais
i mohonynt o'r blaen. Rhaid eu bod tua dwy fodfedd o hyd a
modfedd a hanner o led. Nid oeddent yn pigo na dim a rhaid
mai wedi glanio i orffwys yr oeddent, oherwydd cododd pob un
ehediad at ganol y bore ac i ffwrdd â nhw tua'r tir. Gofynnais
i un o'r bechgyn lleol beth oeddent ac atebodd, "Alukap" a
rhwbio ei fol a gwenu fel giât. Pawb a'i chwaeth!

Penderfynais adael i'r dynion fynd ar y lan ar ddyddiau Sul
tra byddwn yma – mynd fesul pedwar neu bump a phawb i

fod yn ôl ar y llong erbyn wyth o'r gloch y nos, yn sobor. Mae hi'n ddinas braf, lydan ei strydoedd a'r adeiladau Colonial a adeiladodd y Sbaniards yn werth eu gweld. Gofi di ein tro i weld yr Eglwys Gadeiriol? Mor brydferth. A gweld y tŵr a ddisgynnodd adeg y daeargryn? Felly y mae o byth! Ond i ble'r oedd y bechgyn yma wedi mynd y tro cyntaf? Llogi coetsh a cheffyl i fynd draw i ffatri sigârs, ar f'enaid i!

Fin nos ar ôl i bawb setlo, a sŵn acordion Peters i'w glywed o flaen y mast, byddaf yn mynd ar y bwrdd ac yn chwifio i alw un o'r tacsis dŵr. Gadawaf Richards in charge; mae ganddo eitha ffordd gyda'r dynion – os rhywbeth yn rhy gyfeillgar. Felly y mae efo pawb. Bu bron i mi dagu pan glywais o'n galw 'ti' ar fy mhriod. I'm clust i, swniai'n hollol amhriodol. Mi ddywedais i hynny wrth Elin, a'i hateb hi oedd ei bod yn rhy hwyr iddynt newid bellach, eu bod wedi mynd i'r arfer. Roedd o wedi dechrau galw 'ti' arni hi am ei fod yn galw 'ti' ar Jane, ers pan oeddent yn blant, a'u bod yn chwiorydd. A dywedodd ei fod yn tueddu i alw 'ti' ar bawb am ei fod wedi byw mor hir i ffwrdd o Gymru ac wedi mynd yn chwithig ei ffordd efo ambell i beth, a heb ddeall be oedd y drefn. Mae'n fwy na hanner Sais.

Ond y gwir yw, rhyngot ti a mi, fy mod i'n genfigennus o'r dull agos-atat-ti oedd rhyngddynt ill dau. Meddyliwn amdanynt yn eistedd ar ddec y stemar Umbria mewn deck chairs yn sgwrsio ti a thithau. Ac yn cydfwyta yn y dining room ac yn edrych i bawb arall fel gŵr a gwraig. Mae Elin yn ddigon call, wrth gwrs, ffwlbri ydi o . . . Aeth heibio nawr fod gen i bethau mwy i boeni amdanynt. Nid wyf wedi sôn am hyn wrth neb ond ti, fy hen ffrind, a gwn na sonni wrth yr undyn byw.

Yr oeddwn wedi anfon cable i'r cwmni pan gyraeddasom yn rhoi gwybod iddynt ein bod wedi colli'r mate a gofyn iddynt a allent yrru mate profiadol i mi, at Richards. Derbyniais yn ôl gyfarwyddiadau manwl ynghylch bancio arian y cargo, y llwyth i ddychwelyd i Lerpwl, a pha provisions i'w prynu, ond dim gair am y mate. Nid oes gan y dynion yna sy'n gweithio mewn siwtiau yn offis Water Street yr un syniad sut beth ydyw capteinio llong hwyliau fawr ym mhob tywydd. Felly yr wyf wedi cymryd y sefyllfa yn fy nwylo fy hun, a byddaf yn mynd fin nos mewn paraw allan at y llongau sydd wedi angori ac yn taro sgwrs â hwn a'r llall, a holi wrth basio a oes unrhyw un yn chwilio am waith fel mate. Ni chefais ddim lwc hyd yma, ond daliaf ati.

A byddaf yn meddwl, o mor braf fuasai dy gael di yma efo mi. Yr oeddem yn deall ein gilydd mor dda, ac mor unol. Er bod y porthladd hwn mor brysur, a phobol yn heidio drwy'i gilydd ar y cei yn bargeinio a dadlau a sgwrsio, a dynion môr fel ninnau o'n cwmpas, ni theimlais erioed mor unig. Adroddaf fy mhaderau nos a bore, ond ni chlywaf lais Duw yn fy ateb.

Ydwyf,
        Dy gyfaill pur
        John

Annwyl Gyfaill

Gorffennwyd dadlwytho echdoe, a byddwn yn dechrau llwytho'r abacá yfory. Bu'n rhaid rhoi'r criw ar waith i sgwrio'r howld er gwaredu'r aroglau petrol rhag i hwnnw dreiddio drwy'r sachau i'r coffi a'r siwgr pan ddaw'n bryd llwytho'r rheini maes o law. Mae'n ddifrifol o boeth a chlòs i'r dynion weithio, ond o leiaf mae digon o ddŵr yfed. Gadewir yr hatches yn agored i gael dipyn o awyr iach i mewn er bod y pryfetach yn bla. Mae'n dda iawn i ni wrth y rhwydi mosquito.

Ar ddechrau y daith hon, yr oeddwn wedi bod yn meddwl y buaswn yn investio dipyn o arian yn y cwmni. Pum can punt oedd y swm a oedd gennyf dan sylw. Mae pethau wedi gwella mewn llongau dros y blynyddoedd diwethaf a dylai'r return fod yn eithaf da. Oes, mae yna frolio stemars, a dweud mai hwy ydi'r dyfodol, ond y gwir yw fod pris glo'n codi, a bod gwynt am ddim. Mae'n anodd gennyf gredu y disodlir llongau hwylio'n gyfan gwbwl gan stêm byth. Bûm nesaf peth i yrru'r arian iddynt o New York, ond rhwng yr holl brysurdeb, a bod Elin yno efo fi, aeth yr wythnosau heibio heb i mi eu hanfon.

Digwyddodd dau beth ers hynny sy'n peri i mi simsanu yn fy mhenderfyniad. Un ohonynt yw i mi glywed gan Capten Stetson y Nord sydd wedi angori yma bod sïon ar y Salthouse Dock yn Lerpwl fod TG yn bwriadu rhoi'r gorau i'r cwbwl a gwerthu Thomas Williams & Co. Gwyddost ti a minnau nad yw'n ddyn môr fel ei dad, ac nad yw ei galon mewn morwriaeth. Mae hyn yn naturiol yn creu ansicrwydd ac yn gwneud i ddyn feddwl y byddai'n well ymbwyllo. A'r ail beth yw fy mod i'n ddig am iddynt yrru dim ond un mate i mi yn New York, yn lle dau. Gallent fod wedi anfon capten allan achos byddwn wedi bod yn ddigon bodlon aros fel mate er gwaetha'r codiad yn y cyflog. Ceisio arbed arian oedd eu hamcan, reit enough. Felly yr wyf yn dal gafael yn yr arian. Yn y piano y maent ar y foment, ond dylwn eu symud i le saff yng nghorff y llong, fel y guddfan yn yr howld lle byddem ni hogiau Nefyn yn cuddio baco ers talwm. Meddyliais unwaith mai doeth fyddai bancio'r cyfan mewn cyfri yma cyn i ni adael tir; byddai'n ddiogel wedyn ac yr wyf yn sicr o ddychwelyd yma o fewn blwyddyn neu ddwy a chymaint o alw am hemp. Cawn weld.

Yr wyf wedi bod yn gobeithio gallu codi angor cyn tymor y typhoon i ni gael cychwyn go lew, ond mae'n edrych yn fwy annhebygol bob dydd. Mae'r gwaith llwytho'n cymryd amser a'r stevedores yn gweithio wrth eu pwysau. Os byddwn yn gofyn iddynt gyflymu, byddant yn sicr o arafu, felly rhaid imi ddal fy nhafod.

Daeth amser noswylio ac mae hyd yn oed y porthladd prysur yma yn dawel, a'r goleuadau bron i gyd wedi diffodd.
Ydwyf,
Dy gyfaill pur
John

Annwyl Gyfaill

Codwyd yr angor y bore yma, ac yr ydym ar ein taith, due
for Liverpool – position Lat 14° 18'N, a Long 120° 32'E. Aeth
y pilot â ni allan o gysgod y bae ac yr oedd yn anodd gennyf
ei weld yn ein gadael ar y machlud heno ac yn dringo i lawr
y rhaff i'w gwch bach. Teimlwn yn ddiogel tra oedd gyda ni.
Mae'r ynysoedd hyn mor anodd eu mordwyo, yn enwedig i
rywun heb ei fagu yma – y dyfroedd mor fas a chêl llongau
fel y Queen yn isel. Mae rheswm da pam mai llongau bach
gwaelod fflat sydd gan y brodorion.

Ni soniais i erioed wrthyt ti na neb arall am yr helynt a
gefais pan oeddwn yn gapten y Wildrose, dros bum mlynedd
yn ôl bellach. Ni fu adroddiad yn y papurau ond mae'n siŵr
fod rhai o'r criw oedd yno – bechgyn y Port – wedi rhannu'r
hanes. Fe ddrylliwyd y brig ar afon Pará ger arfordir Brazil ac
aeth yn total loss, difethodd y cargo halen a chwalodd y llong.
Collais fy nhocyn meistr am chwe mis ac arnaf i y rhoddwyd y
bai yn gyfan gwbwl am y gyflafan gan y llys morol. Yr wyf yn
ddigon o ddyn i gyfaddef fod bai arnaf am rai pethau ynglŷn
â'r ddamwain. Ond y siartiau oedd y gwendid mwyaf, yn
hollol annigonol i'r pwrpas – ac yn anghywir fel y profwyd yn
ddiweddarach. O leiaf, achubwyd pob dyn.

Dyma fi heddiw mewn llong wahanol, ac ar fôr gwahanol
ac eto, ni allaf beidio â theimlo fy mod mewn sefyllfa debyg i'r
un enbyd honno. Mae ôl traul mawr ar y chart sydd gennyf o'r
Java Seas ac ni allaf beidio â meddwl tybed a oes yna un fwy
diweddar wedi ei phrintio. Euthum i bob siop chandlery ym
Manilla dros yr wythnosau diwethaf yn holi a oedd ganddynt
chart ddiweddar o'r moroedd hyn ar werth, ond ysgwyd pen
oedd yr ateb bob tro.

Ond codaf fy nghalon wrth feddwl ein bod ar y ffordd adref,

*ac os cawn dywydd ffafriol y byddwn yn cael ein tywys i
mewn i'r East India Dock yn ninas Lerpwl un dydd o wanwyn
tyner y flwyddyn nesaf.*

Ydwyf,
     Dy gyfaill pur
     John

Annwyl Gyfaill

*Mi ydoedd yn braf cael awel y môr ar ôl gwres llethol y
porthladd. Cawsom wynt o'r gogledd-ddwyrain i'n cychwyn a
hwyliai'r Queen drwy'r dyfroedd ac asgwrn yn ei cheg. O bell,
rhaid ein bod yn olygfa hardd a'r hwyliau gwynion yn bochio
dan haul crasboeth y de.*

*Ond mae'r Java Seas yn ddyrys rhwng yr holl fân ynysoedd
a'r cychod pysgota sydd fel chwain o'n cwmpas. Y mae'r dŵr
mor fas mewn ambell fan fel bod dirfawr berygl taro craig
o dan y dŵr neu fynd ar dywod ac mae gofyn i ni fod ar
wyliadwriaeth ddwys ddydd a nos. Dysgu pader i berson yw
dweud hyn wrthyt ti, wrth gwrs. Cymerir lead soundings
lawer gwaith yn y dydd.*

*Pan ddywedais wrth Richards bod angen iddo gymryd fod
pawb ym mhob cwch ar y môr hwn yn ddall a byddar heblaw
ni ein hunain, chwarddodd yn fy wyneb. Ond y gwir yw fod
y pysgotwyr yn aml yn mynd i gysgu'n braf ar ôl gosod eu
rhwydi ac na fyddai canu cloch y llong na gweiddi yn ddigonol
i'w deffro. Rhaid bod yn barod i wyro o'n llwybr orau y gallom
i'w hosgoi er ein bod ni yn fawr a hwythau yn fychan. Yr wyf
yn eiddigeddus ohonynt yn gallu cysgu heb ofal yn y byd.
Fe'i caf yn gynyddol anodd fy rhoi fy hun i gysgu a thueddaf
i orwedd ar y soffa yn lle mynd i'r gwely, rhag i mi orfod codi
gefn nos.*

*Mae'n dymor Diolchgarwch adref, a bûm yn meddwl am
deulu'r Ffridd yn mynd tua'r capel yn llond y lôn. Dôi ambell
i bagan i'r oedfa nos, fel Defi Morris Dalar na welid ond
unwaith y flwyddyn; a fyddai'n ymolchi o un gwasanaeth
Diolchgarwch i'r nesaf sydd gwestiwn arall. Cyn gynted ag y
ceid tywydd sych wedyn dyna fynd ati i godi tatws – hanner
dwsin yn dod draw i helpu, a Gruffydd Robaits fy nhad yng*

nghyfraith yn siarsio'i wraig i beidio rhoi gormod o lobsgows i'r criw neu byddent yn methu plygu i hel. Ymhen dim o dro byddai'n dymor sgota penwaig, a'r hen sgotwrs yn dringo dow-dow i ben Garreg Lefain bob pnawn i wylio'r môr am y patsys gloyw ar y dŵr sy'n dangos fod helfa fawr gerllaw.

Pan af i gysgu, breuddwydiaf fy mod adref. Wedyn bydd rhywun wrth fy mhen, y stiward gan amlaf, yn galw "Capten!" A byddaf yn deffro, ac yn edrych o'm cwmpas, yn disgwyl dy weld di, Hugh.

Ydwyf,

Dy gyfaill pur

John

Annwyl Gyfaill

Y mae wedi cymryd dros wythnos i ni hwylio allan drwy'r mân ynysoedd i'r Palawan Passage ond daethom yn ddihangol. Ar ôl cinio ddoe dechreuodd y gwynt sgrechian drwy'r rigin: rhybudd yn y parthau hyn fod tywydd mawr ar y ffordd. O fewn yr awr yr oedd yn chwythu'n hegar o gyfeiriad NNW – cawodydd trymion yn torri drosom, a'r hogiau i fyny ar yr iardiau yn tynnu'r hwyliau uchaf i mewn. Rhwng cawodydd gallem weld arfordir Palawan ar y starbord fel rhyw baradwysaidd dir gydag awyr las uwchben.

Dilynwn track line y chart orau y gallwn gan gadw'n ddigon clir o'r holl reefs sydd o dan yr wyneb a sicrhau digon o ddyfnder odanom. O fewn y dyddiau nesaf byddwn yn pasio heibio'r Seahorse Shoal a'r Carnatic Shoal, y Bombay Shoal ac wedyn y Royal Captain Shoal lle mae cerrynt llawn mor berygl â'r rheini yn Swnt Enlli. Amcanwn i basio y fan honno liw dydd a rhoi dyn yn y blaen a'r starn ac un ar ben y rigin ar look out. Unwaith y deuwn yn ddiogel heibio'r shoals a chael cefn y Dangerous Ground, fel y'i gelwir, efallai y gallaf eistedd wrth y bwrdd wedyn i fwyta pryd o fwyd.

O'r diwedd, y mae Wollaston, yr Yankee bach, fel petai yn dechrau dygymod â bywyd y môr. Mae ei groen wedi tywyllu dan haul Java a bydd yn canu shantis nerth esgyrn ei ben wrth drin yr haliards. 'Yellow Rose of Texas' oedd hi bore 'ma, cân o'i wlad ei hun, a'i lais tenor fel cloch. Aiff llawer o fisoedd heibio cyn y gwêl lannau ei hoff America ond dim ond ffŵl a fyddai'n dweud hynny wrtho.

Ydwyf,

Dy gyfaill pur

John

Annwyl Gyfaill

Aeth pethau'n ddrwg rhyngof fi a Richards heddiw. Mae'r
môr yma'n donnog a garw, mi wyddost ti sut mae pob môr yn
y tir a'r gwynt yn codi'n aml at y nos. Yr oedd hi'n sgowliog ers
rhai oriau, ac un o'r ynysoedd bychain yma o'n blaenau, fawr
mwy na'r lleiaf o'r Gwylanod. Wedi bwyta swper yr oeddwn i
ac yn trio cymryd dipyn o orffwys cyn codi at hanner nos, ac
eto ddim yn cysgu, rhyw gysgu llwynog oedd o. Rhaid fy mod
i wedi huno am ryw funud neu ddau. Deffrais i lais y mate yn
bloeddio, y Queen yn ysgrytian yn feddw a'r hwyliau'n clepian
yn fyddarol wrth iddi hwylio ar ei phen i'r gwynt. Rhuthrais
ar y bwrdd a chael Richards ar y poop yn gweiddi instructions
i'r criw riffio. Daliais lygad Dic Robaits ar yr iard.

"Be sy ar eich pen chi, ddyn?" bloeddiais ar y mate. "Mi
allen ni golli'r main mast wrth hwylio i ddannedd y gwynt
fel'na! Heb sôn am golli dyn wrth drio tynnu'r hwylia i
mewn." Yn lle fy ateb amneidiodd at rywbeth a throis innau
i weld paduwang gryn filltir oddi wrthym, a'i hwyl wen
yn plygu i'r gwynt. "Ready about," gwaeddais. "Tack ship!"
Safodd wrth f'ymyl i wylio'r mizzen spanker yn cael ei halio
i gyfeiriad y gwynt i ni allu ei throi hi, cadw'n cyfeiriad a dal
i lywio. Syllodd heb ddweud yr un gair wrth weld y gwynt
yn gwthio'r hwyliau'n fflat yn erbyn yr hwylbrennau, a phen
blaen y Queen yn cael ei wthio drwy lygad y gwynt. Yr oedd
y criw yn gwybod eu gwaith, ac wrthi ar y bwrdd mewn dau
funud yn halio llath y main course o gwmpas i'r hwyl lenwi
ac i'w chadw'n symud. Rowliwyd y jibs wrth iddi droi i ddal
y gwynt, yna troi'r llathau a thrimio'r rhaffau. A dyna hi'n
ailgychwyn yn araf i'w chyfeiriad newydd. "I thought we
were moving too slowly to tack," meddai ar y diwedd fel rhyw
fath o esboniad, os nad ymddiheuriad. "Any doubts, ask me,"

meddwn. "The men need to trust you, Richards. We have a long and treacherous voyage ahead. Understood?" Ni chefais ateb. "Understood?" gofynnais yr eildro. Ac atebodd "Aye aye, Capt'n," yn araf, mor araf nes fy mod bron â rhoi clustan iddo. Myn Duw, pe bai gennyf brentis neu ddau a'r rheini'n rhai addawol, byddwn wedi ei yrru i'w quarters am weddill y fordaith.

Mae'r Board of Trade ar fai eu bod yn caniatáu i ddyn â chyn lleied o brofiad gael swydd fel mate ar long fel hon. Nid oes unrhyw synnwyr fod prentis mewn stêm fel Richards, dyn wedi hwylio mewn hwyliau am gwta flwyddyn, yn cael sefyll yr examination i fod yn second mate ar long fawr fel y Queen. Ar bapur yr oedd yn eithaf byth ond yn ymarferol y mae'n liability. Y peth gwaethaf i mi yw nad yw ar dân i ddysgu, nid yw ei galon yn y gwaith. Mae'n debyg y gwnaiff o officer o ryw fath i gwmni Hugh Roberts yn Newcastle yn chuggio o gwmpas mewn stêm ond hyd yn oed wedyn bydd rhaid iddo ddysgu ennill parch ei griw, yn lle ceisio bod yn un o'r gang, a rhaid iddo ddysgu pethau mor elfennol â faint o amser mae llong yn ei gymryd i droi, a faint o le a gymer.

Gadawodd yr helynt fi'n teimlo'n anesmwyth ac yn analluog i orffwys. Rhaid i mi geisio tynnu'r gorau ohono yrûan nes down i ben ein taith. Byddwn yn troi i mewn ymhen yr wythnos ym mhorthladd Anjer. Cyn bo hir iawn, gwelwn lewyrch goleudy Cikoneng yn dangos y ffordd i ni i seintwar yr harbwr. Chwalwyd tre Anjer gan y llosgfynydd ddeng mlynedd yn ôl, fel y cofi. Ac oni fuaset yn cytuno â mi y saif y goleudy newydd yn symbol o obaith am ddyfodol gwell?

Cadwn y ffydd.

Ydwyf,

    Dy gyfaill pur
    John

Annwyl Gyfaill

*Pan welsom ynys Pulau Sangiang o'n blaenau a'i
chlogwyni coediog fel mop o wallt blêr, gwyddem ein bod yn
agosáu at Anjer. Yma y codwn y cargo olaf cyn ailgychwyn am
adref – tybaco. Ar fap fy meddwl, y mae'r dref hon fel station
bach Afonwen cyn myned ymlaen ar y trên i Lerpwl, Crewe
neu Southampton bell – ond heb sicrwydd y tracks. Y railways
fydd yn rhoi'r hoelen olaf yn arch y llongau hwylio mawr;
marcia fy ngeiriau, unwaith y dechreuir o ddifri gludo llwythi
ar draws taleithiau America ac o Gaerdydd i Glasgow ac ati
byddant yn segur a'r llongwrs i gyd yn troi'n railwaymen. Ac
efallai nad drwg o beth fydd hynny.*

*Chwalwyd y dre hon pan ffrwydrodd llosgfynydd Krakatoa
ddeng mlynedd yn ôl gan greu'r don fwyaf a fu erioed –
mynydd o don a chwalodd bentrefi a boddi degau o filoedd
o bobol ddiniwed. Yr wyf yn cofio darllen am y drychineb
yn y papurau newyddion ar y pryd. Mae'r brodorion wedi
ailadeiladu eu tai a'u mosgs ac â bywyd yn ei flaen fel cynt, a
chyfoethogion Jakarta yn dod yma ar wyliau gan fynd allan
mewn cychod i weld y coral reefs a'r pysgod o bob lliw sy'n
heidio o'u cwmpas. Efallai na fydd y dref yn garrison o bwys
byth eto, ond y mae ar ei thraed ac yn ffynnu. Y mae bron fel
petai'r explosion marwol wedi rhoi bywyd newydd iddi.*

*Trefnais i frodor ddod allan i'm cyrchu i heddiw i fynd i
brynu stocks bwyd gan adael pawb arall ar y Queen. Byddai
deserters ar ben ein colledion presennol yn ddigon amdanom
ac nid wyf am gymryd unrhyw chances. Byddant yn dechrau
llwytho'r tybaco ar ôl cinio a chymer hynny o leiaf bedwar
neu bump diwrnod yn y gwres clòs yma a phawb yn chwys
domen.*

Y mae'r farchnad newydd dipyn o step o'r porthladd ei hun a deuthum o hyd iddi drwy ddilyn fy nhrwyn: codai sawr spices, nytmeg a cloves ac aroglau garlic yn donnau ar awel y bore. Unwaith y cyrhaeddais y stondinwyr, yr oedd hi fel ffair yno gyda dynion yn gweiddi ac anifeiliaid yn brefu a chlochdar. Ni fûm fawr o dro yn prynu pumpkins, tatws a reis a chabaets a deuthum i ddealltwriaeth gyda'r gwerthwr i ddanfon bob dim i'r llong ac y byddai'r cwc yno i'w gwfwr. Yr oedd yn gwenu fel giât ar ôl i ni setlo a'r arian yn ei law. Ond mae'n amhosibl cael y fath beth â receipt gan y bobol yma; hyd yn oed petawn yn rhoi papur a phensel iddo ni allai ysgrifennu, ond mae'n gallu gwneud mental arithmetic gyda'r gorau!

Bwriadwn hwylio ar noswyl Nadolig ac felly ar ôl cael y provisions, ymlaen â mi i chwilio am syltanas i wneud pwdin a darn o gig ffresh at ginio – beef. Fel yr oeddwn yn cychwyn yn ôl at y cei gwelais ferch ifanc gyda gyr o eifr yn ei dilyn a phrynais ddigon o laeth gafr i wneud menyn melys at y pwdin. Bydd rhaid cael y pwdin heno, cyn i'r llaeth suro.

Dylwn fod wedi chwilio am Post Office i anfon llythyr adref i Elin y bore yma ond ni allwn. Byddai ysgrifennu ei henw neu ysgrifennu 'priod' yn dasg ry anodd. Mi fydd hi yn iawn dros yr ŵyl gyda'r hen deulu yn y Ffridd o'i chwmpas, er yn poeni amdanaf. Ydwyf, yr wyf yn teimlo euogrwydd. Ond rhaid i mi gadw pob owns o nerth ar gyfer y daith sydd o'n blaenau.

Meddyliwn yn arw hefyd am Siân dy wraig di na fydd yn dathlu'r Nadolig eleni.

Ydwyf,

Dy gyfaill pur

John

Cambrian Queen
Ionawr 2^{il} 1894

Annwyl Gyfaill
　　*Yr ydym bum diwrnod allan o'r Straits ac wedi cyrraedd
y S.E. Trades at Lat 10° 57'S a Long 103°E. Gwelsom ddegau
o pilot fish heddiw – arwydd sicr fod sharks o gwmpas.
Difyrrwch yr hogiau yw gosod lein i geisio bachu'r cryduriaid
a gadewais iddynt am dipyn am fod hynny'n helpu i dorri ar
undonedd y daith. Mae'r awyr wedi bod yn glir a chymylau
traed geifr ar y gorwel. Ni welsom yr un llong y tridiau olaf
hyn.*
　　*Yr wyf wedi bod yn dyheu am sôn wrthyt, a dyma gyfle
yrŵan cyn y daw tywydd mawr, am yr adeg pan gefaist
dy daro yn wael. Y mae'r peth yn fy mwyta – wrth geisio
cael gafael mewn cwsg rhwng watches, daw'r darlun imi
er na fynnaf ei weld. Y mae fel petai'r un ddrama yn rhedeg
drosodd a throsodd a'r un geiriau'n cael eu dweud yn ddi-ben-
draw. Byddaf yn deffro wrth fy nghlywed fy hun yn gweiddi
rhywbeth i geisio newid yr hyn a ddigwyddodd . . .*
　　*Yr oeddet wedi bod yn clwyfo ers dyddiau ac mewn poen,
yn methu bwyta na gorffwys ac nid oedd dim yn llacio'r
gwayw yn dy ochor di. Nid dy fod ti wedi cwyno, ond gallem
weld mor boenus oedd pob symudiad i ti, ac yr oeddwn i
a'r stiward wedi dy glywed yn chwydu droeon. At hynny
yr oeddet yn wyn fel y galchen. Ti fel arfer fyddai doctor
y llong ac yn trin pob dolur a chlwyf, ond yrŵan daeth yr
awr i ti'r meddyg dy iacháu dy hun. Nid oedd unrhyw beth
at gamdreuliad fel asiffeta yn mynd i gyffwrdd y boen, ac er
mor oer oedd hi ar y cefnfor ddechrau Mawrth wrth nesáu at
Boston, yr oeddet ti'n cario gwres, ac eto'n crynu drostat. Yr
oedd yna laudanum yn y cabinet, ond nid oedd fiw sôn am yr
un tropyn o hwnnw er y bu'n dda wrtho at y diwedd.*

Ar ben yr ail ddiwrnod, bu'n rhaid i ti ildio a mynd i dy wely a chymerais innau gyfrifoldeb y llong dros dro nes cyrraedd porthladd. Pan nad oeddwn i ar watch, eisteddwn wrth dy wely i gadw cwmni i ti. Fore'r trydydd diwrnod rhedodd Wil Bach Pant i lawr a'i wynt yn ei ddwrn, wedi'i anfon gan Jòs Pugh i ddweud fod stemar yn dyfod y tu ôl i ni, yn gwneud gwell amser na ni. Gofynnai a oedd angen signalio iddi fod gennym glaf ar y bwrdd rhag ofn ei bod yn cario doctor, neu y gallai fynd â thi ymlaen. Ar y pryd yr oeddet wedi mynd i gysgu a dywedais innau am wneud, ac y down i fyny'r munud hwnnw. Ond clywaist fi'n codi, ac yn gwthio'r gadair yn ôl, a phan eglurais beth oedd, yr oeddet yn mynnu yn bendant nad oeddem i wneud dim, ac y byddet yn holliach erbyn i ni gyrraedd dinas Boston. Yr oeddet yn un penderfynol erioed, ac nid oeddwn i na Jòs Pugh ddim haws â cheisio dal pen rheswm efo ti. Euthum i fyny ar y bwrdd er hynny i weld y stemar, Marcia oedd ei henw, yn ein pasio a'i hwter yn ein cyfarch.

Dirywiaist yn gyflym yn ystod yr oriau ar ôl hynny. Buost yn ymrwyfo ac yn siarad trwy dy hun. Erbyn canol nos yr oeddet yn anymwybodol ac yn llonydd. Buost farw fel yr oedd yn gwawrio, y gwynt yn codi o'r gogledd a minnau'n gafael yn dy law.

Ni allaf faddau i mi fy hun am beidio mynd dros dy ben, ac anfon neges i'r Marcia i dy godi a'th gludo i borthladd a gobaith bychan o leiaf o driniaeth ac adferiad. Byddai hynny'n gyfystyr â mutiny, ond yn bris y byddwn yn fodlon ei dalu am gydwybod dawel. A elli di faddau i mi, Hugh, am y cam hwn? Ac os gelli, a elli di yrru rhyw neges bach i ddangos hynny i mi ac yna hwyrach y peidith yr olygfa annioddefol lle rwyf yn gadael i ti fynd yn ysglyfaeth i'm diffyg asgwrn cefn i drosodd a throsodd.

Ydwyf,
    Dy gyfaill pur
    John

Annwyl Gyfaill
   Collwyd y S E Trades yn Lat 22° 3'S a Long 68° 40'E ar ôl
gwneud amser da iawn a theithio dros 200 milltir y dydd ar
gyfartaledd. Ac yna ddydd Iau, ynteu dydd Gwener oedd hi, ni
allaf fod yn sicr hollol, dechreuodd y glàs ddisgyn a gwyddwn
ein bod am dywydd mawr. Gyrrwyd yr hogiau i fyny i newid
yr hwyliau tywydd teg am yr hwyliau trymion. Atgyweiriwyd
pob modfedd o rigin a gosod rhaffau traed newydd i gyd.
Yr oedd y criw wedi bod yn calcio'r dec ers dyddiau a
phenderfynais galcio'r hatch covers hefyd i fod yn saff, achos
ni fyddai fawr o groeso i faco tamp yn Lerpwl. Gosodwyd y
lifelines yn eu lle bob un a'r rhwydi uwchlaw'r bwlcwarcs.
   Ddiwedd y prynhawn hwnnw penderfynais fynd i
geisio dipyn o orffwys tra gallwn. Yr oedd dipyn yn foriog a
chymylau mawr bochiog uwch ein pennau. Mae'n rhaid fy
mod wedi hepian — deffrowyd fi gan yr aspidistra a'i botyn
yn cael eu hyrddio ar draws y saloon ac yn chwalu'n ufflon
wrth fy nhraed nes bod y lle'n bridd am y gwelat ti. Wrth i
mi godi, fi sydd wedi bod cyhyd ar fôr ag ar dir sych, aeth fy
nghoesau odanaf am funud nes i mi gael gafael yn y drws. Yr
oedd y llong yn rowlio tua 30 gradd i port, ac wedyn i starbord.
Diffoddodd y lamp pan ffliodd y footbath yn glir oddi ar y
llawr a'i tharo — yr oeddwn mewn tywyllwch dudew. Bachais
fy nghôt ac i fyny â mi, a chwfwr Wil Bach ar y grisiau'n dod
i chwilio amdanaf. Yr oedd Dic Robaits a Richards wrth yr
helm yn gwneud eu gorau i'w chadw ar y cwrs ac aeth Wil
atynt, sgragyn main ag ydyw. Gyda phob ton, llifai'r dŵr dros
y bwrdd fel fflodiart yn agor a phawb yn bachu'r peth solat
agosaf at law i ddal ynddo.
   Yr oeddem yn cario gormod o gynfas oherwydd nid oedd
neb, na fi fy hun yn sicr, wedi rhagweld y fath storom. "Furl

the mainsail!" gwaeddais. "Sharp about it, men!" Ac i fyny â
nhw, bois y port watch, i ddannedd y ddrycin er ei bod mor
dywyll fel mai prin y gallai rhywun weld ei law. Ond yr oedd
yn rhy beryglus i'w gadael dan y bore, wysti; gallai fod wedi
rhwygo'n ridens a mynd â'r mast efo hi. Dyna fyddet tithau
wedi'i wneud, ac mae hynny'n gysur i mi. Cymerodd yn agos
i ddwyawr iddynt ei rowlio'n ddigon tyn i fedru cau'r gasgets.
Gwyddwn wrth eu gweld yn dod i lawr, a golwg wedi hario
arnynt, y byddai'n rhaid eu gyrru aloft wedyn i rowlio'r
topsail cyn i honno chwalu.

Wrth i'r dŵr môr droi'r dec yn bwll trochus, bu'n rhaid
galw'r dynion o'r ffocsl i weithio'r bilge pump gyda warning i
beidio llaesu dwylo; mi wyddost cystal â minnau y gall tunnell
o ddŵr a mwy lifo i'r belowdecks mewn matar o chwarter awr
unwaith mae hi rhywle dros force 7. Ond mae'r hogiau yma'n
dallt y dalltings ac ni chlywais ddim ond "Aye aye, Capt'n" a
"Debyg iawn, Captan" gan Dic Robaits.

I fyny â mi wedyn ar y weather rail lle bûm tan rywbryd
ganol y pnawn. Daeth y topsail i lawr, a'r mizzen ar ei hôl.
Daeth y cwc i chwilio amdanaf bryd hynny efo brechdan
farmalêd; yr oedd ganddo goffi yn cychwyn o'r gali ond nid
oedd yr un tropyn yn y gwpan erbyn iddo gyrraedd ataf ac yr
oedd fel dyfrgi. Y mae y cwc fel cath – cas ganddo ddŵr a buan
y diflannodd yn ôl i glydwch ei gegin.

Yr oeddem wedi colli'r cyfle i gymryd ein position ganol
dydd am ei bod yn gymaint o dywydd, ac nid oedd dim
amdani ond dilyn ein cwrs orau y gallem. Heb second mate, a
minnau'n gorfod bod ar y poop deck ac wrth yr helm, gwelwn
y gallai pethau fynd yn flêr. Felly pan gefais gyfle ar Richards
rhwng tonnau fel talcen tŷ, gwaeddais: "Rhaid i ni godi acting
second mate. Dic Robaits." Trodd ataf ac ofn yn ei lygaid glas.
"But he's my right hand man!" gwaeddodd dros sgrech y gwynt
a churo'r hwyliau. "I can't afford to lose a man." Ac wrth iddo
droi ataf i daeru llaciodd ei afael am funud yn yr helm, ac er
bod dau arall yn llywio neidiodd y llong, collwyd rheolaeth

arni a dechreuodd redeg yn wyllt gyda'r gwynt. Rhuthrodd yntau am yr helm wrth deimlo'r jyrc ond nid oedd nerth y tri yn ddigon i'w dal. I fyny â hi, yr iardiau uwch ein pennau'n dechrau swingio a môr mawr dros yr ochor nes ein bod 'dat ein canol mewn dŵr. "Daliwch hi!" Rhuthrais innau arni gan roi holl bwysau fy nghorff arni. A fesul sbocsan llwyddodd y pedwar ohonom rywsut i'w dal, daeth yr iardiau rownd yn ôl a dechreuodd y pen blaen droi eto i'r cwrs.

"Grist o'r nef."

Heblaw am y rail yn fy nghynnal, go brin y gallwn sefyll ar ôl hynny. Ond yno y sefais wedyn, drwy'r nos nes gweled gwawr.

Ydwyf,
    Dy gyfaill pur
    John

Annwyl Gyfaill

 *Daeth Rainch y sêlmecyr draw ataf ar y dec fore heddiw,
a'i fraich allan i ysgwyd llaw â mi. Cofiai ei bod yn ben fy
mlwydd arnaf, meddai. Yr adeg yma y llynedd yr oeddem
hanner y ffordd ar draws yr Atlantic a rhanaswn gacen Dolig
a wnaeth Elin i mi a'i chludo i Southampton efo'r criw. Cofiai ei
blas da. Heddiw felly yr wyf yn bedair ar ddeg ar hugain oed,
a gwn mai'r ugeinfed dydd o Ionawr ydyw.*

 Ydwyf,

  Dy hen gyfaill

   John

Annwyl Hugh

*'A phan nad oedd na haul na sêr yn ymddangos dros
lawer o ddyddiau, a thymestl nid bychan yn pwyso arnom,
pob gobaith y byddem gadwedig a ddygwyd oddi arnom o
hynny allan.' Os wyt yn adnabod dy Feibl, byddi'n adnabod
yr hanes yma. Hanes Paul yn Llyfr yr Actau wedi ei garcharu
ydyw ac yn cael ei ddwyn ar y llong i'w gludo at Gesar. Dyna
yw'r bennod ar ei hyd a'r tywydd mawr a gawsant wrth
hwylio heibio ynys Creta. Y seithfed bennod ar hugain yw
hi. Gwyntoedd croes bob gafael a methu'n glir â chyrraedd
glan. Bu'n rhaid taflu'r llwyth grawn i gyd i'r môr ynghyd â
holl raffau a gêr y llong ac ofnai'r carcharorion a'r canwriad
a'r llongwyr am eu heinioes. Ond nid felly Paul, oherwydd fe
gafodd o ymwelydd: 'Canys safodd yn fy ymyl y nos hon angel
Duw, gan ddywedyd, Nac ofna, Paul.'*

*Yr wyf yn Fethodus selog ond diddychymyg, mae'n debyg.
Fy myd erioed fu pobi torth, gwnïo hwyl, llywio llong. Mewn
llong, buan y dysgi nad oes dim dihangfa, y llong ei hun
yw'r unig lwybr ymwared. Heb y llong, does dim taith, dim
cyrraedd. Ac eto y mae angen mwy na chorff y llong. Sgìl
yw un o'r hanfodion: gwybod pryd i godi neu rowlio hwyl,
sut i wneud observations cysáct ac i allu adnabod y sêr, i
fedru nodi'r gogledd cywir a'r de cywir. Criw wrth dy gefn
yw'r ail, i roi dy orchmynion ar waith yn ufudd a chyflym, a
gwyneblawen os yn bosibl. A'r olaf yw lwc. Lwc yw tywydd
teg, gwynt cryf – gwres yr haul ar dy gefn.*

*Ac yna, weithiau, pan fo hi'n mynd i'r pen, mae angylion.
Fel angel Paul gynt.*

*Cof gennyf am Jane fy chwaer pan oeddem yn blant ac
wedi mynd i dŷ Nain a Taid yn Rhoshirwaun ym mhen
draw Llŷn i aros ar wyliau ysgol. Rhyw dyddyn bach oedd*

ganddynt, Ffald y Brenin, a byddai fy nhaid yn mynd i'r ffermydd cyfagos i wneud gwaith gof a'i engan yng nghefn y drol. Yr oedd Jane wedi bod yn bur sâl efo'r scarlet fever ac er ei bod wedi gwella, yr oedd yn dal i flino. Yr wyf yn ceisio cofio faint fyddai ei hoed ar y pryd – un ar ddeg neu ddeuddeg, mae'n debyg. Ar ôl cinio byddai Nain yn ei hanfon i restio am ryw awr, a châi fynd i'w gwely plu mawr nhw. Un prynhawn daeth i lawr o'r llofft a golwg ddychrynedig arni, a dim mymryn o liw ynddi wedi gweld 'ysbryd', meddai hi. "Be welist ti, hogan?" holodd fy nain yn bur ddigynnwrf. Wrth y bwrdd te yr oeddem. "Dynas bach," atebodd, "hen ddynas bach, bach, welish i 'rioed moni o'r blaen, yn sefyll wrth ochor y gwely. Roedd hi'n sbio i fyw fy llgada fi. Roedd hi mewn du o'i chorun i'w sawdl." Edrychodd Nain draw at fy nhaid am eiliad. "O," meddai, "yr hen Fodryb Bertha. Hi ydi angel gwarcheidiol y teulu. Mi ddaw heibio weithia."

Go brin y daw Modryb Bertha cyn belled â'r South Atlantic ond y mae'r syniad o angel yn sefyll tu cefn i mi yn rhyfeddol o gysurlon y munud hwn. Y mae yn goleuo fy ysbryd. Cymerais y syniad o angel yn fy mhen, ac ni allaf ollwng gafael ynddo.

Ydwyf,
    Dy fêt ffyddlon
    John

Annwyl Hugh

Byddi'n cofio fod y niwl sy'n glynu wrth yr arfordir yn y rhan yma o'r byd ar rai adegau o'r flwyddyn yn ymgripian allan i'r môr, weithiau am filltiroedd, fel tafod hir oer rhyw anghenfil. Mae yn teimlo i mi fel pe bai'r Queen megis pry bach truenus yn bobian ar y tafod hwnnw ac y gallai ei llarpio unrhyw bryd.

Peth mor dwyllodrus yw niwl, lle bynnag y bo, yn peri i ddyn deimlo'n ddiogel mewn cocoon bach un munud, ond mewn gwirionedd yn ein byddaru a'n dallu ac yn gwneud i hyd yn oed longwrs profiadol amau eu synnwyr cyfeiriad. Yn y niwl hwnnw yr ydym ers dyddiau, nes nad ydym hyd yn oed yn gwneud synnwyr o nos a dydd ymron. Dim ond patrwm digyfnewid y watches a'n ceidw mewn trefn. Ac ni allwn wneud dim ond aros iddo godi a rhoi ein rhyddid yn ôl i ni. Neu ynteu arhoswn am wynt i'w chwythu ymaith, a dangos i ni'r awyr eto, a'r sêr. Bryd hynny, byddaf yn diolch am John Parry, hen gapten bach y Slater, a'm dysgodd i feistroli dead reckoning.

A dros y dyddiau diwethaf o aros, yr wyf wedi dwyn i gof un Nadolig, rai blynyddoedd yn ôl ond ers i Elin a minnau briodi, pan oedd cyw pregethwr na chofiaf ei enw, dyn galluog ac yn dilyn yn nhraddodiad yr Annibynwyr, yn y Tabernacl acw i gynnal oedfa ar fore'r ŵyl. Pregethu ar ail bennod Luc yr oedd, a hanes y bugeiliaid rheini a welodd yr angel yn ymddangos o'u blaenau pan oeddent wrth eu gwaith ar y bryniau ganol nos. Byddi'n cofio'r hanes cystal â minnau. Ar ôl i'r angel oedd yn llefaru ddweud ei neges (yr archangel oedd hwnnw, yntê, neb llai na Gabriel), y neges am 'newyddion da o lawenydd mawr', ymddangosodd y 'llu nefol' gerbron y bugeiliaid a'u praidd syn ac at hyn yr wyf yn dod.

Yn ôl y pregethwr yma, a oedd yn BD, yn efrydydd disglair ym marn diaconiaid y sêt fawr, roedd y 'llu' hwnnw yn cynnwys nid cant, na mil na deng mil ond <u>can mil</u> o angylion. Mae yn amhosibl i feidrolyn fel myfi amgyffred cymaint o sancteiddrwydd ac o oleuni ag a ddeilliai o'r can mil yna o angylion. Ni allaf ddirnad y fath liaws aneirif, na'r fath oleuni, er ceisio, ond yr wyf yn ymgynnal wrth feddwl amdanynt.

Pan fydd y niwl yma yn codi, fel y mae yn sicr o godi un o'r dyddiau hyn, caf innau godi fy mhen tua'r ffurfafen ganol nos a gweld y miloedd sêr ynddi. A byddaf yn dychmygu, ond heb ddweud wrth neb ond wrthyt ti, am y can mil angylion yna yn sefyll un ar bigyn bob seren fach, yn gwylio drosom ni.

Mae'n bosibl na fydd y pethau hyn yn gwneud unrhyw synnwyr i ti. Ond nid oes rhaid i ni ddeall popeth.

Ydwyf,

   Dy gyfaill puraf
   John

Achub fi, O Dduw, canys y dyfroedd a ddaethant i mewn hyd at fy enaid.

Gwared fi o'r dom, ac na soddwyf; gwareder fi oddi wrth fy nghaseion, ac o'r dyfroedd dyfnion.

Na lifed y ffrwd ddwfr drosof, ac na lynced y dyfnder fi; na chaeed y pydew chwaith ei safn arnaf.

F'annwyl Gyfaill

A elli di Hugh yrru angel i lawr i wylio drosom a'n taith enbydus? Ni welsom haul na sêr i allu cymryd arsylwadau ers deg diwrnod a byddwn yn hwylio heibio'r Cape of Good Hope heb obaith o weld tir. Ond gwyddom nad ydym mor bell â hynny o'r tir mawr; gwelsom sawl albatros uwch ein pennau y dyddiau diwethaf hyn, a channoedd o Cape pigeons du a gwyn.

Y syniad a gefais i wrth eistedd yma wrth y bwrdd, y tro cyntaf i mi ddod i lawr i'r saloon ers dyddiau di-gownt, yw y gallet ti ddod atom ar ffurf angel, Hugh. Yr oeddet bob amser mor gadarn a thawel, ac ni allwyf ddychmygu dim gwell na dy gael di yma gyda ni. Be rown i am gael teimlo dy gadernid ar yr helm yn ein llywio, dy droed yn gadarn ar y bwrdd, dy law ar f'ysgwydd i.

Yn wir, tyred atom, Hugh. Byddaf yn aros amdanat ti.

Ydwyf,

    Dy fêt truan

    John

F'annwyl Hugh

Hwn yw'r llythyr olaf y byddaf yn ei anfon atat ti. Ni allaf roi trust llwyr yn Richards, oherwydd ei ddiffyg profiad, ac nid yw'n deg rhoi gormod o gyfrifoldeb ar Dic Robaits chwaith ac felly rhaid i mi fod ar y dec ddydd a nos. Gwneuthum y daith hon deirgwaith o'r blaen, ond heb erioed gael y fath dywydd â'r tro hwn, ac y mae pawb ohonom ar ein gliniau. Y troeon cynt, yr oeddet gyda mi.

Gwaeth na hynny, er na chyfaddefwn wrth neb ond wrthyt ti, yw na allaf bellach ymddiried ynof fy hun. Mae blinder wedi fy llethu. Ni chofiaf pryd y cysgais yn fy ngwely ddiwethaf ac ofnaf, pe bawn yn mynd iddo, na chodwn byth. A gofi di'r capten hwnnw o Sweden a dreuliodd drigain niwrnod ac un wrth y llyw i ddod â'i long a'i griw i gysgod harbwr? Yr wyf yn deall o'r gorau beth oedd yn ei yrru, ond nid yw'r nerth gennyf i ailadrodd ei gamp.

Neithiwr o dan awyr serog glir o'r diwedd bûm yn cerdded am oriau yn ôl a blaen ar y poop, drwy'r eight bells ac ymlaen i'r bore. Y mae hynny'n llawer gwell na sefyll yn llonydd ac y mae'n haws cadw'n effro. Yr oedd wedi gwneud cawod drom nes fy mod at fy nghroen a daeth Wil Bach â chôt sych i mi; yr wyf yn sicr mai dy hen gôt di yw hi, ac ni fynnaf ei thynnu. Ar ôl ei gwisgo, eisteddais am sbel ar y ffife rail, yn gwylio Sirius uwchben ac yn teimlo'r swel yn llonyddu o'm cwmpas. Ymhen yr awr, gallem roi mwy o gynfas i fyny a chael gwynt o'n hôl.

Y pryd hynny, wrth eistedd yno mor llonydd, cefais y profiad o edrych i lawr arnaf fy hun o ben y t'gallants, yn smotyn crwm, pitw gan troedfedd odanaf. O'r fan honno, yr oedd y wybren yn olau a'r sêr o fewn cyrraedd a bwrdd y Queen fel hances boced. Siglwn i rythm y tonnau. A gwelwn fy hun islaw a theimlo mor druenus oeddwn, ac mor bitw. A thra

oeddwn yno ar ben y mast, yr oedd yn wynfyd ac yr oedd fy
ysbryd yn rhydd fel yr albatros.

Ond yna yr oedd rhywun yn fy ysgwyd, ac yn gafael yn
fy ngwar, a dychrynais yn fawr ac yr oeddwn yn ôl ar lawr
y llong. Wrth f'ymyl yr oedd Dic Robaits yn ei gwrcwd, yn
edrych yn boenus ac yn dweud, "Captan, ydach chi efo ni,
Captan? Dowch i'ch gwely am dipyn." Ond ni fynnwn hynny
ar unrhyw gyfrif. Yr wyf wedi mynd mor benderfynol â
thithau. Gallwn fy nghlywed fy hun yn gofyn iddo ble'r oeddet
ti, mai ti yw'r gwir gapten, Hugh, ac a oeddet ti efallai yn dal i
fod yn Boston. Dywedais fy mod am yrru cable o'r ynys agosaf
i ti ddod atom ar stemar, fel y daeth Elin. A gwelwn o'n edrych
dros ei ysgwydd ar y stiward a Richards a'r cwc pan glywodd
hynny.

Yr wyf wedi bod yn aros amdanat ti, Hugh, ers hir
ddyddiau. Pam na ddeui di ataf fi? Gyda'n gilydd gallem
rowndio'r Cape dan ganu. Yr oeddem yn deall ein gilydd mor
dda. Ti oedd fy mrawd i ar y don. Hugh, paid ag oedi ond
tyred atom, ym mha ffurf bynnag. Byddwn yn d'adnabod yng
ngwisg colomen neu bysgodyn hedegog. Ond nid oes angen i mi
allu dy weld â'm llygaid. Tyrd ataf yn yr ysbryd, tyrd yn fuan.
Mae'r daith yn rhy enbyd fel hyn.

Gyda'n gilydd, aem adre'n ddiogel . . .

Dear T G Williams Esq

I write to inform you of our safe arrival here at Jamestown
on Thursday last – the passage took 62 days. I also write to
confirm that we shall set sail for Liverpool on Friday providing
conditions are favourable.

By the time I arrived Captain John Jones had been brought
ashore and examined by a doctor. I have not been able to
speak to the medic yet as he was called out to a patient on
the other side of the island and has not returned, but I have
made an appointment to meet him later this week. Captain
Jones had been taken to a hotel when I arrived where he will
receive board and lodgings and rest until we embark. I have
been to visit him yesterday and again today. He does not seem
to recognise me although we have met several times over the
years. He appears exhausted and has lost a substantial amount
of weight; his apparel hangs about him. He speaks little and
seems unable to concentrate. And as aboard the Cambrian
Queen according to the men's reports, he is unwilling to rest
and paces the bedroom floor up and down, up and down,
mumbling continuously. His hands shake. We can only hope
that he will recover, and also that the forthcoming passage to
Liverpool will not put him under additional strain.

I suggested to Richards the first mate that Captain Jones
should remain in his quarters during the voyage home,
and he agreed that this would be for the best in the present
circumstances. My first mate Cowell will take over with
Richards reverting to the position of second mate for this
voyage.

Captain Jones' effects have been moved to the former mate's
quarters on the Queen where he will be made comfortable,

and meals brought to him. Amongst his effects a package of letters was discovered, written in Welsh – not addressed to his wife – and I consider it prudent that these should be kept in my safe for the time being and transferred to your office on arrival. I perused them briefly. They seem to be the ramblings of a troubled and demented soul. Perhaps the fireplace would be the best place for them. I will leave the decision as regards these sorry epistles to your good self.

    I am, sir, your humble servant
       Captain Evan Thomas

RHAN TRI

CANOL MEHEFIN 1894

1

Hyn oedd y diwedd i fod. Wedi'r holl wythnosau anodd ar ôl i'r telegram gan y cwmni gyrraedd yn dweud fod John yn teithio adref o ynys St Helena fel *passenger*. Dyma ddiwedd yr hirdaith. Cael ei weld o eto ar ben blwyddyn, rhoi ei breichiau amdano fo, teimlo blew ei locsyn ar ei boch hi.

Ond, o na. Dechrau yw hyn.

Mae hi'n eistedd yng nghwt cyfyng y sgipar ar gist de. Criw bach o dri sydd ar yr *Ibis* – y tad sydd o flaen Elin wrth y llyw, mab, tua thair ar ddeg oed, a lwmpyn surbwch o fêt. Bob tro mae o'n agor drws y caban i ddod i mewn am air efo'r capten mae Elin yn gorfod gafael yn ei het. Yr hogyn sydd wrthi'n rhofio glo i'r ffwrnas a dydi hi wedi cael yr un cip arno ers iddyn nhw ddod abôrd. Mae hi'n chwythu'n galed o'r gogledd-ddwyrain a'r stemar yn ehedeg a'i dwy hwyl ar led. Mi gychwynnon nhw o'r Trafalgar Dock am ddeg i gyrraedd Porthdinllaen erbyn diwedd y pnawn. Ar y dde, does ond môr pigog gwyrddlwyd ac awyr yn gwibio, ond wrth edrych i'r chwith, mae'r arfordir yn cynnig cliwiau iddi. Mae'n amcanu'n gywir mai pier Llandudno mae hi'n ei weld i'r chwith a'r bobol fel sbrencs bychain hyd-ddo. Tu ôl wedyn, mae'r hotels yn sgwario. Cyn bo hir daw golau Penmon i'r golwg yn wincio arni. Pasio heibio'r *training ship* y *Clio* nesa, a gweld yr hogiau truan yn fychan bach arni yn gwneud dril. Wedyn o dan Bont Menai i afon Gnarfon, fel y bydd dynion môr yn dweud. A thynnu at adra.

Daeth Elin i Benbedw ar y trên o Bwllheli ddeuddydd yn ôl, ac aros efo hen ffrind o'r ysgol, Netta, sy'n byw yn y dre ers blynyddoedd. Gweithio mewn tŷ golchi mae hi yno a'i gŵr, Wil, Cymro glân o Lan Ffestiniog, yn y dociau. Tŷ stryd cul, brics coch mewn rhes hir oedd No 47 Tintern Street, llawer iawn llai na Glan Deufor a thlodaidd ond croesawus. Pnawn Sadwrn, a Netta'n cael gorffen am hanner dydd, roedden nhw wedi mynd ill dwy efo siarabáng i New Brighton am swae – y cerbyd yn llawn o bobol hwyliog a siaradus. Roedd y pier bron mor hir â'r promenâd newydd ym Mhwllheli, ac arno amrywiol siopau ac, er rhyfeddod i Elin, dŷ bwyta hyd yn oed – y Refreshment Rooms. Yno gordrodd Netta botiad o de a byns i'r ddwy ohonyn nhw. Dechreuodd cerddorfa fach chwarae 'Home Sweet Home'. Cododd ambell bâr i ddawnsio; yr unig dro y gwelsai Elin beth tebyg o'r blaen oedd yn y Grand Union Hotel yn New York efo John.

Wyr Elin ddim sut i waltsio, ond roedd wedi wincio ar Netta ac amneidio'i phen at y llawr *parquet*, achos roedd yna ferched yn cyd-ddawnsio. Roedd y syniad o symud gwahanol i'r martsio beunyddiol ymlaen mor hudol. Chwerthin mawr oedd ymateb Netta a thywallt mwy o de. A doedd dim modd dwyn perswâd arni hi. Pan gododd i fynd i'r Powder Room y sylwodd Elin ar ôl trymgwaith ar ei chorff; cerddai fel hen ddynes. Brysiodd i dalu dros y ddwy cyn i'r dadlau traddodiadol ddechrau a bodloni ar weld cyplau eraill yn troelli'n araf a'u llygaid ar gau.

Ers cychwyn y daith, mae John yn sefyll allan ar y bwrdd yn syllu tua'r gorllewin.

Roedd asiant i'r cwmni wedi cyfarfod Elin oddi ar y fferi yn chwifio sgarff coch, gŵr ifanc pen moel siaradus, yn siarad cymysgedd o Gymraeg cefn gwlad a Saesneg crand. Arweiniodd hi drwy ganol prysurdeb y dociau gan gerdded

wysg ei gefn a siarad fel melin efo hi am bentre Edern lle'r
arferai fynd ar ei wyliau at deulu'i dad. Roedd y môr lond
eu gwaed, meddai fo, ac un o'i dri brawd, Frank, yn gapten
llong ei hun. Roedd y swyddfeydd yn Water Street mewn
rhes o adeiladau carreg trawiadol, yn adlewyrchiad o
statws a chyfoeth cwmni Thomas Williams & Co. Oedodd y
ddau am ennyd i syllu ar eu gogoniant cyn mentro i mewn.
Am funud aeth y cyntedd mawreddog gyda'i do uchel a'r
gwaith coed cywrain ar y grisiau â gwynt Elin. Ond roedd y
winc fawr a gafodd gan y Mr John Glyn Davies ifanc wrth
iddo gnocio ar y drws agosaf yn hwb i'r galon. Ar ba ochor
oedd hwn, meddyliodd Elin, os oedd yna ochri i fod, ar ei
hochor hi a John, ynteu'r cwmni oedd yn ei gyflogi ac yn
agor drysau'r byd iddo?

"Capten Watkins. Dyma Mrs John Jones, o Forfa Nefyn."

Roedd Capten Watkins, a gafodd y fraint amheus o'i
chroesawu, yn aros amdanynt tu ôl i'w ddesg ym moeth-
usrwydd yr offis, dyn canol oed porthiannus mewn siwt
frethyn gochlyd. Cododd ar unwaith pan welodd Elin a
brysio ati i ysgwyd llaw gan amneidio ar i'r gŵr ifanc fynd:
"Thank you, Davies. Mrs Jones, croeso. Rydan ni'n falch
o'ch gweld. Steddwch. Sut *journey* gawsoch chi yma?" Cyn
gynted â'i bod wedi rhoi ei chlun i lawr dechreuodd ar ei
esboniad fod y meddyg newydd ymadael, brin chwarter
awr ynghynt. "Mae o'n meddwl y dylai Capten Jones ddod
ato'i hun. Mater o amser oedd o'n feddwl, Mrs Jones. Mi
wnawn ni bostio'r *report* ymlaen i chi. Mi fydd yna drefn-
iada drwy'r post o fewn yr wythnosa nesa hefyd efo talu'r
cyflog sy'n ddyledus, a mynd drwy rai costa eraill ynglŷn
â'r daith. Ond 'd awn ni ddim i'ch poeni chi efo petha felly
heddiw. Unwaith y mae Capten Jones yn well . . ."

"Lle mae John?"

Wrth siarad roedd Capten Watkins wedi cerdded rownd
yn ôl a'i ollwng ei hun yn ei gadair, ond sboncia ar ei draed
mewn ymateb i'r cwestiwn.

"Yn y rŵm gefn yma mae o. Mi awn ni trwadd rŵan. Ond jest i'ch paratoi chi, Mrs Jones – dydi Capten Jones ddim yn fo'i hun, dim yr hen Gapten Jones. Faint sydd ers i chi ei weld o?"

"Ychydig dros flwyddyn, yn New York."

"Ia, wel mi welwch chi newid."

"Rydw i wedi bod yn meddwl tybad a wnaeth o gontractio rhyw salwch allan yn y Dwyrain yna. Malaria neu rywbath felly. A bod hynny wedi'i wanhau."

"Dim yn ôl y doctor, na."

"Neu ella ddiffyg maeth? Mae bwyd yn gallu mynd yn brin ar y teithia hir yma, dydi. Nid yn unig ar longa Thomas Williams & Co., dydw i ddim yn deud, ond . . ."

"Roedd y *supplies* yn ddigonol ar y llong pan fordiodd Capten Evan Thomas yn Jamestown." Mae Capten Watkins wedi tynhau drwyddo. "Mae gan y cwmni yma enw da am edrych ar ôl eu gweithwyr, Mrs Jones. Rydyn ni'n cadw at y gofynion: *Ample without waste*. Nid fel amball i gwmni y gallwn ei enwi, yn eich rhan chi o'r byd."

Mae Elin yn deall mai at y Davies Brothers, Porthaethwy, y mae Capten Watkins yn cyfeirio. Clywodd ddweud lawer gwaith bod cyn lleied o wastraff bwyd yn cael ei daflu o'u llongau hwy fel mai dim ond un wylan fydd yn trafferth eu dilyn.

"Mi gaiff fynd i weld ein doctor ni adra. Mae o'n gwneud tonic ei hun, at pan fydd y gwaed wedi mynd yn isel."

Torrir ar ei thraws gan Capten Watkins.

"Mi ydw i fy hun wedi hwylio digon yn y South China Seas, Mrs Jones. Hyd yn oed i ŵr profiadol, mae'n gallu bod yn *tricky*, ac ar dymor y *typhoon* . . . Mi gollodd Capten Jones ei fêt, on'd do, ar y daith allan i Manilla. Joseiah neu Jòs Pugh. A'r ddau wedi bod yn bartnars ar y *Queen* ers tair blynedd."

"A'i gapten."

"Do, do wir, Capten Hugh Williams Portdinorwig, y

209

creadur. Sobor iawn oedd hynny. Gan hynny byddwch barod. Cans ni ŵyr neb y dydd na'r awr y daw Mab y Dyn, yntê."

"Mi faswn i'n lecio gweld John rŵan."

"Awn ni drwadd, Mrs Jones."

Ac ar hynny roedd o wedi'i harwain hi o'r offis eang i'r ystafell fach yn y cefn. Roedd hi mor dywyll yno, heb fawr o olau naturiol o'r ffenest uchel, fel na welai hi ddim byd ar y cychwyn. Ond yna wrth i'w llygaid ddygymod, gwelodd ei fod o yno, yn sefyll a'i gefn atynt, rhwng y cypyrddau tal a'r pared.

Mae hi'n dod yn gawod flêr o law a'r dafnau'u rhedeg yn gam hyd ffenest y caban. Bob hyn a hyn mae'r mêt yn rhoi weipan i'r gwydr efo hen gadach budr ac am ychydig wedyn mi all Elin weld y bow a John yn glir.

A dydi o ddim mor annhebyg i sychu dagrau.

2

Mae hi wedi stopio bwrw erbyn iddyn nhw lanio. Gadewir cist John a bag Elin yn y warws ar Ben Cim, gyda deall-twriaeth i ddod i'w nôl drannoeth efo trol. Felly dim ond y pictiwr o'r *Cambrian Queen* sydd yna i'w gario, ac mae hwnnw dan gesail John. Cychwynnant i fyny'r llwybr cul i ben yr allt fel oen yn dilyn dafad ar lwybr cyfarwydd. Wrth iddyn nhw ddringo mae'r haul yn euro'r allt i gyd ac yn taflu cysgod dros Benrhyn Bodeilias a Charreg Llam. O'r tu ôl iddynt mae hanner cylch y bae'n dawel a dim ond heibio'r trwyn mae'r tonnau'n torri'n wyn.

Dydi John ddim yn arafu i edrych o'i gwmpas o gwbwl er iddo fod oddi cartre am dros ddwy flynedd. Dydi o ddim fel pe bai o'n gweld. Ond mae bowns porfa'r allt yn rhoi yn esmwyth o dan ei draed ar ôl strydoedd blin y ddinas a'r gwynt yn chwythu'n gynnes drwy drwch ei wallt.

Unwaith maen nhw'n cyrraedd y top daw Elin i gerdded wrth ei ochor.

"John, rydw i mor falch o'ch cael chi adra . . ." Hanner brawddeg ydi hi, ac mae o'n arafu ei gam, fel ei bod hi'n gallu cerdded yn lle tuthio, a hel digon o wynt i siarad. Saif yn dawel wrth ei hochor. "Mi fendiwch ar un waith o gael bwyd cartra a gweld hen ffrindia ac ati. Fyddwch chi ddim yr un un ymhen mis neu ddau." Mae hi'n petruso, yntau'n sefyll o'i blaen, ac mae hi'n tynnu'i het a hel y cudynnau rhydd o'i hwyneb efo cefn ei llaw. "Ond, i'ch paratoi fel eich bod yn dallt cyn i ni gyrraedd acw, John, mae'n well i mi egluro. Mi ydw i wedi cymryd dipyn o bobol ddiarth. Dim cymaint â llynadd, dim ond y rhai sydd wedi bod yn arfar dŵad acw ers blynyddoedd. Doeddwn i ddim yn eich disgwyl chi adra tan ddiwedd y flwyddyn, ydach chi'n gweld . . ."

Ac mae o'n amneidio arni cyn ailddechrau cerdded. Amneidio, ond dweud dim byd. Mae Elin yn gorfod bodloni ar yr ateb cynnil hwnnw ac yn brathu'i gwefl cyn ei ddilyn. Daw'r wythnosau ar ôl helynt suddo'r *Wildrose* i'w chof wrth groesi'r cae – y cyfnod yna pan oedd John wedi mynd o dan ryw don anweledig am wythnosau. Rŵan mae hi'n stwffio'i llaw trwy'i gesail rydd ac yn pydru ymlaen, yn llenwi'i meddwl gyda'r swper, y sgwrsys, y cyffwrdd, a'r caru sydd i ddod unwaith y daw ato'i hun.

Anne a ddaeth i Lan Deufor i ofalu am y fusutors tra bu ei chwaer i ffwrdd ond mae'n hwyr glas ganddi eu gweld yn cyrraedd adra. Mae camu i esgidiau Elin dros dro wedi bod yn brofiad anniddig ac er yr helynt y mae hi a John ynddo cawsai ei hun yn cenfigennu wrth ei chwaer, a'r gair da sydd gan y bobol ddiarth i gyd iddi. Ar ôl gorffen clirio llestri swper yn y ffrynt, mae hi'n mynd i sefyll yn y ffenest yn aros i'w gweld nhw'n dod ar hyd y lôn a'r munud y dônt i'r golwg, bydd yn tynnu ei ffedog.

"Dwi wedi gorffan rŵan." Daw Adi i ddrws y rŵm ffrynt. Mae ei siôl ganddi ar ei braich, yn barod i fynd. "Os gwnewch chi ddeud wrth Mrs Jones y bydda i draw erbyn saith yn y bora."

"Wyt ti wedi gosod bwrdd swpar iddyn nhw?"

"Do. A thorri brechdan."

"Ac ydi bob un o'r *trays* yn barod at yr *early morning tea*?"

"Ydyn."

Mae Anne, sydd wedi arfer efo steil gwragedd capteiniaid Caernarfon, yn edrych ar y forwyn ac yn meddwl yr hoffai ei sgwrio a chodi'i gwallt a'i rhoi mewn ffrog ddu laes a chap a ffedog wen. Fedr neb weld bai ar ei gwaith, ond dydi ei chalon hi ddim ynddo. Morwyn o'i hanfodd ydi heb ddim amynedd efo ffansi ffrils fel rhoi lliain bach les ar bob hambwrdd a switio potiau golch efo dŵr lafant ar ôl eu golchi. Ond dydi ddim dau funud yn blingo cwningen neu drin cimwch, golchi llawr neu ysgwyd matiau. Erbyn hyn mae hi'n symud o un droed i'r llall yn ddiamynedd, ac mae Anne yn nodio i'w gollwng.

"Fasach chi'n gneud *waitress* dda! Ella agorwch chi eich caffi chi'ch hun." Canmoliaeth ydi hyn i fod, a ffordd o ddod â'r cyfarfod cwta i ben rhwng y ddwy, ond daw allan yn groes. Mae Adi'n rhoi un cynnig arall arni. "Mae gynnoch chi Saesneg neis ofnadwy."

"Dos wir, hogan. A chofia fynd â'r dillad gwlâu yna adra i dy fam eu golchi . . ." Mae Adi wedi diflannu heb aros i'w meistres dros dro orffen ei brawddeg – ". . . ac mae eisio nhw'n ôl at y Sadwrn!"

Clywir drws y cefn yn cau gyda chlamp o glep ac mae Anne yn falch fod y fusutors wedi mynd am eu 'pleasant evening walk'; mi gwynith rhai ohonyn nhw am gyn lleied peth â chlepian drws.

Pan ddôn nhw o'r diwedd o gyfeiriad Cae Coch, mae Anne yn eu camgymryd am bobol ar eu holidês. Does ganddyn nhw ddim paciau i'w canlyn. Mae John yn cerdded fel dyn ar grwsâd, fel dyn yn cerdded i wynt nerthol, ac Elin yn dod orau medrith hi ar ei ôl, o fewn cyfyngderau ei phais dynn. Mae hi'n dal ar ei fraich chwith ac yn siarad, ac o bryd i'w gilydd yn codi'i llaw rydd i wthio'r gwallt o'i hwyneb. Wrth iddyn nhw nesu y gwêl Anne mor denau ydi John, a bod ei ddillad yn chwifio bron amdano. Mae haul y Dwyrain wedi tywyllu ei wyneb, ond gyda phatsys pinc amrwd lle mae'r croen wedi plicio i ffwrdd.

Wrth iddyn nhw nesu at y tŷ, mae Elin yn tynnu ar fraich John iddo arafu, yn pwyntio at eu cartref, Glan Deufor, yn gwenu'n ddisgwylgar. Yn ei edrychiad, wêl Anne ddim hapusrwydd o fod adra, na rhyddhad hyd yn oed. Mae ei wyneb fel map gwag.

Does gan Capten John Jones ddim syniad yn y byd lle mae o.

3

"Tynnwch y cwbwl, John. Mi ddo i â dŵr poeth i fyny i chi gael molchi'n iawn, ac mi gysgwch yn well wedyn."

Mae ei gŵr yn edrych arni'n ddiddeall. Yn edrych o gwmpas y llofft gefn gyfyng, ddiarth yn amheus. Chysgon nhw erioed yn hon o'r blaen. Fo ei hun ddaru ei pheintio hi – ar ôl iddyn nhw symud yma gyntaf – yn felyn. Yma roedd Hughie yn cysgu ond does dim o'i ôl o yma chwaith, heblaw am y tolciau lleia 'rioed yn y sgyrtin ar ôl ei gemau marblis.

"Dwi wedi estyn crys nos glân i chi, ylwch. Fydd yna ddim byd yn galw fory, ac mi gysgwch yn braf, rŵan ych bod chi adra."

Ac mae hi'n troi i gychwyn i lawr i'r gegin lle mae'r tecell ar y tân yn codi i'r berw.

"Mi wnaiff y stiward lenwi bath i mi, mi fasa'n well gen i hynny."

Roedd o wedi'i hadnabod hi yn yr ystafell gefn dywyll honno yn swyddfa Thomas Williams & Co., doedd dim dwywaith.

"Elin!"

Fel capten ar arfordir yn gweld cwch y peilot yn dod i'w gyrchu i'r harbwr. Croesodd yr ystafell dywyll honno ati ar ei union, nes ei fod reit wrth ei hymyl, heb led rhaff rhyngddynt, a syllu'n ddyfal drosti i gyd. A'i lygaid yn goleuo a thynerwch eu llond nhw. Ac wrth i Capten Watkins wneud rhyw sŵn tagu cogio a chwarae efo'i fwstásh, roedd o wedi gadael i Elin estyn amdano a'i gofleidio, pwyso i mewn iddo, ac wrth iddo blygu'i ben i lawr ati, wedi sefyll yn llonydd iddi'i gusanu drosodd a throsodd.

Ond fu yna ddim sgwrsio am sut oedd pethau yn yr ardal adra, sut oedd y teulu a'r tŷ. Sut oedd hi, Elin. Nac, o ran hynny, sut oedd o. Fu John erioed yn siaradwr mawr. Yn y becws siaradai ei chwiorydd Mary, Jane a Betty fel tair injan wnïo o fore gwyn tan nos gan ddweud bob dim oedd angen ei ddweud rhyngddynt, a mwy. Roedd sgwrs John wedi'i chau rhwng hemiau a thyllau botwm a choleri eu sgwrs. Siarad genod oedd eu siarad nhw, am ryseitiau a digwyddiadau, cyfarfodydd a phobol. Yng nghwmni'r hogiau ar y traeth ac yn llofft hwyliau Rhiwlas hefyd, natur porthwr yn hytrach na thraethwr oedd yn John. Fuo fo erioed yn sbîtshiar.

Mynd i'r môr a laciodd rywfaint ar ei dafod. Hynny a chyfarfod Elin. Elin, dros flynyddoedd eu carwriaeth, a'u priodas wedyn, oedd wedi dandwn y sgwrs allan ohono fo. Yn ei chwmni hi roedd o wedi dod o'i gragen. Roedd hi wedi ei holi o, wedi ei herio fo, wedi'i bryfocio fo, wedi dal pen rheswm efo fo, wedi gwrando arno fo. Yn ei chwmni hi, yn eu cartre newydd nhw, yn unrhyw le yn ei chwmni hi roedd John yn fwy, yn fo'i hun, yn clywed ei lais ei hun. O'r adeg pan ddechreuodd y ddau ganlyn, roedd John wedi dechrau canfod ei lais.

Ar hyd y daith o Lerpwl i Borthdinllaen roedd o wedi bod yn dawel. Na, mewn gwirionedd bu'n mân siarad efo'r criw: am y tywydd, cyfeiriad y gwynt, pris y glo. Ond porthi dan yr hen drefn oedd hyn. Atebion i gyd.

"Dydach chi ddim ar y llong rŵan, y'chi, John. Rydach chi adra efo mi."

Maen nhw wedi bod yn sefyll a'u cefnau y naill at y llall, hi'n wynebu'r drws ac yntau'r ffenest. Ond rŵan maen nhw'n troi i wynebu'i gilydd ac mae hi'n gweld cwestiwn na fedr o ei ofyn ar ei wyneb o.

"Rydach chi wedi bod trwy amsar calad, John. Ond mi altrwch rŵan eich bod chi adra, gewch chi weld."

Deil i sefyll yna. Mae hi'n gollwng dwrn y drws ac yn dod ato. Tu allan mae'r haul wedi machlud ac mi ddylai hi gau'r cyrtans, ond does yna neb i weld. Daw ato, gafael yn ei law a'i annog i eistedd ar y gwely efo hi.

Ac wedyn aiff ati i dynnu amdano fo, gan ddechrau yn dyner, dyner wrth ei draed.

4

Dim ond o drwch blewyn y mae Adi ac Elin a John wedi colli ei gilydd. Wrth iddyn nhw ddod dros yr allt ac i lawr am Benrhos mae hi'n brasgamu dan ei phwn o ddillad gwlâu i lawr am draeth y Bwlch heibio Tŷ Halen. Mae'r diwrnod gwaith yn dirwyn i ben yn y gwaith brics ond y mwg o'r simdde'n dal i godi o hyd yn gwlwm llwyd afiach sy'n taro yng nghefn ei gwddw. Mae hi'n cyflymu'i cherddediad wrth weld y criw olaf yn ei throi hi am y pentre; bydd Elis Pen y Cei sy'n gweithio ac yn byw yn Henborth yn dod i'w waith efo cwch weithiau ac mae gobaith am reid i sbario'i thraed. Wrth iddi gyrraedd gwaelod y lôn mae hi'n ei weld o, wrth droed y jeti yn lygio'r cwch bach tua'r dŵr, a dyma weiddi: "Dal arni, Elis, ga i ddŵad efo chdi?" Prin y mae o'n ei nabod hi tu ôl i'r pwn mawr o ddillad gwynion sydd wedi'u lapio yn ei siôl, dim ond ei choesau blêr a'i llais mawr. Ond mae o'n aros. Mae hi'n taflu'r dilladach i gyd i ben blaen y cwch ac yn dringo i mewn.

Adi sy'n rhwyfo ac yntau'n eistedd gyferbyn yn llwch drosto, hyd yn oed ei wallt tew, yn smocio rolsan. Mae hi yn ei ddyled; dros y gaeaf treuliodd oriau lawer yn ei helpu i osod gwaelod newydd yn hen gwch Moses Dafis, a hithau'n estyn a chyrraedd iddo. Gaeaf nesa y gorffennan nhw; fiw gwastraffu amser sgota gwerthfawr yn yr haf. Fedr Elis nofio dim strocsan ond mae'n un da am ddal lledan drwy sefyll 'dat ei ganol mewn dŵr bas, sathru'n galed pan mae'n gweld un wrth ei draed a phlymio wedyn i'w dal. Dros yr wythnosau diwetha, ers iddo ddechrau dal, mae o wedi mynd â sawl un draw yn ffidan i Adi a Lydia Catrin.

"Roedd un o'r hogia'n deud heddiw y bydd achos Moses

Dafis yn Gaernarfon ddechra'r mis. Yn Llys y Goron."

"O? Be ydi hynny i mi?"

"Efo fo roeddat ti a dy fam yn byw adag y saethu, ia ddim?"

"Naci." A hi sy'n iawn a bod yn fanwl; roedd hi ym Mhlas Coedmor efo Ebrillwen Davies a'r teulu, a'i mam ar goll ers tridiau.

"Ond roeddach chi wedi bod yno." Mae Elis yn tynnu ar ei smôc. "Oeddach, Adi, dwyt ti ddim haws â gwadu, mae pawb yn gwbod."

Mae Adi yn rhoi'r gorau i rwyfo, yn gadael i'r cwch bach ddrifftio. Yn dal her.

"Gafael yn y rhwyfa 'na, wir Dduw, neu yn y Werddon y byddwn ni'n dau."

"Doedd o ddim byd i neud efo Mam a fi. Mynd i saethu chwiaid gwylltion ddaru o, mi wnaeth chwarae droi'n chwerw."

"Titha'n fwy diniwad na d'olwg, neu ti'n trio taflu llwch i'n llgada i. Doedd yna ddim chwadan wyllt yn gegin Johnnie Moi, nac oedd."

Mae hi ar ei thraed, er ei bod hi'n gwybod mor beryg ydi hynny – a'r cwch yn siglo.

"Ista, wir Dduw. Ista!" Maen nhw allan ymhell dros eu dyfnder. "Ista, hogan! Mi gei gerddad bob cam tro nesa, dyffeia i di."

Ac mae hi'n eistedd yn lwmp blin ar y drawslath, yn syllu draw i'r môr. Mi aeth o'n rhy bell. Mi ŵyr yntau ei fod wedi bod yn annheg. Dim ond rhan o'r darlun sydd ganddi hi. Hogan ydi, ac mae o'n trio tynnu'n ôl.

"Geith o jêl, sti. Blynyddoedd o garchar a fydd pawb wedi anghofio amdano fo erbyn iddo fo ddod allan. Os daw o allan. Yr hen glimach iddo fo."

Ond mae Adi'n dal i ferwi.

"Ro'n i'n meddwl mai taniwr yn y gwaith brics oeddat ti, Elis, nid twrna. Neu farnwr ddylwn i ddeud."

"Ac ro'n inna'n meddwl dy fod ti jest â marw eisio dysgu morwrio. Aros di i mi ddeud wrth Mrs Jones Tŷ Coch am d'antics di gynna, 'mechan i, a buan iawn y cei di dy hel o'r *navigation class* 'na."

Daw y bygythiad hwnnw â distawrwydd, heblaw am lepian y dŵr ar ochor y cwch a sŵn y gwylanod uwchben cwch pysgota sy'n nesu at y lan. Mae Adi'n ailddechrau rhwyfo'n rhythmig ac o fewn munudau maen nhw'n cyflym groesi'r traeth. Edrycha wysg ei chefn a gofalu cadw'n ddigon pell allan i osgoi'r *Ibis* sydd wedi angori ym Mhen Cim, yn aros am droad y llanw cyn ei chychwyn hi'n ôl am Lerpwl. Mae hi'n rowndio'n daclus i draeth Henborth lle mae'r seiri'n hel eu taclau a'u hoffer yn barod i'w throi hi am adra a noswyl.

Ym mhoced ei ffedog, daw Adi o hyd i frechdan roedd rhyw hogan fusutor wedi'i chuddiad o dan ei gobennydd. Mae hi'n llenwi twll tan swper.

Ar dywydd sych mae hi'n braf ar y bwrdd, a'r olygfa o'u blaenau o'r bae a'i donnau bach, yr Eifl a mynydd Trefor a'r haul yn eu lliwio'n goch yn well na'r un ar y cardiau ffansi a werthir yn y Post. Dim ond bob hyn a hyn y daw'r olygfa gyfan i'r golwg pan ddaw chwa o wynt i chwythu'r leiniad cynfasau mae Lydia Catrin wedi'u golchi yn uchel i'r awyr.

Dyna lle mae'r ddwy ohonyn nhw rŵan, eu platiau ar eu gliniau a chwpanau te wrth eu traed, yn bwyta bara saim ac wy wedi'i ffrio arno efo bys a bawd.

"Mi fuo Elsie Captan Rol yma pnawn 'ma."

"O?" Mae Adi'n gwarafun na fasai'i mam wedi aros iddyn nhw orffen bwyta cyn dweud hyn wrthi.

"Yn cega mai hi a'i brawd pia'r *Mairwen* rŵan a'n bod ni yn tresmasu."

"Fasa Captan Rol ddim wedi lecio'i chlywad hi'n siarad fel'na efo chi. Fo ddeudodd y basan ni'n cael dod yma, ynde. 'Dan ni'n ei chadw hi'n daclus iddyn nhw. A'i gardio hi."

"*Squatters* ydan ni, medda hi, ac mi fasa plisman yn gallu ein hel ni o 'ma. Roedd hi'n bygwth llythyr twrna."

"A be ddeudoch chi?"

"Cynnig gneud ei golchi hi iddi tra ydan ni'n chwilio am rywla arall."

Er bod y *Mairwen* yn gyfyng a gwichlyd, ac yn gollwng dŵr ar lanw uchel fel bod y ddwy'n gorfod bod ar eu traed nos am oriau weithiau yn sbydu efo bwcedi, mae yn teimlo'n lle diogel i Adi. Mae hi'n dal i wneud y tasgau cynnal a chadw a ddysgodd y capten iddi: crafu cregyn a gwymon oddi ar y cêl ar lanw isel, crafu rhwd oddi ar yr angorion a'r gwaith haearn, peintio'r coed ac iro mastiau. Ond mae hi'n gwybod hefyd nad ydi hynny'n ddim ond cyffwrdd yr wyneb.

"Doeddwn i ddim am ddeud wrthi hi, i roi'r boddhad iddi, ond mi ydw i'n deud wrthat ti rŵan, Adi. Fedra i ddim aros gaea arall ar hon. Mae'r tamprwydd yn mynd i'n esgyrn i, mae 'nghefn i'n bynafyd a dwi annwyd dragwyddol."

Mae Adi'n hapus braf ar y *Mairwen*, ond mae'n synhwyro rhyw benderfyniad yn llais ei mam. Dyma benderfynu peidio sôn felly am achos llys Moses Dafis er bod hynny'n rhan o'r un helynt mewn gwirionedd.

Yn lle hynny aiff i lawr i dywyllwch yr howld. Wrth orwedd ar ei bol yno mae'r môr yn rhuglo'n fawr ac yn agos; mae fel bod tu mewn i gragen. Mae hi'n gallu gweld golau dydd yn sbrencs bach disglair rhwng sawl un o'r styllod yn ei gwaelod. Clywodd rai o'r hogiau ifanc yn sôn ymysg ei gilydd bod cymysgu had lli efo Stockholm tar wedi'i boethi yn gweithio i selio tyllau a bod yn tar yn chwyddo wrth sychu, ond fod angen llenwi'r sêm ar ei hyd ac yn ei thrwch, rhwng saith a naw modfedd. Joban araf a thrafferthus yn gofyn am lawer iawn o dar ac o sgìl. Fu dim llanw uchel iawn ers dau fis a mwy, ond er hynny mae yna hen wlybaniaeth yn glynu yn y coedyn ac yn bygwth pydredd. Mae deigryn yn disgyn drwy un o'r tyllau ar y tywod aur islaw.

Pan ddaw Lydia Catrin i chwilio amdani ar ôl golchi llestri a hel y dillad, mae Adi'n chwyrnu cysgu.

5

Cyn cychwyn am Lerpwl i gyfarfod John ar ôl derbyn llythyr gan y cwmni'n dweud ei fod ar y ffordd adra, roedd Elin wedi gorfod gwneud trefniadau brys. Roedd y rhestr cyfarwyddiadau i'w chwaer Anne ar ôl iddi gytuno i warchod yn un hir ac ni allai'n hawdd iawn ychwanegu 'Paid â sôn be sy wrth neb' ar ei diwedd. Ar y pryd, doedd Elin ei hun hyd yn oed ddim yn gwybod pam roedd ei gŵr wedi gorfod rhoi'r gorau i gapteiniaeth ei long hanner y ffordd ar draws y South Atlantic, a doedd hi ddim wedi datgelu'i hamheuon wrth neb, yn sicr ddim ei phobol fusutors na'i theulu agosaf.

Daw yn amlwg bod Anne wedi bod yn siarad amser brecwast drannoeth. Wrth iddi wisgo'i ffedog ond cyn dechrau ffrio hyd yn oed, mae'r gloch fach sydd gan y fusutors ar y bwrdd yn y parlwr yn tincial.

"We just wanted to know how Captain Jones is, Mrs Jones. We're glad you're both back safe."

"And how was your journey, Mrs Jones, dear?"

"All right, thank you. He's just tired. Thank you very much, Mrs Cartwright."

"Did he bring you a nice present? A souvenir?"

"Wilfred can't wait to meet him." O'r bwrdd arall. "A real ship's captain!"

"Well, there are plenty of those about, you know." Dim ond pen Elin sydd yn y golwg, mae gweddill ei chorff yn y pasej. "Now if you'll excuse me, everybody, or there will be no breakfast."

Aiff yn ôl i'r gegin a thaflu lwmpyn o lard i'r badell ffrio. Pa eisio dweud dim byd oedd? Pam bod Anne yn teimlo fod angen entyrteinio'r bobol yma trwy ddweud ei hanes hi a

John wrthyn nhw? Beryg na fyddai dim llonydd i'w gael rŵan. Bydd y Cartwrights yn mynd adref ddydd Sadwrn, trwy drugaredd. Ond bydd teulu'r Ibberstons yma am fis; y doctor yn mynd yn ôl i'w waith yn Runcorn fory ac yn dod i nôl ei wraig a'r plant ar ddiwedd y gwyliau.

Daw Adi i'r cefn, wedi bod yn nôl dŵr o'r pìn a'r bwcedi'n clincian. Gwêl ar wyneb Elin Jones y munud y daw drwy'r drws mai calla dawa ydi. Felly i fyny â hi i'r llofft i nôl yr esgidiau gan fynd ar flaenau'i thraed heibio'r llofft gefn. Yn y cowt, mae hi'n gosod esgidiau'r fusutors yn rhes, yn estyn y brwshys a'r polish ac yn dechrau sgwrio'i hochor hi.

Ar ôl gorffen tendiad a rhoi Adi ar waith efo'r llestri aiff Elin i fyny am y llofft gefn efo hambwrdd; arno fo mae brechdan gig moch a thebotiad o de. Mae hi'n clywed y bobol ddiarth wrthi'n paratoi i fynd allan am dro ac yn dyheu am iddyn nhw wneud siâp arni. Pwy fyddai'n dewis aros mewn llofft glòs a hithau'n fore o haf glas ar ôl aros blwyddyn am wyliau?

Mae John yn gorwedd a'i gefn ati, yn wynebu'r ffenest, a'r gorchudd gwely, y garthen las, wedi'i chodi at ei wddw.

"John, ydach chi am dipyn bach o frecwast?" Daw o gylch y gwely ato ac eistedd wrth ei ymyl. Gallai ddweud oddi wrth ei wegil y munud yr agorodd y drws nad oedd o'n cysgu; roedd yn dal ei hun yn rhy dynn. Ond mae ei lygaid ar gau. "Mae hi'n tynnu at hanner awr wedi deg. Mi gadewish i chi nes fy mod i wedi gorffen efo'r bobol a chael dipyn o drefn. Codwch ar ych eistedd, mi fydd yn brafiach i chi."

Mae o'n codi'n ufudd. Mae arno angen cael torri'i wallt, ac mae'i locsyn o'n nyth brân, a blew gwyn yn y gwallt a'r locsyn nad oedden nhw yno cynt. Cymer y te ganddi a dal y gwpan â dwy law.

"Gofiwch chi y llynadd? Yn New York? Pan aethon ni am dro ar hyd y docia, a chitha'n prynu'r hwda bananas mawr yna i ni, ac mi roeddan ni'n eu bwyta nhw i frecwast bob dydd. Dwi'n dal i freuddwydio am eu melyster nhw."

Mae John yn nodio, a hithau'n estyn y frechdan gig moch iddo fo. Mae o'n troi fel bod ei draed dros ochor y gwely, ac wedyn yn claddu'r frechdan a sychu'i geg efo cefn ei law. Fel y bydd dynion yn bwyta ar long neu mewn caban chwarel a dim merched o gwmpas. Fel petai hi ddim yna. Yn sydyn, daw pwl o gryndod i'w ddwylo, a'r te yn colli i bob man.

"Losgoch chi?"

Dydi o wedi cynhyrfu dim. Ond mae'n edrych yn syn ar y gynfas wlyb.

"Wedi bod ormod wrth yr helm, beryg."

"Waeth befo, duwcs." Mae'n ei weld yn eistedd ar ei ddwylo.

"Mi basith."

"Tynnwch y crys nos. Mi ddo i â dŵr poeth i fyny i chi gael newid a molchi."

Ond gorwedd yn ôl y mae o, o mor araf, a chau ei lygaid, a throi draw oddi wrthi.

Ar ôl agor y ffenest, a rhoi'r llestri'n ôl ar yr hambwrdd, mae hi'n penderfynu mynd i lawr, ac yn cau'r drws yn ofalus ar ei hôl.

Mae yna siwrna o'u blaenau nhw.

Mae Pegi wedi arfer dŵad draw bob gyda'r nos i eistedd efo Elin yn y gegin am ryw hanner awr bach. Byddai'n arfer dod tra oedd John i ffwrdd, ailddechreuodd ar ôl i Hughie fynd adra ac mae hi wedi dod heno eto. Daeth yn ei brat a'i chlocsiau ar ôl gorffen clirio llestri swper ac eistedd ar y setl tra mae Elin yn gorffen clirio. Prin sôn sydd am John.

"Roedd Nhad yn deud fod yna sôn am ffrwydrad mawr

yn un o weithfeydd glo y de yna. A llawar iawn o ddynion wedi'u lladd dan ddaear, cofia."

"Taw, chlywish i ddim. Wel am sobor."

"Mi fydd yn y papura fory. Dega lawar wedi'u lladd, medda fo. Dynion. Llancia. A cheffyla."

"O Pegi. Druan ohonyn nhw, a'u teuluoedd. Mae'r pylla glo yna'n beryclach na chwareli, sdim dowt."

"Un o weithfeydd Sir Forgannwg oedd o, roedd Nhad yn deud. Cilfynydd."

"Mygu wnân nhw, beryg, neu gael eu gwasgu, cryduriaid bach. Gwaeth na boddi."

"Mae o'n gneud i ti feddwl, tydi, Elin. Am Ragluniaeth."

"Rhagluniaeth?"

"Y drefn. Oedd o i fod i ddigwydd? Pam basa Duw eisio i rywbath fel'na ddigwydd? Neu wedi caniatáu iddo fo ddigwydd. Dinistr fel'na. A'r holl dorcalon yn ei sgil o."

Mae Elin yn dawel am ennyd, yn meddwl. Clywir twrw Wilfred a'i chwaer Connie yn chwarae gêm neidio ar y grisiau. *"One step."* Naid. *"Three steps."* Sbonc fawr. *"Five steps."* Un o'r ddau'n baglu, syrthio, sŵn nadu. Drws y llofft yn agor. *"You two! Up here. Now!"*

"Dynion sy'n myrraeth efo byd Duw, ynde," ydi ateb Elin ar ôl i bethau dawelu. "Petai dynion heb fynd dan ddaear, neu gloddio creigia neu drio meistroli'r moroedd ac ati fasa hannar y trasiedïa rydan ni'n gwybod amdanyn nhw ddim wedi digwydd. Dynion sy'n farus ac yn ffaeledig."

"Nid Duw sy'n gyfrifol felly? Dwyt ti ddim yn credu mewn trefn Rhagluniaeth felly?" Mae hyn yn rhyfeddod i Pegi, ac yn herfeiddiol.

"Nacdw, a dynion dwi'n feddwl hefyd, Pegi."

"Ond mae'n rhaid cael llechi i doi tai, a glo i ffatrïoedd ac i'n cartrefi. Mae'n rhaid i'r byd droi."

"Ac mae dynion yn camu'n rhy fras bob gafael. Eisio elw, eisio mwy. Mae merched yn fwy gofalus. Am ein bod ni'n fama . . ."

"Dydan *ni* ddim yn fama."

Edrycha Elin i wyneb agored, hoffus Pegi. "Nac ydan."

"Rhaid i mi fynd." Mae Pegi'n codi ar ei thraed. "Cyn i mi droi'n broffwyd yn fan'ma. Dim ond galw'n sydyn oeddwn i i holi am John ac i ddeud hynna. Rhaid ni gofio amdanyn nhw yn ein pader, Elin." Mae'n aileistedd wedyn. "Ac ro'n i wedi meddwl sôn fod Robin wedi cael rhyw syniad i werthu bwyd parod i fusutors sy'n mynd am owtings, i'r traeth neu i bysgota, a meddwl y basat ti'n sôn wrth dy bobol di. Brechdana a theisan."

"Mi wna i, fory nesa." Becar ydi Robin ym mecws bach Tywyn, a'i enw wedi bod yn codi'n aml yn y sgwrs ers misoedd. Newydd gymryd y busnes mae o, ac wrthi'i orau'n hel digon o gelc i brynu trol bowlio i ddanfon ei gynnyrch o gwmpas.

"Chwe cheiniog i bobol a grôt i blant oedd y pris."

"Bargan." Mor fuan y mae bywyd bob dydd yn hawlio'i le yn ôl yn ein bywydau.

Pan aiff hi i'w gwely, ar ôl gorffen cael bob dim yn barod at y bore, mae John yn cysgu. Mae hi'n noson glòs a rhaid iddi gael agor y ffenest. Daw oglau cae gwair wedi'i dorri ar yr awel. A gorwedda yno'n hir yn meddwl am newyddion Pegi – y cwymp mawr ym mhwll glo Cilfynydd, a'r dynion a'r hogiau a'r ceffylau druan wedi'u cloi dan ddaear.

Ac mae hi'n troi at y drws, rhag ofn i John ei chlywed hi'n crio drostyn nhw.

Ganol nos, caiff ei deffro gan John yn gweiddi dros y tŷ. *"Bring her about! Get up there NOW!"* Mae o'n crynu drwyddo, sgytiadau fel siociau trydan yn saethu drwyddo, ond ei lygaid yn gaead. Rhydd Elin ei breichiau yn dynn amdano a'i ddal â'i holl nerth nes iddo lonyddu.

Mae yna sŵn traed a lleisiau ar y landin a rhaid iddi fynd allan i ddweud wrth bawb am fynd yn ôl i'w gwlâu, nad oes dim byd yn mater, wedi cael hunllef mae ei gŵr. Aiff i wneud cwpanaid iddo ond pan ddaw yn ei hôl, mae mewn trwmgwsg, ac yn ei siglo'i hun yn ôl ac ymlaen fel petai môr mawr odano.

6

"John. Mae yna lythyr wedi dŵad i chi gan y cwmni."

Mae hi'n ddydd Llun, a John adra ers pythefnos. Yn ystod y pythefnos hwnnw yn ei wely y mae o wedi bod, ar wahân i fynd i'r geudy ym mhen draw'r ardd cyn i neb godi, ac ar ôl i bawb fynd i'w gwlâu. Yn ystod y dyddiau cynta, ceisiai Elin ei berswadio i godi allan. Ond rhaid iddi gyfadde iddi hi'i hun ei fod yn edrych wedi llwyr ymlâdd. Bob dydd bu'n rhoi adroddiadau manwl iddo ar y tywydd, yn sôn am newyddion y pentre a hanes y fusutors. A John yn gwrando'n dawel. Siaradodd dipyn am y danchwa fawr yng Nghilfynydd a'r holl fywydau a gollwyd, a'r teuluoedd a chwalwyd. Daeth â'r *Brython Cymreig* iddo gael darllen yr hanes ei hun a'i osod ar y bwrdd bach wrth ymyl y gwely. Ac yno y bu, yn ei blyg.

"Fasach chi'n lecio i mi agor y llythyr 'ma, a'i ddarllen o?"

Mae'n amneidio arni. Daw Elin i eistedd ar ochor y gwely, a chwilio am law John efo'i llaw chwith tra mae hi'n dal y llythyr i'w ddarllen yn y dde. Caiff ei hun yn darllen y cynnwys iddi hi'i hun yn gyntaf, ac wedyn yn rhoi crynodeb iddo fo yn eu hiaith nhw.

"Mae'r cwmni yn cofio atach ac yn dymuno adferiad buan a llwyr i chi. Aralleiriad o adroddiad y meddyg sydd yma . . . 'In my opinion as a doctor, Captain Jones is suffering from strain brought on by stress and exhaustion . . . with rest and care, he should make a complete recovery within six months . . .' Wel dyna newyddion calonogol iawn, John."

Mae hi'n cynnig y llythyr iddo gael ei ddarllen drosto'i hun. Ond ysgwyd ei ben wnaiff o, a gorwedd yn ôl yn y gwely.

Ar ddiwedd y llythyr roedd paragraff byr yn dweud y

byddai achos John yn cael ei gynnal yn Lerpwl yn fuan. Y cyhuddiad y byddai'r Bwrdd Masnach yn ei ddwyn yn ei erbyn oedd 'incompetency', neu 'unfit to be in charge of a vessel', gyda'r hawl i gadw ei docyn am dri mis, chwe mis, blwyddyn neu am gyfnod amhenodol. Byddai tystion yn bresennol i roi tystiolaeth a disgwylid iddo yntau hefyd fod yno. Yn y cyfamser, nid oedd y cwmni'n gweld y gallent roi capteiniaeth llong nac unrhyw gyfrifoldeb iddo, ond roeddent yn dymuno iddo adferiad buan a chyflawn.

Achos? Doedd hi ddim wedi ystyried am funud y byddai yna achos. Euog o be yn union oedd o? Petai wedi cael ei daro'n wael â'r *yellow fever* ofnadwy yna, ac wedi gorfod mynd i'w wely, a methu gwneud ei waith fel capten, fyddai dim achos neu 'charge' yn ei erbyn o. Beth ydi'r gwahaniaeth ei fod wedi'i daro i lawr gan straen? Onid salwch ydi hynny? Wrth edrych arno yn y gwely rŵan, mae hi'n gallu gweld mor blaen â haul ar bared fod rhywbeth mawr yn bod ar John. Mae o'n edrych fel petai wedi cael ei wasgu o dan ryw bwysau anferth, wedi'i lorio nes ei fod ar wastad ei gefn a dim egni i godi na gwynt i siarad ganddo. Mae fel creadur wedi'i guro â chwip anweledig.

Pan gyrhaeddodd cist John adra, yng nghanol prysurdeb hwylio bwyd bythefnos ynghynt, roedd Elin wedi gofyn i'r cartmon ei rhoi yn y cwt. Roedd lle'n brin yn y tŷ, ac at hynny doedd hi ddim yn barod ynddi'i hun i'w hagor. Câi blwc o euogrwydd weithiau wrth feddwl am ei ddillad yn pydru ynddi, ond dim digon i fynd yno i'w hestyn nhw allan a'u golchi nhw chwaith. Dim ond crys nos a wisgai John o un pen diwrnod i'r llall beth bynnag a doedd dim angen dillad arno. Mae dychmygu gweld ei ddillad gwisgo yn anodd. Ond mae'r llythyr gan y cwmni wedi'i phrocio.

Ar ôl cinio aiff i'r cwt, llusgo'r gist allan i'r cowt, ac ar ôl ei gosod ei hun ar stôl odro, cychwyn ar y dasg o'i gwagio. Mae'r trowsusau a'r crysau a'r ddau grysbas yn dangos ôl gwisgo: heli môr wedi'u gwynnu, a rhwygiadau yn y pengliniau a dan y ceseiliau. Er bod y sanau wedi'u rowlio maen nhw'n damp drwyddyn, wedi dechrau datgymalu ac yn drewi. Rhaid eu taflu. Mae yno gôt drom, heb dorri'r graen – yn edrych dwtsh yn rhy fawr iddo, ac ogla *linseed oil* arni. O le y daeth hon, tybed? O dan y dillad daw o hyd i waith papur, ac adnabod ei lawysgrifen slantiog. Mae'n gosod y papurau'n bentwr ar y sìl ffenest. Gwêl y *photograph* ohoni a dynnwyd yn yr Invincible Travelling Studio yn Stryd Penlan, Pwllheli, yn rhincls fel petai wedi cysgu efo fo. Mae ei organ geg o yno, a'i gyllell boced, ei becyn nodwyddau a'r gwlân fu ganddo'n gwnïo llun y *Cambrian Queen*. I'r golwg daw ei hen fag lledr yn cynnwys ei holl stifficets glanio a gadael porthladdoedd dros y blynyddoedd, mor llawn nes ei fod yn gwrthod cau. Ei Feibl. Y llythyrau ganddi hi wedi'u clymu â darn o gortyn. Ambell ddarn o offer trwsio hwyliau – sêm-près, gwarbin, *palm* i arbed cledr ei law, siswrn a llinyn. Secstant. Dwy bibell, un wedi torri. Pac o gardiau budr, gêm ddraffts mewn bocs pren. Powdwr at y ddannodd. Pìn sgrifennu sbâr. Pwrs lledr ac ychydig arian mân ynddo, a dau bapur punt.

Dyma'i fywyd i gyd allan ar y cowt o'i blaen.

Gan adael bob dim arall am y tro, aiff â'r dalennau papur mawr ffwlsgap i'r parlwr i'w cadw yn y drôr bwysig lle mae eu holl waith papur. Popeth dan glo efo'i gilydd. Byddant yn saff yma nes daw pnawn y bydd yn rhaid ateb ymholiadau Thomas Williams & Co. am gyfrifon y daith, pan fydd John wedi cryfhau. Ar ôl eu gosod yn dwt mewn cas lledr, mae hi'n taro golwg sydyn dros y pethau eraill sydd yno: eu tystysgrif priodas, eu cytundeb rhent, y llythyr o Lys Morol Brasil ac adroddiadau'r *Wildrose*. Torion papur newydd.

Dyma lle mae'r amlen yn cynnwys y pum cant punt i fod. Byddai hi bob amser yn cadw'r cas llythyr hir gyda Mr & Mrs John Jones arno yn y gwaelod o dan bopeth arall, ac o dan bapur leinin y drôr hyd yn oed. Yr unig un heblaw hi sy'n gwybod lle cedwir goriad y drôr yma ydi John. Ac roedd yna ran fach ohoni wedi meddwl, wrth ddechrau gwagio'r gist heddiw, y byddai hi'n dod ar draws yr arian yno, yn bentwr twt, ac y byddai'n gallu'u rhoi yn ôl yn eu priod le heb ddweud dim. Yr arian annisgwyl yna oedd eu polisi yswiriant rhag stormydd bywyd. Efalla, wrth gerdded drwy'r storm hon, y bydd eu gwir angen arnyn nhw.

Ar ôl cadw gweddill cynnwys y gist yn eu holau, mynd â'r dillad i'w golchi a llusgo'r gist yn ôl i'r cwt am y tro, mae Elin yn gwneud diod oer i fynd i fyny iddi hi a John. Mae'n bnawn cynnes, yr awyr yn ddigwmwl a phlant i'w clywed allan yn chwarae ar eu ffordd o'r ysgol ac mae'n bechod eu bod nhw yma yn y tŷ. Pan oedd hi'n nyrsio Miss Glad roedd Elin yn deall yn iawn beth oedd ei dyletswyddau. Nyrsio diwedd oes oedd o. Paratoi bwyd llwy, llymru a bara llaeth a siot, molchi'r hen wraig bob dydd a choban lân bob tridiau, ei chodi ar y comôd, ei dandwn a rhoi'r ffisig calon iddi nos a bora. Ac adrodd storïau wrthi.

Rŵan, efo John, mae'r gofal yn wahanol. Ydi hi i fod i adael iddo fo? A fasa'n well troi arno fo a dweud dipyn bach o drefn? Ddylai hi fod yn ei drin o fel infalîd? Neu a ddylai hi annog pobol draw am sgwrs i symud ei feddwl o? Er ei bod ar dir diarth mae ei greddf yn dweud wrthi mai ffolineb fyddai dweud dim i'w boeni. Dydyn nhw ddim hyd yn oed yn trafod y cryndod a'r hunllefau a'r chwysu mawr. Heb sôn am yr achos llys na'r pum can punt colledig.

Mae'r ddiod ysgaw a'r frechdan yn dda, a bwytânt yn gytûn, fel dau dderyn to.

7

Mae ofn y nos ar Lydia Catrin ers noson torri'r bedd ym mynwent eglwys Nefyn.

Ac yn waeth hyd yn oed na honno, y noson arall honno, dridiau wedyn.

Bwyta wy wedi'i ferwi i swper cynnar roedd Johnnie Moi a hithau ar y pryd. Drwy'r dydd roedd hi wedi bod yn llusgo hyd y patsys yn chwilio am Adi ond heb weld yr un lliw ohoni. Bu yng Nglan Deufor a chael cawell. Aeth draw i nymbar ffôr Gorffwysfa Row ond roedd wedi'i gau a'i fordio, a dim ffit i gi. Ymlaen â hi wedyn i Henborth ond doedd Capten Rol na neb arall ar gyfyl y *Mairwen*; holodd yn y tai o gwmpas ond doedd neb wedi'i gweld hi. Aeth cyn belled â wal gardd Plas Coedmor yn Nefyn ond fentrai hi ddim cnocio'r drws i holi. Oedd hi wedi gweld cysgod Adi yno, yn y parlwr cefn efo'r plant? Gafodd hi aros yno ar ôl i'w mam ei gwadu i bob golwg? Roedd Mrs Ebrillwen Davies yn ddynes agos i'w lle ond allech chi byth ddweud efo capelwrs.

Wrth i'r dydd dynnu'i draed ato trodd Lydia yn ei hôl tua Llain Beuno yn lluddedig. Roedd croeso iddi hi yno ond be oedd hi am ei wneud efo Adi pan gâi hyd iddi? Doedd hi a Johnnie heb gael y sgwrs honno eto.

Cyn blasu'r melynwy daeth anferth o glec o'r gwyll tu allan gan chwalu'r lamp olew a ffenest cegin Llain Beuno'n deilchion. Gadawyd y ddau mewn tywyllwch syfrdan. Gwthiwyd gwn dau faril drwy'r ffenest ddrylliedig a dechreuodd Lydia sgrechian fel seiren. Ynghylch ei bethau mewn eiliad, roedd Johnnie wedi'i gwthio hi i lawr o dan y bwrdd, a chodi hwnnw ar ddwy goes fel ei fod yn faricêd rhag ymosodiad. Rhoddodd law fawr dros ei cheg i'w chadw'n dawel, a'i dal rhag iddi ddianc. Gan afael yn un o goesau'r bwrdd, dechreuodd fagio at y drws, drwy'r chwalfa wydr ar hyd y llawr gan lusgo Lydia efo fo.

"Lydia Catrin, tyd allan, y bitsh! Mi saetha i di'n farw, myn diawl!"

Unwaith y cyrhaeddon nhw'r pasej, llwyddodd Johnnie i gau y drws, ond doedd dim clo arno.

"Be os daw o drwy'r ffenast? Johnnie?!"

Roedd o wedi troi ati. Yn erbyn paent brownllyd y pasej, gallai weld gwyn ei llygaid hi.

"Ddaw o ddim, mae'r ffenast yn rhy uchal, mi chwalith 'i geillia. Aros di yn fan'ma."

"Naaaa!"

"Mi setla inna fo."

"Paid â 'ngadael i, paid!"

Clywyd ergyd arall, a'r ffrwydrad wrth i lestri'r dresel chwalu'n shitrwns.

"Arglwydd mawr, mae o 'di'i cholli hi! Mi lladdith ni'n dau, y bastad!"

Roedd Johnnie wedi codi dwrn ac wedyn bys ar Lydia i'w warnio i gau'i cheg, cyn cychwyn yn ei gwrcwd tua drws y cefn. Mynnodd Lydia ei ddilyn fel gast ar ei phedwar. Ar ôl llwyddo i agor drws y gegin yn dringar, bachodd Johnnie ddarn o raff oedd yn crogi rhwng y cotiau a mynd ar flaenau'i draed, gan adael ei glocsiau ar ôl. Cododd Lydia un o'r cerrig rhydd o gylch y tŷ a'i stwffio i gledr ei law. A safodd wedyn i'w wylio fo'n mynd; roedd hi'n gallu ei ddilyn bob cam o'r portsh, ei weld o'n rowndio.

Anelodd Johnnie at benysgwydd y saethwr, gan daro'i glust ac ochor ei ben yn galed a thaflu'r gwn ymlaen o'i afael. Taflodd y garreg y saethwr oddi ar ei echel, a chyn iddo fedru codi yn ei ôl a bachu'r gwn, roedd Johnnie ar ei ben o, a'r rhaff am ei wddw.

"Symuda un bêr, ac mi taga i di, y diawl! Lydia, tyd yma

i helpu efo'r rhaff 'ma. Lydia!!" Doedd dim golwg ohoni. "Lydia!"

Daeth o'r diwedd, a rhyngddynt llwyddwyd i glymu'r rhaff am arddyrnau'r saethwr, ac wedyn ei draed a hwnnw'n gwingo ac yn rhegi a chicio. Erbyn i feibion Tyn Pwll gyrraedd, y pedwar ohonyn nhw, wedi clywed y sŵn saethu, roedd Johnnie wrthi'n llusgo Moses Dafis gerfydd ysgwyddau'i gôt i'r stabl gan ei ddamio bob cam a Lydia yn cario'i draed.

Aeth un o'r hogiau i chwilio am John Humphreys y sarjant, a chymerodd Arthur, yr hynaf, y gwn a'i roi o ar ben y wal. Dechreuodd Lydia glustochi a melltithio ei hewyrth nes i Johnnie yn y diwedd ei thynnu oddi arno, a dweud y byddai'n well arafu cyn iddi ei ladd o.

A dyna pryd y dechreuodd hi hornio crio. Sefyll yno'n udo gan blygu yn ei hanner ac wedyn sythu a dolefain ar y sêr. Rhedai'r gwaed o'r tyllau a dorrwyd yn ei phengliniau gan y gwydr ac i lawr i'w sgidiau. Mor anodd oedd ei gwylio, aeth Johnnie Moi ati, a rhoi ei freichiau amdani a dweud, "'Na ti, 'mechan i, ti'n saff rŵan, mae'r cwbl drosodd rŵan. Neith o ddim byd i ti eto, dyffeia i fo."

Ac roedd yr hogiau wedi edrych i bob man, wedi mynd iddi wrth weld eu hen gymydog blêr, prin ei ddannedd yn siarad fel'na efo'r ddynes yma, ac yn gafael mor ofalus amdani.

8

Mae'n cymryd dipyn bellach i Sydna Robaits y Ffridd godi allan ond ar ôl cinio ddydd Sadwrn, aiff i molchi a newid, ac aiff Gruffydd i roi Dic y merlyn rhwng llorpiau'r drol. Mae John eu mab yng nghyfraith adra ers tair wythnos bron bellach, a hwythau byth wedi'i weld o. Dywedodd Bob a Jane wrthynt y bydd yn mynd yn ei ôl i Lerpwl i gyfarfod pwysig cyn hir, ac ni fedr yr hen wraig ar ei chydwybod feddwl amdano'n mynd heb iddi fynd i edrych amdano. Mae'n estyn potiad o jam cwsberis i fynd efo hi, bara ceirch cartre a phwys o fenyn. Pan glyw sŵn pedolau ar yr iard o flaen y tŷ, gwisga gêp fer, dod â siôl hefyd at y siwrna adra ac estyn ei ffon. Mae'n gofalu cau y drws rhag i'r gath fynd i'r tŷ llaeth.

Wrth i'r merlyn fynd ar drot, ceir golygfa werth chweil o'r tir o gwmpas dros y cloddiau. Daliodd y tywydd ac mae pawb wedi cael y gwair, a'r ceirch a'r haidd yn euro yma ac acw. Draw yn y pellter mae'r môr cyn lased â'r awyr, a daw teimlad dros Sydna Robaits fod y byd yn gallu bod yn lle braf. Bu'r flwyddyn a aeth heibio yn un galed iddi hi a Gruffydd, o'r adeg pan aeth Bob ei mab yng nghyfraith i Groesoswallt ar y trên i nôl Tomos, eu hunig fab, a dod ag o adra mor druenus. Talodd i garier ddod â nhw o'r dre, a Tomos yn y trwmbal yn gorwedd ar wellt, ac wedi'i lapio mewn blanced. Cariodd Bob o i'r tŷ oherwydd ddaliai ei goesau mohono fo, ac ar ôl iddo eistedd am ychydig ar y setl, i'r siambar a'r gwely. Prin y cododd ar ôl hynny drwy'r haf. Yr wythnosau cynt, roedd Gruffydd a hithau wedi teimlo braidd fod Elin wedi gwrthod eu cais i nôl ei brawd; anaml yr byddent yn gofyn dim iddi, a chymwynas fach fyddai hi. Ffwlbri yn eu meddwl nhw ill dau oedd mynd yr holl ffordd i New York am gwta fis. Ond ar ôl gweld Tomos, roeddent ill dau'n falch mai Bob oedd wedi mynd. Unwaith y daeth hi adra roedd Elin wedi rhoi ysgwydd o dan y baich, a byddai'n dod bob wythnos i edrych amdanynt, ac yn rhoi help llaw yn y tŷ neu allan. Os collwyd rhyw fesgyn pan wrthododd fynd i nôl ei brawd, daeth bob dim yn ôl i'w le o dipyn i beth. Eu tro nhw oedd hi heddiw: bob yn ail mae cŵn da'n rhedeg.

Ychydig iawn y mae Gruffydd a Sydna'n siarad am Tomos, neu Tom fel yr oedd iddyn nhw, achos mae'r naill neu'r llall yn siŵr o fynd i grio. Daethai'r doctor draw o Nefyn i'w olwg fwy nag unwaith ond doedd neb fawr elwach ar ôl iddo fo fod, er talu. Rhyw ysgwyd ei ben wnâi o bob tro a sôn am ddicléin. Nid y diciáu oedd o chwaith, doedd o ddim yn pesychu na chodi gwaed. Nychu oedd o. Doedd ganddo ddim stumog at fwyd, roedd yn wyn fel y galchen a gallent ei weld yn wastio o flaen eu llygaid o wythnos i wythnos. Meddyliai Sydna weithiau beidio bod rhyw ddrwg yn ei fwyta o'r tu mewn, bod tyfiant llidiog yn ei ymysgaroedd na fedrai'r doctor ddod o hyd iddo na'i wella petai yn dod o hyd iddo. Mynnai Anne ei fod wedi troi'i wyneb at y pared am i'w briodas chwalu. Un yn unig, Jane, a fu'n ddigon dewr i awgrymu wrth Elin fod Tomos wedi mynd yn slaf i'r ddiod, am fod Margaret y wraig yn hen dyrcan anodd byw efo hi, ac mai hi trodd o o'r tŷ. Ei chyngor hi oedd i beidio sôn, am nad oedd unrhyw ddiben ychwanegu loes at boen.

Un Sul a'r genod i gyd adra, bu sôn am yrru am Margaret, oedd yn dal yn wraig i Tomos wedi'r cyfan, i ddod i ffarwelio. Roedden nhw ar eu traed nos efo fo erbyn hynny ers wythnosau. Ond rhesymai Gruffydd ei bod yn sicr o fod wedi deall mor gystuddiol oedd o, a'i bod yn gwybod lle'r oedd ei gartre. Roedd y trên yna at ei gwasanaeth bob cam i Bwllheli, on'd oedd? Felly ganol mis Hydref llythyr yn dweud wrthi fod ei gŵr wedi marw, yn bedair a deugain oed, a dderbyniodd Margaret, ac yn egluro ymhellach y câi ei gladdu ym mynwent Ceidio, ym mynwes y teulu. Ddaeth hi ddim i'r cynhebrwng – ei rieni a'i chwiorydd oedd y prif alarwyr – ond rhoddwyd ei henw'n barchus ar y cerdyn mowrnin.

Dydd Sadwrn ydi diwrnod prysuraf Elin yn yr wythnos, gan fod angen llnau a newid gwlâu wrth i un criw o bobol ddiarth fynd, a chriw newydd gyrraedd. Bydd y doctor a'i deulu yn troi am adra fore Llun ond tan hynny bydd deg o fusutors yng Nglan Deufor. Does wybod yn iawn pryd y bydd y criw newydd, yr Hadleys, yn cyrraedd, a'r arferiad ar nos Sadwrn ydi swper oer – platiad o frechdan, cig a phicl a chaws, a tharten yn bwdin. Yr unig beth sydd angen ei wneud iddyn nhw wedyn ydi'r te. Erbyn i Gruffydd a Sydna Robaits gyrraedd Plasyngheidio, mae'r byrddau wedi'u gosod a dysglau dros bob dim.

Y pnawn hwn hefyd, am y tro cyntaf ers iddo gyrraedd adra, mae John wedi dod i lawr. Unwaith y cafodd gefn y fusutors, ac i Adi roi clep ar ddrws y cefn, roedd wedi codi ac ar ôl hanner gwisgo amdano wedi dod i lawr i'r gegin at Elin.

"John!"

"Meddwl y baswn i'n altro o gael bath."

"Be? Rŵan?!"

"Ia."

Dyma'r unig beth y mae ei gŵr wedi gofyn amdano ers cyrraedd Glan Deufor. Mae Elin yn edrych o'i chwmpas. Mi fedr hi gloi drws y cefn a thynnu'r cyrtan ar draws y drws o'r gegin i'r pasej, a chau'r cyrtans ond hyd yn oed wedyn, canol y pnawn ydi. Ond mae'n llenwi'r tecell a mynd i nôl y celwrn mawr i'r cwt. Mi gymer sbel i gael digon o ddŵr i John allu mynd i'r bath ac arhosa'n amyneddgar i Elin ferwi'r dŵr ac estyn lliain.

Newydd fynd i'r celwrn y mae John ac Elin yn golchi'i wallt a'i wegil efo sebon coch, pan mae dwrn y drws cefn yn cael ei ysgwyd yn nerthol.

"Elin. ELIN!"

Mae Elin yn rhewi yn ei hunfan a'r cadach gwlanen yn ei llaw.

"Fi a dy dad sy 'ma. Wyt ti adra 'na?"

Clywir sŵn esgidiau hoelion Gruffydd Robaits yn dod yn drwm ar hyd y cowt. Mae yna gnocio mawr ar y ffenest.

"Beidio bod hi wedi mynd i negas neu ballu, Gruffydd?" Mae gan Sydna lais uchel, treiddgar. "Be wnawn ni?"

Clywir mwy o gnocio taer.

"Dydyn nhw ddim adra, nac ydyn. Tyd yn dy flaen, Sydna. Mae arna i angan mynd i weld Morus Roberts yn y felin. Ac mi gawn 'panad gan Jane ar y ffor' adra. Ddown ni eto, yldi."

Mae Elin a John yn hollol lonydd wedi cytuno, trwy iddi hi roi'i llaw gadarn ar ei benysgwydd, mai cogio nad ydynt gartre ydi'r cynllun gorau.

Does dim osgo symud ar Sydna.

"Wel ro'n i'n meddwl yn siŵr y basa hi adra ar ddydd Sadwrn a hitha'n newid fusutors. Hi neu John 'te."

"Hitia befo."

"Ond be wna i efo'r jam, a'r menyn a'r bara ceirch 'ma?"

"Wel eu gadael nhw yn y cwt allan. Mae hi'n siŵr o glandro pwy sy wedi bod."

Ar hynny clywir sŵn ceffyl yn gweryru a cherbyd yn gwichian i stop o flaen y tŷ ar Lôn Isa. Mae'r siarad Saesneg llawn cyffro a miri plant yn egluro mai'r bobol ddiarth nesaf sydd wedi cyrraedd. Yn gynnar. Dyna'r giât yn cael ei hagor a sŵn cnocio uchel yn ysgwyd drws y ffrynt a llais yn galw, "Mrs Jones, it's the Hadleys. We're here! Hello there!"

Y tro yma, does dim dewis, rhaid i Elin fynd i agor y

drws ffrynt. Mae'n sychu'i dwylo, tynnu'i brat, rhoi'i llaw ar ei *bun*. Mae'r teulu mawr a'u bagiau yno'n aros amdani, yn llawn eu hwyliau.

"Please, come in. Lovely to see you all. Welcome."

Wrth iddyn nhw i gyd, yn nain, rhieni a thri o blant a'r cesys eu stwffio eu hunain i'r tŷ yn llawn cyffro, gall Elin glywed, o dan eu dwndwr, sŵn ffon ei mam yn dod hynny fedr hi i'r ffrynt. Mae hi'n rhy bropor i ddweud dim o flaen y Saeson ac yn gweld fod Elin yn ei chanol yn eu helpu efo'u bagiau. Ond mae golwg sorllyd arni.

Unwaith y mae hi wedi danfon y bobol i'w llofft daw Elin i lawr yn ei hôl, ac aiff allan ar ei hunion i'r lôn a rownd y cefn i chwilio am ei rhieni. Mae'i thad wrthi'n helpu'i wraig i ddringo'n ôl i'r drol. Dim ond edrych ar Elin wnaiff o, heb ddweud dim.

"Rydan ni'n gweld nad oes dim croeso i ni yma." Ganddi hi.

"Bobol annwyl, na, dowch i'r tŷ, dewch drwy'r ffrynt. Mi wna i de i ni rŵan."

"Mae'n well i ti neud te i'r bobol 'na, tydi, mae'r rheini wedi dod o ffor' bellach na ni."

Unwaith y mae hi wedi aileistedd yn y drol, dydi hyd yn oed yr addewid o de ddim yn mynd i ddenu Mrs Sydna Robaits y Ffridd ohoni eilwaith. Dydi hi ddim am fynd heb gael dweud ei dweud, chwaith.

"Roeddat ti'n ein clywad ni'n cnocio, debyg. Ac yn nabod fy llais i."

"Gwrandwch," meddai hi wrth y ddau o'r diwedd. Byddai'r gwir yn siŵr o'u cymodi. "John oedd wedi codi, ac yn cael bath yn y celwrn. Dyna'r tro cynta iddo fo ddŵad i lawr y grisia ers pan mae o adra."

"Deud ti."

"Faswn i ddim yn deud celwydda wrthach chi, Nhad."

"Na fasat. Wel cofia ni ato fo, mi ddown ni rywbryd eto, neu dowch chi acw. Mae gan dy fam ryw betha i ti, mae hi wedi'u gadael nhw yn y cwt acw." Ac mae o'n camu i'r drol, ac yn gafael yn ffrwyn Dic.

Daw Elin i sefyll o flaen y merlyn, a gafael yn ei ben-ffrwyn. A rhoi o bach iddo.

"Ond dydw i ddim am i chi fynd o 'ma fel hyn. Tasach chi wedi deud eich bod yn dŵad . . ."

O'r diwedd, mae ei mam yn swnio'n fwy cymodlon.

"Dos di i'r tŷ rŵan, mae gen ti ddigon ar dy blât rhwng bob dim. Mae ar dy dad angan mynd i'r felin, yli, ac mi fydd Morus Roberts yn gorffan yn gynnar ar Sadwrn."

Ac mae Elin yn rhoi ei hwyneb ar wyneb cynnes, ffeind Dic, nes bod ei flew cwta'n cosi ei boch. Ac wedyn yn camu'n araf o'r neilltu.

Ar Allt Goch y maen nhw, yn mynd yn bwyllog tua'r felin, a heli môr yn eu taro wrth ddod rownd y tro pan mae Gruffydd Robaits yn dechrau piffian chwerthin.

"Dwyt ti ddim yn cofio bod yn ifanc, Sydna? Tasat ti wedi cael dewis yn eu hoed nhw rhwng jam cwsberis neu hannar awr yn y das wair efo fi, prun fasat ti wedi'i ddewis?!"

A'r unig ateb gaiff o ydi pwniad bach cas yn ei ochor.

9

Ar ôl y saethu yn Llain Beuno, Johnnie Moi oedd yr unig un a gafodd ei alw fel tyst i'r achos yn erbyn Moses Dafis oedd i'w gynnal yn Llys y Goron, Caernarfon. Pan ddaeth y llythyr cyntaf bu'n rhaid mynd drwyddo sawl gwaith, cyn clandro yn raddol beth oedd ei neges. Fu Johnnie erioed yn ei fywyd yng Nghaernarfon. At hynny, doedd ganddo ddim Saesneg na siwt.

Pan gyrhaedda'r llythyr atgoffa, does dim croeso iddo.

Erbyn i John Humphreys y sarjant gyrraedd Llain Beuno ar y noson honno doedd dim hanes o Lydia Catrin; ofnai hi'r polîs fel gŵr â chledda ac allai hi ddim dychmygu y byddai'r un plisman ar ei hochor hi byth. Swatio o'r golwg yng ngwely mawr Johnnie Moi yr oedd hi ac roedd hogiau Tyn Pwll dan eu warning i beidio â sôn yr un gair amdani. Ar y pryd, hanner stori a gafodd y sarjant felly, a phawb arall o ran hynny. Y lein a roddwyd allan oedd fod Johnnie Moi yn bwyta'i swper yn ddiniwed pan ddechreuodd ei gymydog oes, Moses Dafis, saethu i'r tŷ efo dryll ten bôr. Fel llawer o gymdogion, byddai ambell air croes rhwng y ddau o bryd i'w gilydd – am gadw terfynau neu ddefaid crwydrol – ond roeddent wedi gyrru 'mlaen yn weddol suful ar hyd y degawdau nes i Lydia Catrin ddod rhyngddynt. Doedd dim defnydd ditectif yn yr hen sarjant ond câi o, hyd yn oed, drafferth llyncu'r stori.

Pan oedd Moses Dafis wedi mendio digon i siarad, ei stori oedd iddo fynd ar goll ar ôl iddo gychwyn i saethu chwiaid gwylltion pan ddaeth niwl sydyn o'r môr. Doedd yna ddim niwl ym mhobman y min nos hwnnw yn sicr, ond ar hyd yr arfordir gall clwt o niwl fel cwmwl bron sleifio i mewn o'r môr weithiau i ambell gae neu gilfach. Roedd Moses Dafis – meddai fo – wedi crwydro i fuarth Llain Beuno heb sylweddoli lle'r oedd o, a doedd ganddo ddim syniad ei fod mor agos i'r tŷ. Taerai na allai o ddim gweld cerrig llwyd yr adeiladau oherwydd y niwl oedd yn dew fel uwd. Taerodd wrth Humphreys iddo weld ci mawr du yn dŵad amdano o'r niwl gan chwyrnu a dangos ei ddannedd ac mai ar hwnnw roedd o wedi gweiddi, ac wedi anelu'r gwn, a saethu.

Roedd Moses Dafis yn llawer gwell am ddweud celwydd bob gair nag oedd Johnnie Moi am ddweud hanner y gwir. Erbyn iddo wrando ar be oedd gan y ddau i'w ddweud, doedd y sarjant ddim yn sicr fod angen arestio Moses Dafis hyd yn oed. Ond gan fod difrod i'r ffenest a'r dresel a'u bod wedi anfon am blisman o Bwllheli, aed â Moses Dafis i'r ddalfa pan gyrhaeddodd hwnnw. Bu digon o siarad yn yr ardal dros yr wythnosau dilynol, a phetai'r sarjant wedi bod â'i glust ar y ddaear byddai wedi cael smel ar y gwir. Byddai hynny wedi arwain at achos heriol a chymhleth yn Llys y Goron, ac at gwestiynu'r modd roedd o fel swyddog y gyfraith wedi delio â phethau noson y saethu. Ond gadael i bethau fod a wnaeth o ac aros ar delerau da efo'r ficar oedd yn awyddus iawn i gadw hanes ei glochydd o'r wasg.

"Dwi ddim ar fwriad mynd yno, i ti gael dallt." Dros y flwyddyn ddiwethaf mae bywyd Johnnie Moi wedi altro'n arw – er gwell. Daw hogiau Tyn Pwll heibio'n aml i gynnig help llaw neu am sgwrs, mae Lydia Catrin yno'n hanner byw ac mae hi wedi stopio codi arno. Bu noson y saethu'n drobwynt er gwell yn ei fywyd. "I be yr a' i i fanno? I roi tystiolaeth yn erbyn fy nghymydog."

"Am ei fod o wedi trio dy ladd di! A finna."

"Ond sut fedra i brofi *attempted murder*? Mi roith ddau

dro am un i mi. A fedra i ddim deud be ddigwyddodd go iawn – ar dy gownt di."

"Ac Adi, ynde."

"Wel felly rwyt ti'n deud. Ond dydw i ddim yn adwaen yr hogan."

"Ond fedra i ddim cael yr hanes hyd y lle 'ma, ac yn y papura, fy mod i'n hwrio i dalu fy rhent."

"Rhannu dy ffafra."

"Galwa di o'n be leci di! Mae gen i fy hunan-barch."

Mae Johnnie yn chwerthin yn ddrygionus gan ddangos ambell stwmp o ddant cil ac yn gafael amdani.

"Lle mae o tybad? Yn llechu rhwng y titis mawr 'ma?"

Mae hi'n ei wthio draw, wrth iddo drio stwffio'i bawen fawr i lawr tu blaen ei ffrog. Arferith o byth efo'r diléit o gael dynes lysti, barod yn hanner byw o dan yr unto ag o.

"Gad iddyn nhw, wir." Mae hi'n codi'r llythyr oddi ar fwrdd y gegin, ac yn edrych arno, er na fedr hi mo'i ddarllen. "Ond os nad ei di, cheith o mo'i gosbi a fynta wedi gneud rhywbath ofnadwy. Heb sôn am be ddigwyddodd i mi cynt, yn yr eglwys. Jêl ydi'i le fo."

"Wel, mi adawn ni i'r Bod Mawr orffan ei gosbi fo," meddai Johnnie Moi gan daro sws wlyb ar geg Lydia Catrin. "Mae o'n siŵr o fod yn well barnwr na neb sy yng Nghynarfon."

Wedi i'w mam a'i thad fynd, fel roedd Elin wrthi'n gorffen gwagio'r celwrn a John wedi mynd yn ei ôl i'r llofft, daeth Mrs Ibberston i gnocio ar y drws. Cwyno roedd hi fod Wilfred a Connie sy'n cysgu gyferbyn wedi cael eu deffro eto neithiwr gan John yn gweiddi gefn nos, a'i fod yn codi ofn arnyn nhw. Mae'n beth annifyr, ac yn gysgod dros eu gwyliau nhw. Y cwbwl fedr Elin ei wneud ydi gwrando, ac ymddiheuro, a dweud na fydd o'n bendant ddim yn digwydd eto.

Ar ôl swper, pan aiff y bobol ddiarth i gyd am dro i ben 'rallt y mae hi'n dweud wrth John. Dydi o'n cynhyrfu dim,

dim ond derbyn y peth fel ffaith a chynnig eu bod yn mudo i'r cwt allan. Mae'n cymryd y ddau ohonyn nhw i gario'r fatras i lawr yno a synna Elin at yr altrad yn John; mae fwy ynghylch ei bethau yn gwneud rhywbeth. Fo sy'n erlid yr holl bryfed teiliwr a phryfed cop oddi ar do sinc y cwt ac yn sgubo'r llawr a gosod tamaid o gyrtan. Unwaith y mae hi wedi gosod y gwely iddyn nhw, mae'n edrych yn ddigon cyfforddus a lliwgar gyda chlustogau cochion a blanced felyn a hen siôl fawr biws wedi'i chrosio dros y cwbwl. Ar ôl y diwrnod mae hi wedi'i gael, fedr Elin ddim aros i fynd iddo fo.

Am ei bod mor fwll, mae hi'n gadael cil y drws yn agored i awel fach suo drostyn nhw. Yno maen nhw'n gorwedd yn dawel pan ddaw cath frech Pegi i mewn ac eistedd wrth droed y gwely dros dro yn syllu'n ddirmygus ar y ddau.

"Allan, pws," meddai Elin. "Shw! Dos allan!"

Ond mae John yn codi ar ei eistedd, yn ymestyn i roi mwythau iddi.

"Dwi wedi clywad digon o'r hen gapteiniaid yn deud," meddai fo, "fod cathod yn gallu rhagweld tywydd mawr. Mi fedran nhw ddeud fod yna storm ar y gorwel cyn i'r glàs ddechra disgyn."

"Synnwn i ddim nad oes yna storm ar y ffordd, a hitha mor glòs."

"Dwi'n eu cofio nhw'n sôn am ryw gwc, ar sgwnar bach yn côstio, yn nofio i'r lan ar ôl iddi fynd ar greigia mewn drycin, a chath y llong ar 'i ben o."

Mae'r gath yn dechrau canu grwndi dros yr ardd, yn mwynhau'r mwythau.

"Mae'n siŵr fod yna gathod yn y becws, doedd, pan oeddach chi'n hogyn."

"Roedd rhaid, i gadw'r llygod i lawr. Ac mi fyddwn i'n ffrindia efo nhw. Ond feddylish i 'rioed am fynd â chath i'r môr efo mi." Mae'n troi at Elin, ac yn gofyn, "Ydach chi'n meddwl y basa cath wedi gneud gwahaniaeth?"

Cwyd Elin a rhoi ei braich amdano fo.

"Peidiwch â meddwl fel'na. Bobol bach!"

"Ond fasa fo? Mi fasa hi wedi bod yn 'peini i mi, ac yn gysur."

Ochneidia Elin.

"Mi ddylwn i fod wedi dŵad efo chi, John. Camgymeriad oedd mynd i New York ac wedyn dod adra fel'na."

Mae o'n ysgwyd ei ben yn arw.

"Na, dim hynny oedd gin i o gwbwl. Fasa fo ddim wedi bod yn deg arnoch chi." Mae'n ailddechrau rhoi o bach o'i hochor hi i'r gath nes bron ei fflatio hi. "Fasat ti wedi dŵad efo mi, pws?"

Mae Elin yn aros am ennyd cyn dweud dim.

"Dydw i ddim yn gwbod be ddigwyddodd ar y *Queen*, cofiwch, John. Dim ond ei fod o wedi bod yn straen ofnadwy'n amlwg, a'ch bod wedi mynd i lawr."

Mae o'n troi ati hi.

"Enw'r gath ar y *Lady Penrhyn*, fy llong gynta i, oedd Mr Flowerday. Fflo i'w chyfeillion."

"Mae gen i lemonêd yn y pantri, peth wnes i i'r bobol 'ma. Gymerwch chi beth?"

Erbyn i Elin ddod yn ôl i'r cwt efo'r ddiod a sgonsan bob un iddyn nhw, mae'r gath wedi mynd a'r drws yn gaead. Ac mae John wedi ailorwedd, ac wedi cilio eto. Mae o'n codi ar ei eistedd ar ei hanogaeth hi ac yn yfed a bwyta pob tamaid ond dydi o ddim efo hi yno.

Am yn hir wedyn, mae hi'n methu'n lân â chael gafael ar ei chwsg. Ar flaen ei meddwl y mae John, mor unig yno yng nghanol y South Atlantic yng nghanol ei griw. Trwy'i blentyndod yn y becws, yn llofft hwyliau Rhiwlas a phan aeth i'r môr, ym mhob cwr o'i fywyd bu ganddo bobol o'i gwmpas: sgwrswyr, pryfocwyr, mwydrwrs, cantorion, holwyr, gweddïwyr, cysurwyr, adroddwyr. A hi.

Dim ond newydd gysgu mae hi pan ddaw slaes o fellten i oleuo'r awyr, a tharan fawr wrth ei hôl.

Mae John yn cysgu fel pren drwy'r cyfan.

10

Daw Dr Ibberston i dalu fore Sul ar ôl brecwast yn drwsiadus mewn siwt frethyn a'i wallt wedi'i gribo'n fflat, gan beri fod ei locsys clust enfawr yn fwy amlwg. Llygaid bach sydd ganddo fo, a phen moel, ac edrycha fel aelod o deulu'r walrws. Mae o'n sgolor, wedi gwneud y sym yn barod, a'i bìn inc yn barod i lenwi'r siec dim ond i Elin fwrw golwg arni.

Ond mae hi wedi codi o'i flaen, ac yn pasio anfoneb drylwyr, daclus yn cynnwys popeth o de ben bore i'r cocoa nosweithiol draw iddo. Wrth fynd drwyddi, gwêl y meddyg ei gyfle i gael sgwrs efo gwraig y tŷ am brif destun siarad y *dining room* yn nosweithiol.

"And how is your Captain Jones, Mrs Jones? Nobody has seen much of him since he's been home."

"You've been away, haven't you, Doctor, most of the time. He is improving, thank you very much."

"Eating is he? Bowels all right?"

Mae hi'n tynhau, ond yn amneidio.

"Mrs Ibberston told me about the nightmares."

"I am sorry the children were woken like that."

"Now, I hope you won't mind me saying this, don't take it amiss now, dear Mrs Jones, but it seems to me, in my professional opinion, that Captain Jones needs a more restful environment to recuperate. This house is like a factory with all the food preparation, cooking, washing up, cleaning and everything else which goes on here. So much coming and going! And you yourself are so busy, working from first thing until late at night. To be honest, and you must realise this too, he really needs your attention. Your devotion. And your ministrations."

"He is getting them."

"Yes, yes, of course he is, to the best of your ability considering the situation in which you find yourself. What I mean to say by that is, and I'm sure you'll forgive me for giving you a frank piece of advice here, I have only the best interests of both you and your spouse at heart. But I believe you should cancel your visitors for the remainder of the season. Tell them it's on professional medical advice. No need to name me."

"No, I'm sure."

"Don't take offence now, please give the matter due consideration."

"No," ydi'r ateb, pan ddaw o. "I cannot do that, Doctor. Captain Jones could be home for a long time, maybe a whole year earning no money, so my earnings are our only income. There is the rent to pay and other costs. We will need my visitors' money to live on until he can work again."

"Well can't somebody help you out, to tide you over?"

"No, people in this part of the world don't have money. We just help each other."

"Well that is a very great pity. Are you sure you cannot be persuaded, Mrs Jones?"

"Yes, thanking you, Doctor, all the same."

Mae Dr Ibberston yn cadw'i lyfr sieciau ym mhoced uchaf côt ei siwt, ac yn penderfynu rhoi un cynnig arall arni.

"Well, will you let me examine him then? And give you my opinion?" Mae'n codi un llaw cyn iddi gael dweud dim. "No charge, of course. But I expect the firm he works for will expect a medical report in due course, won't they?"

"They will."

"Well then! All settled."

"No," meddai Elin. "I am sure you are a very good doctor . . ."

"Of course I am! First class!"

"But you do not know my husband. And I don't think there is any medicine you can give him. To make him better, to mend him. So what is the point?"

"But I can give him – you – a diagnosis."

"We have got that already, thanking you."

Ac mae'r meddyg yn dal ei ddwy law i fyny o'i blaen hi, yn ildio.

"Mrs Jones, I must concede you are a remarkable piece of machinery, and Captain Jones is most fortuitous to have you as his spouse. Will you allow me to tell you one last thing before I take my leave? Maybe you don't want to hear what I have to say, then again it may help you. May I proceed?"

Nodio mae hi.

"My father, Dr Ibberston senior, served as a doctor in the American Civil War, you know. He could tell a tale or two, the atrocities he saw! He was there for over two years, at Cold Harbor and Petersburg. He dressed wounds, sewed men back together, nursed the dying and even conducted amputations at the field hospitals although he never trained as a surgeon. I remember he talked once or twice about the men who suffered after the torment of battle. They had no mark on them, not a bruise, but their minds were affected. Some hallucinated, suffered nightmares, some were very aggressive towards their fellow men, others just gave up. A number died by their own hand. And they had a name for it, you know, this condition they suffered from. It came to me last night as my good wife talked to me about Captain Jones. It was 'soldier's heart'. And if you were to ask me for my medical opinion I would tell you that this is your husband's affliction. He is scarred by his distressing experiences at sea."

"Sailor's heart."

"Yes, that's right, a heavy, sea-salt laden heart."

"I agree with your diagnosis, Doctor. Although it does not change anything."

"And many although not all of those men did improve, with time and rest, you know. So take hope, Mrs Jones."

O'r diwedd, caiff Dr Ibberston ryw fath o wên gan Elin. Mae'n codi ac yn ysgwyd ei llaw hi, ei lygad ar ddrws y parlwr, y *consultation* ar ben.

"I will not be reserving a booking for next year, Mrs Jones, dear. Mrs Ibberston and the children fancy a change. I'm sure you understand."

Yn ystod yr wythnos honno mae hi'n codi'n boeth ac mae teulu'r Hadleys yn mynd i'r gwahanol draethau o gwmpas bob dydd efo picnics Robin Becws Tywyn a stof fach i ferwi te. Unwaith y caiff hi eu cefnau nhw, ar ôl codi llaw yn y drws ffrynt, bydd Elin yn newid i hen ddillad ar ei hunion, yn tynnu'r cap mae'n ei wisgo ar ei phen i dendiad arnynt, ac yn gwisgo'i chlocsiau. Gwnaiff damaid o ginio ffwrdd-â-hi iddi hi a John, ac wedyn nhw pia'r pnawn nes daw Adi yn ei hôl i ddechrau hwylio swper at y pedwar. Mae'r cwt wedi troi'n lle byw bach iddyn nhw ill dau, fel Ynys St Helena yn ehangder y South Atlantic. I ddyn wedi arfer bod allan yn yr elfennau, mae'n gartrefol.

Ar ei phedwar yn chwynnu y mae hi bnawn Gwener pan glyw sŵn troed, codi ei phen a gweld John yno ar y cowt, yn llenwi'i getyn. Yng ngolau'r haul mae'r patsys pinc lle llosgodd y croen oddi ar ei wyneb yn edrych yn hegar, yn crefu am eli. Mae cath drws nesa wrth ei bodd yn cael cwmni yn yr ardd a daw dros ben y clawdd i wau o gwmpas ei goesau, a'i chynffon yn syth i fyny, yntau'n plygu i roi mwythau iddi. Cwyd Elin a mynd i nôl cadair i'r gegin iddo gael eistedd wrth y drws cefn. Pasia het iddo. "Steddwch am funud, John. Mi wna i 'panad i ni ar ôl gorffen y rhesi bitrwt 'ma."

"Rydw i wedi bod yn meddwl," meddai o ymhen sbel, wrth ei chefn a'i phen-ôl hi, "fy mod i am fynd i'r achos yn Lerpwl ganol y mis yma."

Mae Elin yn codi fel bollt.

"Pam na ofynnwch chi iddyn nhw ei ohirio fo am dipyn? I chi gael eich cefn atach."

"Rydw i am fynd. Y gwir ydi, ella bydd y Board yn cadw fy nhocyn captan i am hanner blwyddyn, neu flwyddyn, a nes ca i o yn ôl, fedra i ddim gweithio."

"Ymgryfhewch gynta. Peidiwch â theimlo fod yna frys i fynd yn ôl."

Mae hi'n ei glywed o'n ochneidio, ac yn codi i fynd ato fo. Un gadair sydd yna, ac felly dyma'i gosod ei hun ar ei lin o, ac un fraich a llaw briddlyd am ei wddw. Rhaid iddo agor ei freichiau i'w dal hi yno.

"Mi fydd angen ripórt gan y doctor os ydach chi am fynd i'r achos, John."

"Bydd."

"Ond rydach chi'n edrach yn well pnawn 'ma." Mae hi'n rhoi cusan ar ei foch. "Yn debycach i'r hen John."

"Llai o'r hen, os gwelwch yn dda."

"Wyddoch chi pwy ddaru droi'r ardd yma llynadd, pan oeddach chi tua Boston?"

Ysgwyd ei ben.

"Sam Richards."

"Y mêt?"

"Ia, mi ddaeth heibio ryw fore. Roedd wedi fy ngweld i cynt yn stachu efo'r hen raw drom yna pan ddaeth â'r mangl draw. Roedd o wedi troi yr ardd i gyd cyn cinio."

"Swnio fel Gardd Eden." Mae John yn gwneud osgo i godi a rhaid i Elin ffeindio'i thraed yn sydyn. Mae'n rhoi'r het yn ôl iddi a throi i ffwrdd.

"Be sy ar eich pen chi, John? Pam llyncu mul? Dim ond gneud cymwynas oedd y dyn."

Ddaw yna ddim ateb am sbel. Ond wedyn:

"Mae yna enw ar ddyn fel'na. Het a dwy lawas. Mwy o sioe nag o sylwedd."

Dydi hi ddim yn mynd i gymryd chwaith.

"O, mi wnaeth o job dda o balu'r ardd, chwarae teg."

"Gwell garddwr na llongwr, yn amlwg."

"Dwi ddim yn gwybod be ddigwyddodd ar y *Cambrian Queen*, nac ydw, John. Sut mae modd i mi ddallt? Mi fydda i'n barod i wrando unwaith y byddwch chi'n barod i siarad. Ond tan hynny –"

"Doedd y dyn ddim ffit i fod yn fêt."

"Mi gewch chi ddeud hynna yn yr achos." Mae hi wedi mynd yn ei hôl i sefyll yn y clwt llysiau, yn bacstandio a'i thraed rhwng y rhesi tatws. "Ond dwi'n gobeithio nad ydach chi ddim yn gorwedd yn fanna yn eich gwely'n berwi am betha, wir. Achos wnaiff hynny ddim lles i chi na'ch helpu i wella."

"'Dach chi 'rioed yn deud, Elin."

Ac mae'n troi ar ei sawdl, yn troi ei gefn arni. Mor oer ydi'r geiriau wedyn, er bod ei lais yn dawel. Nid John ydi o, mae'i lais fel petai wedi'i glymu'n dynn yn ei wddw.

"Mi allan ni i gyd fod wedi trengi ar gownt y dyn 'na."

Rhyngddynt mae tyndra fel weiren winsh dynn. Hi sy'n cymryd y cam cyntaf i'w llacio.

"Pam na wnewch chi nodiada o'r daith, John? O be ddigwyddodd. Y petha fydd ddim yn y *logbook*. I'w defnyddio, fel tystiolaeth. Deudwch pam bod Sam ddim ffit i fod yn fêt."

"Am na fedra i ddim cofio petha, ydi'r atab. Mae'r dyddia a'r nosa wedi rhedag i' gilydd . . . y cwbwl yn un cybóitsh. A phrun bynnag, 'sana i ddim eisio edrach yn ôl. Fiw i mi."

"Pam ddiân ydach chi'n meddwl mynd felly? I'r achos, be ydi'r pwrpas?"

Wrth ei weld yn suddo'n ôl i'r gadair, a'i ben yn ei ddwylo, daw ato eto a'i gofleidio. Fedr hi ddim gweld ei wyneb, dim ond ambell batsh bach pinc ffyrnig o groen, fel pinc y bitrwt ar flaenau'i bysedd hi.

11

Torrodd Elin wallt a locsyn John ei hun allan yn y cowt a fynta'n gwingo fel cynrhonyn. Ond gan ei fod yn gwrthod mynd at Wmffra'r barbar doedd dim dewis arall. Ar ôl iddi orffen roedd y gwallt gwinau'n drwch hyd lawr o'i gwmpas, a mymryn bach o waed o dan ei glust. Edrychai'r gath yn syn.

Mae o'n edrych yn wahanol mewn siwt. Ei siwt briodas o ydi hi ac er bod toriad da iddi, hongian amdano fo y mae hi. Dim ond ar ôl dod i ben â'i helpu fo i wisgo, gosod y stydiau ar goler y crys, cau'r tei a botymu iddo y mae hi'n meddwl: tybed a fydd rhaid iddo dynnu bob cerpyn? Byddai wedi bod yn llawer haws gofyn am alwad cartre.

Dros y blynyddoedd mae Elin wedi cychwyn John i bedwar ban y byd: i Valparaiso, i Cadiz, i Lanelli, i Hamburg, i borthladd St John's yn Labrador Newfoundland, i Shanghai, Dulyn a Copenhagen. Ond fu hi ddim mor anniddig yr un tro ag ydi hi heddiw wrth ei gychwyn am Nefyn, filltir fer i ffwrdd. Daeth yn ddechrau Awst, a does dim modd gohirio'r un diwrnod arall cyn cael y ripórt gan Dr Hughes i'w anfon ymlaen i Lerpwl ar gyfer yr achos a gynhelir ddiwedd y mis.

Saif yn y drws i'w wylio fo'n mynd, yn ddwylath fain, buan ei gerddediad. Roedd wedi gwneud ei gorau i gael mynd efo fo 'tae ond cyn belled â'r *waiting room*, yn gwmpeini, ond gwrthododd. Styfnigrwydd ydi un o'i gryfderau a'i wendidau. Mae'n rhyw gysur mai at Dr John Hughes y mae o'n troedio y bore 'ma: dyn solet a llawn synnwyr cyffredin, dyn ffeind at hynny. Un o deulu morwrol ydi yntau wedi'i fagu ar storïau am stormydd, teidiau, cargos a llongddrylliadau. Oedd yr holl storïau hynny wedi gwneud iddo benderfynu rhoi ei draed yn y tir, tybed? Ynteu ai ei fam oedd wedi rhoi ei throed i lawr?

Mae hi'n ei wylio fo'n mynd, nes diflannu o'r golwg, cyn troi'n ôl i'r gegin. Yno mae Adi wrthi'n crafu tatws a moron at swper i ddysgl enamel fawr wen. Fedr hi ddim peidio sylwi ar yr olwg ofidus ar wyneb Elin.

"Panad bach, mistras?"

Ac mae hi ar ei thraed mewn dau funud, ac yn nôl jwg i'w lenwi o'r bwced wrth ddrws y cefn at lenwi'r tecell. Byddai rhywun hŷn nag Adi, rhywun doethach na hi, wedi troi'r sgwrs i gyfeiriad hollol wahanol y munud hwnnw. Ond ifanc ydi hi a'i phen yn berwi.

"Pan oedd Captan Rol yn sâl yn ei wely, gaea diwetha, mi fyddwn i'n mynd i'w weld o bob wsnos. Roedd o wrth 'i fodd yn fy ngweld i, 'chi. Fydda fo'n codi yn 'i wely ac yn fy snwyro fi. Fydda fo'n clywad ogla heli môr arna i, ac ogla'r *Mairwen*."

"Ogla tamp!"

"Ond lle basan ni wedi bod, Elin Jôs, heblaw amdano fo? Fo gymerodd drugaradd arnan ni. Mi ddaru o roid petha i mi adag hynny, 'chi. Ei secstant o. A'i delisgop. Roedd o am i mi'u cael nhw. A fo gafodd air efo Mrs Jones, Tŷ Coch. A trefnu i mi gael joinio'r clàs bob nos Fawrth."

"Rŵan, Adi –"

"A rydach chi yn gwbod mai hi ydi'r ddynas gynta yn y wlad yma, yn Great Britain, i fod yn *harbourmaster*. Ac os basa hi eisio mi alla fod yn beilot. Neu'n gaptan."

"Galla, ond mae hi'n ddynas gall, weldi. Ac yn cysgu yn ei gwely 'i hun bob nos."

Mae Adi yn ceisio ymatal. Ac yn methu.

"Rydan ni'n dechra wsnos nesa ar *celestial navigation*! Mi wna i'r ecsáms, os ca i gynnig 'de. Ac wedyn, hwrê!" Llymaid o de.

"Gwranda di arna i rŵan, Adi. Fasa llong fawr ddim yn lle saff, sti, i ferch. Meddylia di, dynion o bob cwr o'r byd,

Sweden, Ffrainc, America, Lloegr. Rhai digon amrwd yn 'u plith. Eu hanner nhw heb fod mewn ysgol Sul erioed. Be tasa rhywun yn trio mynd i'r afael â chdi?"

"Faswn i'n dringo i ben y mast o'i flaen o!"

"Mi fasa gwaith stiward ar long yn bosib ella."

"Be ydi hynny?"

"Tendiad ar y captan a'r mêts, cario bwyd drwadd a gofalu am 'u dillad nhw ac ati."

"Faswn i ddim balchach. Morwyn, waeth i chi ddeud."

Dyma Elin yn codi ar ei thraed, yn edrych yng nghwpan Adi i weld faint o de sydd ar ôl.

"Wel morwyn wyt ti heddiw, ac mae'n amser i'r forwyn, a'r fistras, fynd i neud y gwlâu! Tyd yn dy flaen."

Mae o'n ôl yn ei wely yn y cwt, a'r siwt ar fachyn tu ôl i'r drws.

"Ydi'r ripórt gynnoch chi, John? Mi postia i o. Fasa'n iawn i mi edrach yng nghôt eich siwt chi amdano fo?"

Mae'r pen yn y gwely yn ysgwyd.

"Na chaf?"

Ddaw dim ateb.

"Wnaeth o ddim rhoi ripórt i chi?"

Daw i eistedd wrth ei ochor ac edrych yn iawn arno. Dydi o ddim fel petai o'n cysgu chwaith. Mae o yn effro ac yn gwrando arni, ond does dim ymateb.

"Siom gawsoch chi? Oedd o'n deud ei bod yn rhy fuan i fynd yn ôl?"

O'r diwedd, mae'n ymdrechu i godi ar ei eistedd. Mae hi'n glòs a phryfaid wedi hel yn y to sinc.

"Mae o'n ei yrru fo'n syth i Lerpwl."

"Y ripórt? O, deudwch chi. A be oedd o'n ddeud, John? Sut oeddach chi'n cael ei wynt o?"

"Deud wrtha i am aros adra."

"Call iawn. Am dri mis arall?"

"Am flwyddyn."

"Blwyddyn?!"

Mae o'n nodio. O'u blaenau'n ymestyn rŵan mae'r flwyddyn honno, yn fisoedd ar fisoedd gwag, yn anodd ei hamgyffred.

"Mae o'n ddoctor da, ond mae o'n methu'n o arw tro yma. Felly dwi yn mynd i Lerpwl ddiwadd y mis 'ma." Mae'n edrych yn herfeiddiol arni. "A dyna ben arni."

"Ond John bach, dydach chi ddim ffit, drychwch arnoch ych hun."

Mae o wedi gorwedd yn ei ôl, wedi troi oddi wrthi, ac mae hi'n ei glywed o'n fyr ei wynt.

Dyna ddiwedd y sgwrs. Daw Elin i orwedd ar y gwely efo fo yn aros iddo gysgu ac yn meddwl am yr holl waith sy'n aros amdani yn y tŷ. Ond yma am y tro mae amser wedi sefyll, ac wrth i'r haul basio heibio'r drws mae'r holl alwadau a thasgau hynny'n aros yn dawel amdani.

Cysgodd y ddau. Deffrôdd Elin oriau wedyn pan roddodd John bwniad bach iddi a dweud fod rhywun yn y *waiting room* yn dweud fod Michael D. Jones wedi derbyn gwahoddiad i ddod i'r gymanfa bregethu yn Soar y mis Ebrill wedyn, a bod pawb wedi cyffroi yn lân.

12

Mae hi'n benllanw am bedwar y bore. Cyn gynted ag y clyw hi'r don fach gyntaf yn llepian pen blaen y *Mairwen*, mae Adi ar ei thraed. Yn y dwyrain mae'r awyr yn dechrau glasu tu ôl i amlinell ddu'r mynyddoedd, yn ernes o ddydd braf i ddod. Yr unig sŵn yn y bae uwchlaw'r tonnau ydi blociau'n griddfan a gwichian ac ambell ddarn o hwyl rydd yn cyhwfan yn yr awel. Draw ar y Trwyn Llwyd, mae hi'n gweld cysgod yn symud ar un o'r clincars a rigin yn cael ei godi. Dydi byth yn rhy gynnar i fynd i bysgota am ddraenog môr.

Mae yna froc môr bob amser at gynnau tân, ac unwaith mae hi wedi tanio'r stof fach, a rhoi'r tecell i godi berw, mae Adi'n sefyll uwchben ei mam. "'Dach chi'n barod? Te mewn pum munud." Bydd angen i Adi fod yng nghegin Elin Jones cyn saith ac mae ganddyn nhw sbel o waith cerdded, felly mae gofyn rhoi traed arni.

Does dim angen dweud ddwywaith wrth Lydia Catrin. Erbyn i Adi roi menyn ar frechdan mae hi yno, ei hwyneb yn dal yn wlyb ar ôl y slempan cath a'i thraed yn eiddgar yn eu clocsiau. A hithau'n llanw uchel, hawsa peth ydi rhwyfo ar draws y bae yn y cwch bach a gafodd ei drwsio dros y gaeaf yng nghysgod y Whitehall: estyll llarwydd wedi'u torri i ffitio, eu plygu a'u gosod yn lle'r rhai oedd wedi pydru, trawslath gadarn o binwydd, pâr o rwyfau newydd. Roedd Capten Rol yn dal ar ei draed pan ddechreuodd hi ar y dasg gyda help Elis, a chafodd oriau bwygilydd o gysur yno'n busnesu, doethinebu a phasio barn wrth i'r gwaith fynd yn ei flaen.

Erbyn iddyn nhw gyrraedd traeth Cerrig Gleision mae hi'n gwawrio'n grand. Does yna ddim enaid yno, dim ond haid o wylanod yn nofio fel ledis a gwenoliaid y traeth yn sgeintio'r dŵr am eu brecwast. Mae Adi yn stwffio'i sgert yn y band am ei chanol ac yn neidio allan o'r cwch i'w lusgo i fyny ar y cerrig, ac yna'n uwch wedyn ar welltglas cwta'r allt. Estynna garreg lefn i sodro'r hoelen fawr ar ben y rhaff i'r pridd. Bydd hi yn ei hôl yma cyn y penllanw nesa ond mae'r hoelen yn arwydd clir i unrhyw hogiau ddaw ar eu tro i stwna nad cwch i chwarae efo fo ydi'r clincar bach. Ac aiff â'r rhwyfau efo hi, i fod yn saff. Bydd yn eu cuddio yn y crawcwellt ar ben un o'r cloddiau cyfagos. Dyma unig eiddo Adi heblaw'r dillad sydd amdani a'r pethau a gafodd gan Capten Rol.

Mae yna lwybr bach cul y bydd y bobol leol yn ei gerdded i'r traeth ac i fyny hwn yr ânt, heibio clytiau o glustog Fair, môr-hocys ac eithin persawrus ac allan ar lwybr pen 'rallt y mae mân lwybrau fel gwnhingar yn rhedeg iddo. Lydia Catrin sy'n arwain y ffordd wedyn, a'i merch wrth ei chwt i lawr y llwybr dafad at Bwll Wiliam ac wedyn i'r chwith ar hyd y llwybr pen clawdd ac allan ar Lôn Tyn Pwll. "Jest rhag ofn," ydi'i hesboniad am y dewis trywydd trofaus, "dwyt ti byth yn gwybod pwy sy'n smera a chadw golwg, a cystal i ni daflu llwch i'w llygada nhw."

Ond does yna neb ar gyfyl y Bryn pan gyrhaeddan nhw. A neb wedi bod yno ers talwm iawn, yn ôl pob golwg. Mae'r ardd wedi troi'n frwgaits a'i glwt tatws o'n las i gyd. Mae drain mawr tewion wedi taflu yma ac acw a rhywun wedi gosod clo clap ar ddrws y ffrynt. "Awn ni i gael golwg yn y cefn." Er bod y cynllun wedi'i drafod ymlaen llaw, mae Adi'n mynd yn anniddig wrth weld ei mam yn estyn weiran a hoelen o'i phoced i fynd i'r afael â thwll y clo. Fedr hi ddim sefyll yn ei gwylio a chrwydra rownd i'r blaen ac yn ei hôl. Rhyw glo dwy a dimai oedd o, mae'n rhaid, ac o fewn pum munud mae Lydia Catrin yn cerdded drwy len o we pry cop i ganol y gegin. Daw Adi o'i lled-ôl fel cyw gŵydd.

Mae hi ar bigau'r drain achos os oedd Elis yn dweud y gwir fod Moses Dafis wedi'i ryddhau o garchar Caernarfon, mi allai fod yn llercian o gwmpas. Lle arall mae o? Soniodd hi'r un gair am hynny wrth ei mam.

"Be oeddach chi wedi'i adael yma?"

"Mae fy ngwniadur i yma i ti."

"Wel dowch i ni chwilio amdano fo reit handi 'ta."

"Ia, chwilia di yn nrôr ucha'r cwpwrdd. Synnwn i ddim na fasa'r hen furgyn uffar wedi'i gadw fo iddo fo'i hun."

Ar ôl rhoi ei merch ar waith, aiff Lydia Catrin i ben pella'r bwthyn. Roedd gan Moses Dafis sawl joban ar ei hanner ar y bwrdd gwaith yno, lle'r oedd dwy watsh boced, un yn aur *half hunter*, a label twt ynghlwm wrth linyn pob un yn nodi enw'r perchennog. Gan eistedd a gosod y chwyddwydr yn ei llygad i weld yn eglur, aiff ati'n ofalus i ddechrau tynnu sgriws ac olwynion a hyd yn oed fysedd o'r gwahanol watshys a'u taro i gyd mewn tun baco a dynnodd o'i ffedog. Ar yr olwg gyntaf, fyddai neb yn meddwl fod dim byd o'i le, ond mewn gwirionedd crëwyd hafog lle bu trefn. Gyda sbonc lawen ar ôl ei hanfadwaith, dyma fynd draw at y clociau a'r clociau mawr a dechrau ar y rheini. Powltan. Sgriw. Goriad. Bys: gosodir y cyfan yn dwt mewn darn o hen oilcloth ...

Dong!

Mae trawiad y cloc mawr agosaf ati yn dychryn y ddwy nes eu bod yn neidio yn eu hunfan. Hi oedd wedi ei styrbio, mae'n rhaid, iddo daro fel'na.

"Be ar y ddaear oedd hynna?! Be ydach chi'n neud, Mam, yn fanna?" Dyma Adi'n martsio draw ac yn gweld hald ei mam. "Be ydi'r stwff yna? Pam bod chi wedi gneud hynna, nefoedd wen, be –?"

"Wel i ddifetha'i fusnas o, hynny fydd gynno fo ar ôl, ynde."

"Ond mae'r clocia a'r watshys a'r petha 'ma yn werthfawr, ac yn perthyn i bobol."

Mae'i mam yn nodio.

"Ydyn, a be fasat ti'n neud os basat ti'n methu cael part i dy gwch gan un siandlar? Wel trio un arall, ynde. Felly, mi fydda i'n gadael y pentwr bach yma yn daclus wrth ddrws cefn Penmaenmawr."

"Penmaenmawr?"

"Y boi trwsio clocia yn Stryd y Ffynnon, Nefyn. Mi wneith fyd o les i'w fusnas o."

Mae trawiad y cloc wyth niwrnod wedi cynhyrfu Adi.

"Wel, dwi'n mynd i 'ngwaith. Rhyngthach chi a'ch petha. Doedd yna ddim hanas o'r gwniadur."

"Taw." A gallai Adi fod wedi taeru fod yna wên ddireidus yng nghefn llygaid glas ei mam.

Unwaith y caiff gefn ei merch, a gorffen pacio'r manion ddarnau yn rholyn efo'i gilydd yn ei ffedog fras, am Lain Beuno yr aiff Lydia Catrin. Mae hi'n barod am ail frecwast ar ôl bore da o waith.

Mae Adi'n cyrraedd Glan Deufor cyn i'r un o'r bobol ddiarth droi yn eu gwlâu, ac yn ddigon buan i gael paned efo Elin. Ond dydi fawr o ddweud lle mae hi a'i mam wedi bod; mae hi'n llawer rhy gall i hynny, ac Elin yn ddigon call i beidio holi pan wêl y gwlith ar ei chlocsiau a'r gwe pry cop yn ei gwallt.

13

Am y dyddiau nesa, dydi John ddim yn codi. Ac mae rhyw drymder yn disgyn dros Lan Deufor nad ydi hyd yn oed chwerthin plant ar y lôn a thrydar y gwenoliaid yn treiddio drwyddo. Mae fel y niwl tes hwnnw fydd yn sleifio o'r môr weithiau ar dywydd poeth, ac yn gorwedd yn blanced oer dros bopeth. Treiddia drwy waliau'r tŷ a'r cwt fel ei gilydd. Aiff Elin ac Adi o gwmpas eu gwaith yn dawel, a'u sgwrs wedi'i fflatio'n ddim dan y pwysau.

Daw llythyr gan Anne yn dweud y bydd yn fodlon dod i warchod eto yng Nglan Deufor tra bydd Elin a John yn Lerpwl, dim ond iddynt beidio â bod fwy nag un noson oddi cartre y tro yma. Bydd hynny'n flinedig iddyn nhw, ond does dim dewis arall. Ac nid gwyliau ydi o i fod, nage, nid jolihoet. Felly ysgrifenna Elin lythyr yn gofyn i Mrs Isobel Parry, Madryn Street, Lerpwl, am lety noson iddynt ill dau. Clywodd sawl un o wragedd capteiniaid yr ardal yn canmol y lle fel tŷ glân a chroesawus. Bydd yn ddigon hwylus i gerdded i fyny o'r stesion a gallant gymryd reid yn yr *horsetram* drannoeth i lawr i'r Sailors' Home. Wrth wneud y trefniadau, ac estyn y carpet bag, dim ond rhan ohoni sy'n llwyr gredu y byddant yn mynd i'r achos. Sut gall hi gredu y bydd dyn nad ydi o'n rhoi crys ar ei gefn o un diwrnod i'r llall yn sefyll gerbron Bwrdd Masnach Lerpwl i achub ei gam ddiwedd y mis?

At ddiwedd yr wythnos, mae hi'n poethi'n arw. Mae'n rhy grasboeth i eistedd ar y traeth yn hir ac yn rhy glòs i gysgu, a daw natur gwynfanllyd teulu'r Hadleys i'r golwg. Syrthia'r fenga ar y creigiau a thorri'i ben-glin yn hegar ac aiff y cnewian crio ymlaen am oriau. Clywir Mr a Mrs Hadley yn ffraeo yn eu llofft a drws yn cael ei glepian, a sŵn traed yn stompio, ac mae Granny yn cwyno am rywbeth yn ystod pob pryd bwyd o brinder halen i orhalltu. Yr unig ffordd y mae Elin yn llwyddo i ddal heb ddweud dim ydi meddwl y bydd Mr Hadley yn talu iddi ar y bore Sadwrn ac y caiff ffarwelio â nhw. Am byth.

Fel y mae'r teulu'n hwylio i ymadael ac Elin yn hen barod i ddechrau newid y gwlâu a llnau, daw Adi i'r gegin a'i hwyneb yn fflamgoch.

"Choeliwch chi byth pwy dwi newydd weld, Elin Jones! Byth."

"Wel mae'n well i ti ddeud wrtha i felly."

"Fuo jest i mi fynd i lewyg. Moses Dafis. Yn dena fel llinyn, a hyll. Ond yn bendant fo. Hofran wrth giât y Ficrej oedd o."

"Wedi cyrraedd adra o Gnarfon, reit siŵr. Roedd Pegi'n deud iddo gael 'i draed yn rhydd."

"Be ddigwyddith rŵan? Dydw i ddim am fynd ffor'na eto 'de!"

"Adi, be am i ni wneud start arni rŵan, ia, hogan?" meddai Elin. "Dos di i dynnu'r dillad gwlâu ac estyn y rhai glân o'r cwpwrdd pen grisia ac mi ddo inna atat ar ôl cael trefn yn fan'ma. Mi wnawn ni'r lloriau wedyn, mi sychan mewn dim. Mae'r Hadleys wedi rhoi swllt o gildwrn i ti, mae o yn y parlwr."

Hanner awr yn ddiweddarach daw Adi i'r tŷ o'r ardd yn fyr ei gwynt. Wrthi'n newid y llieiniau bwrdd yn y parlwr mae ei meistres, yn codi un glân a'i chwifio i gael y plyg ohono a gadael iddo lanio'n eira dros y bwrdd. Meddwl y mae hi am Moses Dafis. Wnaiff ei thad erioed ailddechrau gyrru wyau iddo ar ôl holl helynt yr achos llys?

"Dydi'r Captan ddim yma."

"Be ddeudist ti?"

"Mynd i'r cwt pella i nôl pwcad olchi llawr wnes i, dim

busnesu, a gweld y drws yn agorad."

"O?" Ac mae hi'n troi draw – dim am ddangos. "Mae'n rhaid ei fod o wedi mynd am dro, sti. Tyd i ni roi traed arni rŵan, cyn iddi fynd yn rhy boeth."

Aiff allan ei hun wedyn i gael gweld drosti'i hun. Mae'r gwely'n wag ac ar chwâl, ei ddillad gwisgo a'i esgidiau wedi mynd. Doedd o wedi sôn yr un gair am fynd i unlle wrthi. Mae digon o lefydd y gallai fod wedi mynd: i weld Mary ei chwaer, i'r Ffridd neu draw i lofft hwyliau Rhiwlas. Am dro, neno'r tad. Am fisoedd lawer ar y tro, mae hi wedi byw heb wybod prin fwy nag ar ba fôr neu gyfandir y mae o.

"Dal di ati, Adi, mi ydw i am fynd i gwfwr y Capten. Wedi mynd draw i Henborth y bydd o. Mae angen mynd â'r matia bach allan i'w hysgwyd i gyd hefyd, os gnei di."

"Be wna i os bydda i wedi gorffen cyn eich bod chi'n ôl?"

"Fedri di neud cacan blât?"

Unwaith mae hi'n dechrau cerdded mae'r gwres yn pwyso er mai diwedd y bore ydi, a buan y mae Elin yn difaru peidio dod â het. Llifa'r chwys i lawr ei gwegil yn ffrydiau ac mae ei hwyneb hi'n chwilboeth. Be oedd ar ei phen hi'n gwisgo dwy bais ar y fath des? Ar draws y lôn ac i'r dde wedyn draw am lôn ben 'rallt mae hi'n mynd, a'i synnwyr yn dweud wrthi na fyddai John wedi mynd i ganol pobol, nac i dŷ ei hoff chwaer a fyddai wedi dechrau ei holi fel pwll y môr y munud y deintiai drwy'r drws.

Mae hi'n rhyfeddol o dawel hyd y lle, a'r rhan fwyaf o bobol siŵr o fod yn cysgodi rhag y gwres yn eu tai. Swatio dan gysgod yr eithin mae defaid Pen Ffordd, a'r fuwch las yn ysgwyd ei chynffon i gadw robin y gyrrwr draw. Wrth i Elin gyrraedd y llwybr sy'n troi at yr allt, mae'r mân wybed yn cau'n gyrtan amdani a'u su lond ei chlustiau.

Rhaid ei fod o bron â mygu yn y cwt clòs yna ers dyddiau wrth i'r gwres godi ac mai dyna a'i gyrrodd o allan.

Hynny a gorfod ei diodde hi'n cwyno am yr hen Hadleys cnewllyd yna. Mae hi'n ei gofio fo'n sôn un tro am wres tamp llethol Shanghai, dillad dyn yn socian o chwys wrth iddo'u rhoi amdano, a phen rhywun fel rwdan dan bwysau ffyrnigrwydd yr haul. Ai felly roedd o'n teimlo yn y gwely gwneud yna, yn troi a throsi? Diwrnod tawel oedd heddiw i fod, diwrnod tawel Cymraeg rhwng dau griw o fusutors a phnawn efo John, yn ceisio'i berswadio i rannu'i hanes efo hi cyn yr achos. Roedd yna drefn i'r dydd, roedd ganddi gynllun. Ond rŵan dyma lais Dr Ibberston yn stwffio'i ffordd i'w phen efo'i gyngor di-ofyn-amdano: "I believe you should cancel your visitors for the remainder of the season." Ai fo oedd yn iawn?

Aiff yn ei blaen gan daro golwg aml i lawr i'r traeth ond does yno'r un adyn ar draeth Cerrig Gleision. Wrth iddi ddynesu at y Bwlch, gwêl Elis Jones Pen y Cei yn sgwlio yn ei gwch bach, a rhywun efo trol a mul wrthi'n codi gwymon i'w gario i erddi cyfagos. Yn y pellter, ar y distyll, hogyn efo rhaw a phwced yn hel lwgwns. Penderfyna ddilyn y llwybr i fyny at fferm Porthdinllaen gan osgoi Henborth a'i ferw; fydd o ddim wedi mynd yno'n sicr a hithau mor brysur yno. A'r haul ar ei anterth, mae'r dillad amdani'n trymhau ac yn arafu'i cham, ac mae hi'n aros i dorchi'i llewys a sychu ei thalcen efo'i hances boced.

Pan oedden nhw'n canlyn, byddai Elin a John yn dianc weithiau i draeth Bryn Gŵydd – pwtyn cul o draeth mewn haen rhwng llethrau'r allt ar y ffordd tua Rhosgor. Byddai yno forlo neu ddau wedi cyrraedd o'u blaenau'n gorfeddian yn yr haul a gwylanod yn mwynhau llonyddwch y dŵr rhwng y creigiau. Yn yr haf, dôi mab Cwmistir Isa draw i sgota am wrachan i swper ond traeth bach swil dibobol oedd o, chwarae plant o draeth, eu lle cudd nhw ill dau. Ei diléit hi fyddai gwneud bwyd i fynd yno efo nhw, i gael picnic. A chael llonydd. Yno, roedden nhw'n agosach at ei gilydd nag yn unlle arall, heb neb i gadw cow.

Aeth o yno heddiw, tybed? I gael llonydd? I glirio'i ben? I chwilio am yr Elin oedd yn gariad iddo fo ers talwm cyn i gyfrifoldebau a phwysau bywyd ei gwneud hi'n ddynes wahanol? Ydi o wedi bod yn gorwedd yn y gwely yna ers wythnosau bellach yn aros am yr Elin honno? Yr Elin oedd yn gallu chwerthin, a thynnu coes, goglas a mwytho? Honno oedd yn gwneud y brechdanau caws a phicl gorau yn y byd? Yr Elin fasai'n gallu ei dynnu allan o'i drymder, a'i godi â'i chariad?

Ar y chwith, draw ar draws y caeau, mae Rhoslas wedi dod i'r golwg. Am funud mae hi'n oedi, ac yn codi'i llaw dros ei llygaid i edrych wêl hi ryw arwydd o fywyd yno. Oes yna berchennog newydd wedi symud i mewn yn ystod y flwyddyn ers iddi fod yno efo Sam Richards, tybed? Rhaid bod; thâl hi ddim gadael i eiddo fynd â'i ben iddo. Ac wrth syllu ar y lle mae'r syniad o fod yno, yn dechrau bywyd newydd uwchben y môr, yn magu lloeau a chadw ieir, yn dysgu John sut i odro a chneifio a thrin traed defaid yn tynnu ar ei gwynt. Merch ffarm ydi hi, yn gwybod be ydi godro allan ar yr iard mewn glaw at yr asgwrn, gorfod ymlafnio i dynnu llo, a cholledion. Eto mae'r byd cyfarwydd, caled hwnnw sydd â rhythm y tymhorau'n ei yrru mor hudolus o gymharu â'u helynt nhw rŵan.

Rhaid iddi adael yr allt a cherdded i mewn i'r tir fymryn cyn gallu troi i mewn ar hyd y tafod glas o lwybr sy'n arwain i'r traeth. Dilynodd Elin las gobeithiol y môr bob cam yma ond yn y porth bychan hwn mae'r dŵr yn lliw gwahanol – yn laswyrdd llachar. Gwasgwyd haul canol dydd rhwng y creigiau i greu popty awyr agored crasboeth. Mae'r gwres yn pwyso ar ei gwar.

I ddechrau, wêl hi ddim ond y morloi boliog, y cerrig glaslwyd, gwastad ac ymyl wen y tonnau wrth i'r llanw glosio. Ond na, mae o yno, dacw fo yn eistedd a'i gefn at y dorchan las ac yn edrych allan i'r môr yn llewys ei grys. Fo ydi o, byddai wedi ei adnabod yn unrhyw le yn y byd.

Mae rhan ohoni am droi'n ôl rŵan ar ôl dod o hyd iddo, a gwybod ei fod yn iawn, ac am adael iddo yn y lle braf hwn. Bydd oriau o waith yn aros amdani yn y tŷ.

"John!"

Ar y cyntaf, dydi o ddim yn symud. Chlywodd o ddim, o bosib. Mae hithau'n dechrau cerdded i lawr at y traeth, yn gorfod codi godre'i ffrog a gwylio lle mae hi'n rhoi ei thraed.

"John!"

Ar yr eildro, mae o'n ei chlywed hi, ac yn codi a cherdded yn araf i fyny ati. Mae'r haul crasboeth wedi ffyrnigo'r clytiau pinc llosg ar ei groen, sy'n edrych yn boenus. Wrth edrych arno o bell am y tro cynta, mae'n ei weld fel petai o'r newydd ac yn dychryn o sylweddoli mor ddi-gnawd ydi o. Tynnodd gangen oddi ar ryw goeden ar ei ffordd yma a'i stripio'n ffon iddo'i hun, a phwysa fymryn ar honno wrth ddringo.

"Rydw i wedi bod yn chwilio amdanoch chi, John."

"Doedd dim rhaid." Ac mae'n edrych i fyw ei llygaid hi, yn geryddgar bron, cyn troi'n ôl at y traeth a hithau wrth ei gwt.

Traeth caregog ydi o. Cerrig gwastad hirgrwn fel y rhai a gariwyd yn eu miliynau i adeiladu strydoedd coblog trefi a dinasoedd canol Lloegr. Ond dydyn nhw ddim yn hawdd cerdded arnyn nhw ar draeth ac mae Elin yn ymestyn yn ddifeddwl am fraich ei gŵr. Ar ôl y milltiroedd o ffwt-wocio, mae hi'n falch iawn o gael eistedd. Mae hi'n chwysu chwartiau, a chlytiau mawr gwlyb o dan ei cheseiliau a rhwng ei bronnau.

"Peth rhyfadd ydi o," meddai John. "Ond pan fydda i adra o'r môr am sbel, ac o olwg y môr, mi fydda i'n teimlo fel 'mod i'n mygu."

"Mygu?"

"Fel taswn i'n methu cael fy ngwynt. Ne rywbath yn gwasgu ar 'y nghalon i. Mae'r môr," ac mae o'n estyn ei fraich i'w gyfeiriad, "yr hen fôr yma'n gallu bod yn fistar calad. Mae o'n cymryd ein llonga ni, ein hogia ni, ein pwyll ni ..."

"John ..."

Ond mae'n dal ei law i fyny, iddi fod yn dawel. Iddi wrando.

"Pan oeddwn i'n cychwyn o Manilla ro'n i'n llawn gwae, er fy ngwaetha fy hun. Mae'r Java Seas yn enbyd o anodd i'w mordwyo, maen nhw'n fas, a chreigia yn llechu dan yr wynab. Fedar rhywun ddim dibynnu ar y siartia."

"Ond rydach chi'n brofiadol, wedi pasio'n uchal."

"Be ydach chi haws â dangos eich stifficet i storm ffôrs êt?"

"Roeddach chi wedi bod yn anlwcus yn colli'ch mêt ..."

"Wel fedra neb neud dim am beth fel'na, clefyd y galon lladdodd o."

"A'ch capten."

Ac mae o'n troi am y tro cynta ers iddyn nhw gyrraedd y traeth, ac yn syllu arni.

"Mi allsa Hugh fod wedi byw. Os baswn i wedi mynnu cael galw am *assistance* ..."

Ac mae ei lais yn bygwth torri.

"Na, John. Peidiwch â meddwl fel'na. Salwch gafodd o."

"Roeddan ni o fewn tridia i lanio yn Boston."

"Mae honna yn opyreshiyn fawr. Dwi wedi darllen amdani. Yn amal iawn, mi gaiff y claf *septicaemia* wedyn a hwnnw sy'n ei ddarfod o."

"Wel." Ac mae o'n ysgwyd ei ben. "Dwi'n mynd i orfod byw efo hynna. Honna ydi fy storm i." Cyn i Elin gael cyfle i'w ateb, mae o ar ei draed, yn tynnu'i wasgod. "Rydw i am fynd i drochi. Ddowch chitha, Elin?"

"Be, tynnu amdana i fynd i'r môr?" Mae hi'n chwerthin ar ffolineb y syniad.

"Ia. Wna i helpu i dynnu amdanoch chi." A'r wên! Yr hen wên gynnes, bryfoclyd a welodd hi gynta ar y traeth yma.

"Ond petasa rhywun yn dŵad –?"

"Pwy ddaw? Does yna ddim adyn o gwmpas. Dowch, mi fydd yn oer braf."

Mae John yn dal i dynnu amdano. Caiff y crys ffling ar y gwelltglas tu ôl iddynt. Plygu wedyn yn ei hanner i agor careiau'i esgidiau, a thynnu'i sanau. A'i drowsus.

Eistedd yn llonydd mae Elin, heb osgo i agor yr un botwm er bod y chwys yn rhedeg i lawr ei chefn fel afon. Be tasai un o aelodau'r capel yn dod heibio? Neu gapel Edern neu Dudweiliog, debyca. Mae o'n noeth lymun groen, yn dechrau cerdded i lawr at y môr, mor denau, does yna ddim ohono bron. Yn troi'n ôl ati, yn cymell.

"Dowch 'laen, Elin!"

Dyma droi wedyn a chodi wib fel hogyn i mewn i'r môr, a thaflu'i gorff iddo o'r golwg. Pan ddaw i fyny'n ôl o'r diwedd mae o allan ymhellach, yn ddim ond pen coch a braich wen yn chwifio arni, ac yn ei gwadd hi i mewn ato.

Yn araf mae hi'n codi ar ei thraed, a'i llaw yn agor un botwm ar ei blows, ac wedyn dau . . .

14

O'u blaenau yn hawlio Canning Place mae adeilad sgwâr mawreddog â thyrau ym mhob congl iddo. Ffenestri â chwareli bach ydyn nhw i gyd fel ffenestri'r hen blasau, ond fod i'r anferth o adeilad hwn loriau lawer yn codi'n uwch na'r mast uchaf yn y dociau tu ôl iddynt. 'Liverpool Sailors' Home' – mae'r enw yno'n glir i bob llongwr blinderus sy'n ceisio llety ei ddarllen o bell. Mae'r giatiau haearn gwyrdd anferth â'r cerfiad o'r *liverbird* a dwy fôr-forwyn gynffon fforchog bob ochor yn agored led y pen. Rhyngddyn nhw mae llongwrs ac ambell hogyn yn prysur fynd a dod. Tu hwnt i'r grisiau eang mae'r tu mewn yn dywyll fel safn morfil.

Saif Elin o flaen yn lle'n syllu.

"Dowch ymlaen, cyfeillion." John Glyn Davies, asiant i gwmni Thomas Williams & Co., sydd wedi'u cyfarfod o flaen y Customs House i'w hebrwng i'r gwrandawiad. Cyfarfu Elin o o'r blaen, y diwrnod y daeth i nôl John. "Beryg byddan nhw'n dechrau hebddon ni." Mae'n dipyn o beiriant – y gŵr byr yma, sy'n chwifio'i freichiau wrth siarad, a glas ei lygaid tu ôl i'w sbectol gron yn dwyn i gof las môr yr haf tu hwnt i'r ddinas fudr a swnllyd hon. Un o Gymry'r ddinas ydi o, ond ni fu'r cannoedd pregethau y bu'n rhaid iddo'u gwrando yng nghapel Princes Road dros y blynyddoedd yn ddigon i ystwytho'r chwithdod yn ei Gymraeg. Mae o'n adnabod John hefyd, debyg iawn, ryw lun o nabod, ond cymun o atebion a ddaw mewn ymateb i'w sgwrs fyrlymus am bentre Edern, porthladd Porthdinllaen a hen gymeriadau'r fro. Prin fod John yn ei glywed, hyd yn oed.

"Captain John Jones? Anybody here answer to Captain John Jones?"

Mae dyn tal mewn siwt a gwasgod streips wedi ymddangos yn nrws y Sailors' Home ac yn edrych o'i gwmpas, gan godi'i law dros ei lygaid. Mae John Glyn Davies yn ei adnabod o ar unwaith. "John Worthington, un o'r rhai fydd yn gwrando'r achos heddiw. Well i ni fynd i mewn, dwi'n meddwl." Edrycha i gyfeiriad John i dynnu'i sylw, ond mae o wedi mynd i sefyll draw oddi wrthynt, wedi plethu bysedd ei ddwy law ac yn eu troi at allan ac yn ôl drosodd a throsodd. Gallant glywed y cymalau'n clecian. Gwneud hynny i nadu iddyn nhw grynu mae o.

"Dowch, John. Mae'n amser i ni fynd i mewn rŵan." Daw Elin ato a thynnu'i law dde i gadernid ei llaw hi. "Maen nhw'n disgwyl amdanon ni ..."

Mae Mr Worthington wedi'u sbotio nhw, ac yn codi'i law, ac mae yno'n eu cwfwr wrth iddynt gyrraedd pen y grisiau, i'w harwain i mewn. "Captain Jones? Good morning to you. And Mrs Jones. Now then, Captain Jones, if you could just come with me for a few moments, we just need to go over a few details. Do you have your doctor's report?" Wrth sodlau'r grŵp bach daw Davies yr asiant ar hanner tuth, gan edrych ychydig yn bryderus i gyfeiriad John, ond yn amlwg wedi penderfynu nad ei le o ydi dweud dim chwaith. "Mr Davies, maybe you'd like to escort Mrs Jones into the Reading Room where we'll be meeting today. Much obliged, my good man. Give us ten minutes."

"Our doctor has sent the report."

Mae Elin yn sefyll i wylio Worthington a dyn arall mewn gwisg porthor yn hebrwng John i ffwrdd, un bob ochor, a'i ddwylo rŵan yn llonydd. A'i ben i lawr – mor isel fel bod y pig lle torrodd hi'i wallt yn gam i'w weld yn blaen, a gwyn ei wddw odano. Daw'r sylweddoliad drosti megis trochiad a'i tharo yn ei bol. Camgymeriad oedd dod; mi ddylai o, a hithau, fod wedi gwrando ar gyngor Doctor John Hughes, Nefyn ac aros adra. Be ddaeth dros eu pennau nhw? Roedd yr hen ddoctor yn gwybod ei bethau. Maen nhw wedi dod fel ŵyn i'r lladdfa ill dau.

Daw oglau bwyd i'w ffroenau o'r *canteen* islaw, oglau sosejis a wyau wedi'u berwi, ac mae yna bistyll bach o gyfog yn codi yn ei chorn gwddw hi. Dyma John Glyn Davies yn amneidio i gyfeiriad y stafell gyfarfod ac er bod ei dwy droed am fynd i chwilio am Worthington a'r portar, a gofyn am John yn ôl, dilyn y gŵr ifanc mae hi. Cafodd pob darllenydd ei howtluo o'r Reading Room fawr i wneud lle i'r gwrandawiad y bore 'ma ac mae arwydd **Private meeting No admission** yn hongian ar fwlyn y drws. Welodd Elin erioed gymaint o waith coed mewn ystafell, o bared i bared, er ei bod wedi clywed fod ystafelloedd tebyg ym mhlastai Llŷn. Mae'n grand ryfeddol, ond go brin fod y llefydd cysgu mor foethus: wyth i bob llofft am swllt y noson glywodd hi, a chwain am ddim yn y pris. Am y tro symudwyd y papurau newydd y daw'r llongwrs yma i'w darllen a'u gosod ar silff ochor lydan yn bentwr print. Yn y gornel bellaf, ond nid allan o glyw, mae merch ifanc drwsiadus a chlamp o beiriant teipio du o'i blaen yn barod i gofnodi.

Nhw ill dau ydi'r rhai olaf o'r cyhoedd i gyrraedd, a chaeir y drws ar eu holau. O gwmpas y bwrdd mae yna nifer o ddynion proffesiynol yr olwg yn eistedd a thu ôl iddyn nhwythau bedwar mwy garw eu gwedd, dynion yr awyr agored a'r haul wedi tywyllu eu hwynebau. Dyma'r tystion. Caiff Elin sioc fel peltan pan mae'n adnabod Sam Richards yno yn eu plith. Yn New York y gwelodd hi o ddiwetha, ac mae o wedi newid yn y flwyddyn dda ers hynny, yn lletach nag y mae hi'n ei gofio, a'i wallt du cyrliog wedi'i dorri yng nghroen y baw a golwg anniddig arno. Mae'n edrych yn hŷn, hefyd – a dim hanes ynddo o'r gŵr ifanc hwyliog y daeth hi i'w adnabod ym Morfa Nefyn. Nac o'r gŵr bonheddig a achubodd y mangl o grafangau lleidr, a phalu'r ardd iddi hi. Tybed a welodd o hi'n dod i mewn, ac mai dyna pam ei fod yn edrych draw? Feddyliodd hi ddim am funud y byddai o yma heddiw.

Mae'r aros yn teimlo'n hir, a'r cloc wedi hen basio amser cychwyn. Lle mae John? Does dim hanes ohono. O'r diwedd mae drws ochor yn agor a daw Mr Worthington i mewn a sibrwd yng nghlust y dyn ar y pen, a hwnnw'n gwrando'n astud, ac yn ysgwyd ei ben cyn codi ar ei draed.

"Good morning, gentlemen, ladies." Mae'n gwyro'r mymryn lleiaf i'w chyfeiriad hi. "Allow me to introduce myself. I am Henry Fernie, chairman of today's proceedings. Here on my left, we have my good friend Mr W. J. Stuart, Legal Assessor. Then on my right Messers C. J. Dunn and Captain William Gracie, at the far end Mr Thomas Connolly and of course Mr Worthington. Representing the Board of Trade we have Mr Paxton. We are assembled here this morning as you all know to hear the case against Captain John Jones, late of the *Cambrian Queen*." Yma, mae'n aros ac yn edrych o'i gwmpas, yn aros i bawb hoelio eu sylw arno. "However I have just been informed that Captain Jones, although present in this building, is indisposed and will not be attending."

Aros eto, a'r sŵn siarad o'r lobi yn llenwi clustiau Elin fel ei bod yn ofni na fydd yn gallu clywed na deall be ddywedir nesa. Mae Henry Fernie yn troi ei ben i edrych o'i gwmpas yn llygadog fel petai'n chwilio am rywun penodol – am ddrwgweithredwr. Gwthia ei sbectol i dop ei drwyn.

"Now to speak plainly, if I may, I fail to understand how this case was brought at such an early date in the first place, Mr Paxton. Captain Jones arrived home sometime in June and has had a very short time to recuperate. The papers were only delivered to me last night, otherwise I would have postponed the proceedings myself." All o ddim celu ei dymer flin. Mae'n hanner taflu'r papurau ar y bwrdd o'i flaen. "Whose silly idea was it to hold the hearing today in any case?"

Mae Mr Paxton yn codi ar ei draed yn ffrwcslyd i esbonio. "What happened, begging your pardon, Mr Chairman, was that one of the key witnesses, Mr Samuel Richards, lately of Thomas Williams & Co., now an officer for Hugh Roberts and Son of Newcastle upon Tyne, informed us that he is shortly to embark on a journey to South America and from there onwards to the Far East, a journey which may last up to one year. He was eager to submit his testimony before he set sail, which as you agree, I'm sure, was perfectly reasonable, and therefore the date of the hearing was brought forward to accommodate his request. He was promoted to first mate during the voyage when Captain Jones took ill, sir."

Edrycha Elin ar Sam Richards sy'n rhythu ymlaen ac wedyn ar John Glyn Davies sy'n syllu ar ei esgidiau.

"He could have submitted written testimony and the Board would have accepted it in good faith. Am I not right, Worthington?" Ac mae'n edrych am Worthington sy'n dal i sefyll tu ôl iddo. "The cart has been put before the horse here, surely."

"Yes, I think that may have occurred once or twice, in extraordinary circumstances, Mr Chairman. We could always check if a precedent has been set."

"But, if you will allow me to explain, sir . . ." aiff Mr Paxton ymlaen i geisio egluro. "A letter came to hand from Mr Richards . . ."

Ond mae'r Cadeirydd wedi clywed digon a does ganddo ddim pwt o amynedd. "This hearing has been a waste of everybody's time and effort! Captain and Mrs Jones have travelled all the way here from furthermost North Wales for no good purpose, and Captain Thomas from Holyhead. Now if one of you gentlemen," ac mae'n agor ei freichiau o flaen y gwŷr sy'n eistedd yn dawel wrth y bwrdd derw llydan, "would like to propose that Mr Richards provides us with his version of events in writing before he leaves this building today, then I shall defer this case for four months by which time Captain Jones should, hopefully, have recovered sufficiently to testify." Edrycha ar y papur sydd o'i flaen ac wedyn ar y tystion i gyd. "I hope that you, Captain Thomas, and your good self, Mr George Sherwood, steward, will be able to act as witnesses then. In any case, we have the logbook, have we not, as well as Captain Thomas' report to the company at the time, and the doctor's report at Port Jamestown. That should suffice." Mae'n codi ei lais fymryn, ac yn anelu ei sylwadau clo at swyddogion y wasg yng nghefn yr ystafell, y rheini sydd mor chwannog am stori ar unrhyw gyfrif. "And it is imperative to point out that the person on whose testimony the case will rest then will be the doctor who examines Captain Jones prior to the hearing. This is principally a medical matter. As for today's proceedings, there is nothing to report." Ac yna ychwanega yn araf a chlir, "That is an or-der."

Try eto at aelodau'r Bwrdd. "Now, if one of you would kindly put forward the proposal. Mr Dunn?"

"Of course, Mr Chairman. I propose the motion."

"We will need it in a formally phrased proposal for the minutes, if you please."

Mae Mr Dunn yn ochneidio'n dawel ac yn ciledrych ar y capten wrth ei ochor, sy'n rhoi winc fach lechwraidd iddo. "I propose that Mr Samuel Richards provides his testimony in writing on this day, August the 29th, at the Sailors' Home, Liverpool, to be signed by himself and an independent witness."

"Excellent. In favour of the motion, if you please?"

Mae pob un o'r dynion yn codi ei law dde.

"Against?"

Does neb ar ôl i godi llaw.

"Passed unanimously. Thank you, gentlemen." Mae'n edrych o'i gwmpas, a'i drem yn herio neb i ddweud gair ymhellach. "And so if there is nothing else to discuss I will declare this case deferred for a period of four months or longer, depending on when Captain Jones will be well enough to attend and give testimony."

Ar hynny mae'r Cadeirydd Mr Henry Fernie yn troi ar ei sawdl ac yn gadael y llyfrgell drwy'r drws ochor, a'i gôt gynffon fain yn codi tu ôl iddo. Eistedda'r dynion eraill lle maen nhw yn sgwrsio ymhlith ei gilydd mewn lleisiau isel. Toc, dyma ddynion y wasg yn dechrau patro, a chodi i fynd at y stori nesa, ac mae'r porthor yn agor drws y Reading Room iddyn nhw gael mynd allan.

"Mi ddo i ar eich ôl chi mewn dau funud," meddai John Glyn Davies wrth Elin gan godi ar ei draed a dechrau ochr-gamu am y bwrdd. "Rydw i jest am picio draw i fan acw i gael gair bach efo Captain Gracie. Ac awn ni i chwilio am eich gŵr syth *away* wedyn."

Chwilio am ei menig yn ei bag llaw y mae Elin pan mae'n codi ei phen ac yn ei weld yn nelu heibio iddi a'u hysgwyddau bron â chyffwrdd.

"Sam."

"Elin. Welish i monat ti'n fanna." Mae'n gwenu, efo'i ddannedd. "Ti'n swel iawn, do'n i ddim yn dy nabod di." Mae o'n aros i siarad, ond yn gwingo fel pysgodyn ar fachyn. Rhythu arno fo mae hi. "Sut mae pawb adra gen ti?"

"Iawn." Cwta. "Mae gan Jane a Bob hogyn bach."

"Duwcs, neis. Cofia fi atyn nhw 'de. A pawb arall." Ac mae o'n osio i fynd, yn ei throi hi am y drws, a'i gap yn ei law.

"Roedd y Cadeirydd yn iawn. Doedd dim synnwyr i John orfod llusgo i fan'ma heddiw i wynebu gwrandawiad dim ond am fod hynny'n dy siwtio di." Mae'n rhaid iddi gael dweud.

"Siwtio fi?!" Mae'n sefyll yn ei dracs – yn edrych arni efo llygaid mawr diniwed, yn methu credu be mae'n glywed.

"Eisio arbed dy groen oeddat ti?"

"Roedd rhaid i rywun ddeud y gwir, doedd. Doedd Thomas ddim am neud, capteiniaid 'ma i gyd yn cadw ar 'i gilydd. A blydi llongwrs Sir Gnarfon."

"Na wir, rwyt ti'n rong yn fanna, gawson ni lythyr gan y stiward, Mr Sherwood, John a fi, yn deud cymaint o ofid oedd iddo'i weld o dan y fath straen. Postmarc Llundan oedd ar ei lythyr o."

"Ia, mae hwnnw'r un brid. Gwas bach uffar..."

"Doedd dim angan i ti roi tystiolaeth o gwbwl, Sam, fel deudodd y Cadeirydd."

"Oedd. Blydi oedd. Pwy arall oedd yn mynd i ddeud ei fod o jest wedi'i cholli hi at y diwadd? Doedd o ddim ffit. 'Mentally incompetent to be in charge of a ship' oedd y cyhuddiad, Elin, rhag ofn na ddeudodd o wrthat ti. *Stark raving mad*, faswn i'n ei alw fo. Roedd o'n cerdded i fyny ac i lawr y pŵp nos a dydd, roedd o'n gwrthod gwrando arna fi..."

"Gwrando arnat ti? Os basat ti wedi gwrando arno fo, a dysgu, ella basa yna well trefn wedi bod."

"You have no right to say that, Elin. You're just a housewife with no expertise. Interfering in..."

"A pwy sy'n gorfod edrach ar ei ôl o, ac adfer ei iechyd ar ôl y fath lanast? Y?"

"He wanted to send a cable to someone in Boston! From the middle of the South Atlantic, for God's sake!"

"Doeddach chi ond ddau ddiwrnod o St Helena, os wyt ti'n cofio, Sam. Felly doedd o ddim yn beth mor afresymol."

"All right then, and who was he going to cable in Boston? The bloody mayor?" Mae lleisiau'r ddau wedi codi a chodi a Sam erbyn hyn yn gweiddi. O'u cwmpas mae pawb wedi tewi i wrando, a'r dynion wrth y bwrdd wedi eu fferru i'w cadeiriau, yn symud dim ond eu llygaid.

Aiff y gwynt i gyd o hwyliau Elin mwya sydyn. Lle mae John, iddyn nhw gael mynd adra o'r lle ofnadwy yma? Fedr hi yn ei byw gael gwynt i'w brest i anadlu, mae o'n sownd yn ei llwnc hi.

Capten Thomas sy'n dod i'r adwy, yn brasgamu draw atyn nhw.

"Be sy'n mynd ymlaen yn fan'ma? Richards, roeddwn i dan yr argraff eich bod chi am sgwennu'ch *testimony*. Steddwch wrth y bwrdd 'na wir, ddyn."

Mae Sam Richards yn codi'i ddwylo fel petai i'w amddiffyn ei hun.

"The lady started it! And she was asking for it. Dim ond y gwir ddeudes i."

Prysura John Glyn Davies draw atyn nhw yn fân ac yn fuan, ei wyneb yn llawn gofid.

"Mrs Jones, ydach chi'n iawn? Ydi'r dyn yma wedi ypsetio chi?"

15

"Dilynwch fi," meddai Capten Thomas gan arwain Elin, a Davies wrth ei chwt, o'r Reading Room i brysurdeb cyntedd yr Home. Mae'r lle wedi prysuro'n arw o fewn yr awr ddiwetha ac oglau chwys dynion a baco yn dew. Yno mae hogiau a gwŷr yn eu degau, llawer ohonyn nhw mewn dillad gleision a chrys gwyn digoler efo stydsen fawr yn ciwio i gyflogi gyda'r cwmnïau llongau yn y Pool ym mhen draw y neuadd – y sgwrsys yn berwi a rhegfeydd yn codi'n amryliw i'r awyr. Mae yna Gymraeg i'w glywed yma rhwng y Saesneg ac ieithoedd diarth i Elin hefyd, ar dafodau dynion gwallt golau a llygaid gleision. "Awn ni i'r offis." Mae'n eu tywys i ystafell fer gul gyda chlamp o ddesg fahogani ac yn annog Elin i eistedd. "Davies, ewch i lawr i'r cantîn i nôl paned o de i Mrs Jones. Mi a' inna i chwilio be ydi hanes y capten."

Aiff Davies yn ufudd er bod y swydd islaw ei statws ac unwaith y mae'r drws yn cau ar ei ôl, eistedda Capten Thomas ar gadair gyfagos ac yna'i llusgo at Elin.

"Doedd dim synnwyr eich bod chi wedi gorfod gwrando ar beth fel'na."

"Mi welodd ei gyfla, do. Ond a bod yn deg, fi ddechreuodd hi!"

"Mi a' i i chwilio be ydi hanes John i chi rŵan. Mi ddylan nhw fod wedi gohirio fel mater o drefn, roedd Fernie yn llygad ei le."

"Ond roedd John yn benderfynol o ddŵad yma heddiw. Mi wnesh i a'r doctor lleol ein gora i'w berswadio i beidio."

"Dal her!" Ac mae Capten Thomas yn rhoi chwerthiniad cwta. "Hwylio drwy'r storm! Rŵan, Mrs Jones, os cymerwch chi gyngor gan gyfaill ..."

"Mae eisio handio'r stifficet i mewn, does, am y pedwar mis." Mae hwnnw yn ei bag hi, ac mae'n ei agor i chwilio amdano, ac yn ei estyn yn barod. "Lle mae offis y Board of Trade?"

"Fy nghyngor i ydi hyn. Faswn i ddim yn sôn am ddim byd ddigwyddodd ac a ddeudwyd i mewn yn fanna wrth eich gŵr. Rest mae o eisio, a rhoi'r holl beth tu ôl iddo fo. Ac yn fwy na hynny . . ."

"Wna i ddim sôn wrtho fo, Capten Thomas. Dwi'n gallach dynas na hynny."

"Ac yn fwy na hynny, rhowch y peth yn llwyr o'ch meddwl chi eich hun hefyd. Anghofio'r diwrnod yma, a Sam Richards yn arbennig, a symud ymlaen."

"Dwi'n nabod Sam Richards yn eitha, 'chi. Mae o wedi bod yn ein cartra ni, ac wedi byta wrth fy mwrdd bwyd i. Mae hi'n 'chdi' a 'chditha' rhyngddan ni."

"Poeni am ei groen ei hun, mi welish i ddigon o'i siort . . ."

"Ond doedd yna ddim achos yn ei erbyn o, ond yn erbyn John . . ."

"Gwir, ond mae angen i chi gofio nad nhw ill dau yn unig oedd ar y *Cambrian Queen*. Mae gan longwrs cyffredin lais, fel pawb arall, a bob saer a sêlmecyr . . ."

"Wel pam nad oedd yr un ohonyn nhw yna heddiw, ynta?"

"Atab gonast? Am fod y cwmnïa'n rhy gryf, efo gormod o bŵar. Ac mae pawb angen gweithio, dydi. Ond mi roedd yr hogia wedi gweld sut oedd petha, i chi. Rydw i wedi clywad fy hun, tua Caergybi 'cw."

"Roedd John yn deud, amdano fo, nad oedd o . . ."

Chaiff hi ddim gorffen ei brawddeg.

"Wel dyna chi. Er, dydi ddim yn syml, nac'di, dydi hi byth, ddim yn ddu a gwyn . . . roedd yntau'n ifanc a dibrofiad, ac mi gafodd ei daflu i ganol helynt go fawr, a dychryn am ei hoedl."

"Ydach chi am i mi deimlo piti drosto fo?"

"Ddwedes i mo hynny, anghofiwch amdano fc
basa Fernie wedi gofyn i mi ddeud gair am John mi ta.
wedi deud ei fod yn ddyn 'steady' . . . Ond fod y straen
wedi deud yn arw arno fo – 'effaith straen' oedd diagnosis
y doctor yn Jamestown, wyddoch chi."

"Ac yma yn Lerpwl hefyd."

"Ond *y* peth ddaru 'nharo i, ac mae hyn yn gwbwl
gyfrinachol rŵan, rhyngoch chi a fi, Mrs Jones, pan fues i'n
trio dal pen rheswm efo fo ar y pryd, oedd fod yna rywbeth
yn ei boeni fo, neu rywbeth yn pwyso'n drwm arno fo.
Roedd o'n argyhoeddedig ei fod o wedi gneud rhywbeth o'i
le, ac roedd yr euogrwydd yn ei fyta fo." Ac mae'n edrych
yn ddisgwylgar bron ar Elin.

"Mae o'n beio'i hun am farwolaeth Capten Williams."
Edrycha Capten Evan Thomas yn syn. "Ia, dwi'n gwybod,
dydi hynna ddim yn synhwyrol, ond be fedrwch chi neud?
A dwi'n edrych yn ôl, a fedra inna yn fy myw ddeall pam
na wnes i ddim mynd efo fo. Oedd, roedd Mam a Nhad,
salwch Tomos fy mrawd, a fy fusutors. Ond doedd y rheina
ddim yn rhwystra go iawn. Be rown i am gael yr amser yn
ôl."

"Petae petasa ydi'r ddau air casa." Ac mae Capten Evan
Thomas yn codi ar ei draed, ac yn taro'i law ar ei hysgwydd.
"Reit! Mi a' i i chwilio am John a dod â fo yma. Mi ddaw
Davies â'r te toc."

Mae John Glyn Davies a faged yn fab i farsiandwr te dos-
barth canol yn y ddinas, a hynny mewn cryn steil, wedi
mynd *all out* efo'r te. Daw yn ei ôl yn cludo hambwrdd bron
i lathen o hyd ac arno debot a jwg dŵr poeth arian, llestri
tsieina a phlateidiau o frechdanau a byns. Mae'r llestri'n
crynu wrth iddo gerdded, ac efo'i droed y mae'n cnocio ar
y drws i Elin ddod i'w agor.

"Mi edrychodd y cwc yn wirion arna i pan ofynnais am

Darjeeling. Dim ond un math o de sydd yma, mae'n debyg – 'brew'."

"Doedd dim angen mynd i'r fath drafarth."

Mae o'n sefyll o'i blaen, tra mae'r *brew* yn ystwytho.

"Fedra i ddim apologizio digon i chi, a dwn i ddim lle i ddechrau."

"Mae'n iawn, doeddach chi ddim i wybod sut basa pethau'n mynd."

"Ddylwn i ddim fod wedi'ch gadael ar ben eich hun i'r dyn yna gymryd *advantage* fel'na."

"Dim ond cega wnaeth o, fel rhyw ddaeargi bach!"

"Y tro nesa bydda i'n dod i Edern, Mrs Jones, mi fydda i'n dod â bocs mawr iawn o *chocolates* i chi. *By way of apology*."

"Sdim eisio'n tad mawr."

Ac mae'r ddau yn aros wedyn yn dawel ac amyneddgar i'r te fwrw'i ffrwyth.

"Roeddwn i â mryd ar fynd i'r môr, wyddoch chi, yn gapten fel fy mrawd, Frank, fu ar y *Cambrian Queen*. Ond mi fuo'n rhaid i mi fynd i weithio i gynnal y teulu, i offis llongau Rathbone Brothers, ar ôl i fusnes fy nhad fethu – ac roeddwn i'n casáu bob munud! Digon hawdd ydi gwirioni ar *sea shanties*, ynde, a holl ramant bywyd ar y môr – y gwmnïaeth, harddwch llong ar lawn hwyl, enwa'r porthladdoedd pell. Ffrisco. Copenhagen. *Romanticist* ydw i, Mrs Jones! Ond mae be sy wedi digwydd i'ch gŵr chi yn dangos y *reality*. Fel *agent*, mae'n beth da i rywun gael ei atgoffa."

"Ydach chi am i mi dywallt y te?"

"*Oh no, no!* Dysgais sut i dywallt te ar lin fy mam!" Ac mae'n estyn am y tebot, a'r llwy dyllog.

Ar hyn daw cnoc ar y drws, a Capten Thomas yn ei ôl, a dyn bach ysgafn efo mwstásh fel rhwyf yn ei ddilyn.

"Mrs Jones, ga i'ch cyflwyno chi, *may I introduce you to Dr Mogg. Dr Mogg, Mrs John Jones*."

"My great pleasure, Mrs Jones. And how are you today?"

Saif y meddyg a'r capten o'i blaen a hithau'n syllu i fyny arnynt ill dau. "It has been a difficult day, and I fear it is about to become more difficult for you, Mrs Jones. But we are all here to help, in any way we can."

"Where is my husband, Doctor?"

"Well, let me explain. Before commencement of the case, your husband became rather unwell, and I was called in. He was in, how shall I phrase it, a distressed state and in no condition to give evidence."

"He should not have come."

"Well no, in retrospect. However I administered him some medication, a sedative to calm him. He was adamant that he did not wish you to see him in his present condition, totally understandable, of course. As a man I understood his point exactly. I suggested a brief stay in the Royal to recuperate . . ."

"Yr hosbityl. Y Royal Liverpool."

"But no, his mind was set. He insisted that he wanted to go and stay with his sister, Elizabeth?"

"Lizzie."

"Yes, Lizzie, in some place with an unpronounceable Welsh name."

"Penrhyndeudraeth."

"That's the one, near Portmadoc, until he is recovered, or better at least. He felt that he was not improving at home, that you have a lot on at the moment. And to speak plainly, Mrs Jones, he feels as concerned about you as you are about him. It is a vicious circle. Any wife would worry, of course, womenfolk are a worrisome breed."

"And so, Mrs Jones, a decision was made . . ."

"Yes, let me finish, Captain Thomas, thank you. I made the executive decision to send him on to . . . Portmadoc, with an escort, a trusted employee of Thomas Williams & Co. It will not be for many weeks. It will do him good to have a different environment, a change of scene."

"He has gone already?"

"Yes, they caught the twelve o'clock from Lime Street."

"Did he tell you that his sister has four boys? And lives in a small terraced house?"

"I am one of four boys." Dyma John Glyn Davies yn rhoi ei big i mewn. "They'll entertain him, and distract him from his unhappy thoughts. He will be playing football, and cricket, and fishing!"

Edrycha Dr Mogg gyda dirmyg ar yr asiant ifanc.

"Of course, my dear Mrs Jones, I appreciate that it is unexpected, and a shock for you. However, we will provide you with our undivided support. And assistance. You must just understand that it is for the best, in both your best interests."

"You should have talked to me first."

"And you would have thwarted the plan, my dear."

Ac mae'r doctor yn plygu'i freichiau'n fuddugoliaethus.

"Mi ddaw rhywun i'ch hebrwng adra, Mrs Jones."

"Mwy na hapus i siaperonio chi i Lŷn. *My absolute pleasure.*"

"A pheidiwch â chymryd atoch gan ffordd y meddyg yma, un fel yna ydi o, dipyn o rwdlyn, ond un da ei waith, cofiwch. *I was just telling Mrs Jones, Doctor, that we will arrange for her to be escorted to her home near Pwllheli.*"

"Indeed. It will be arranged promptly."

Rhaid i Elin godi'n ofalus, gan osgoi'r tebot a'r holl lestri te, y tre a'r byns sy'n union o'i blaen. Mae y goes dde'n bygwth rhoi odani a rhaid iddi ei sodro wrth gornel y gadair i'w sadio'i hun.

"That will not be necessary, thank you, Doctor," meddai hi'n gadarn. "I have been all the way to New York and back on my own last year. There is no need for you to make any arrangements for me."

RHAN PEDWAR

IONAWR 1895

1

Daeth y gnoc ar y drws cefn ar yr awr annuwiol o chwarter i bedwar. Y bore. Ond maen nhw wedi hen godi, a Hughie yn barod, wedi bwyta dwy frechdan driog ar hyd y dorth. Adi sydd wedi dod i'w nôl o; mae Elis, ei dad a'i frodyr yn aros amdanyn nhw wrth y cwch, yn gwingo am gael mynd i olwg y rhwydi. Ar ôl sawl rhybudd i wrando a bihafio, cânt fynd gan Elin.

Mae'r lleuad lawn fel lantern yn dangos y ffordd i'r ddau ar hyd Lôn Isa. Sibrwd taer ydi'r sgwrs, rhag deffro pobol y tai, a dim ond dwndwr eu clocsiau'n taro ar wynder y lôn. Ond unwaith maen nhw wedi pasio tai Penrhos mae Hughie yn dechrau holi fel barnwr a'i lais yn codi.

"Ddaru Twm Tyn Gors basio'i sgolarship yn yr ha', Adi? A Defi? Faint ddaru basio? Nest ti basio?"

"Ches i'm trio, Hughie. Iesgob, mae gin ti dwrw. Fiw i ti weiddi pan fyddwn ni allan, mi ddychryni'r pysgod i gyd."

"Fuo rhaid i mi fegian ar Anti Êl i gael dŵad, cofia, nes oedd fy ngheg i'n grimp."

"Synnu dim."

"Faint ddaliwn ni?" Cyn i Adi gael cyfle, mae'n ateb ei gwestiwn ei hun. "Ella na wnawn ni ddim dal ddim un wan jac."

"Ella."

"Ella bydd yna ddeng mil."

"Deng mil? Paid â chyboli, cwch pymthag troedfedd ydi o, â dim ond dwy rwyd."

"Pwy fydd yn cyfri?"

"Chdi ella, felly paid â wastio dy wynt rŵan. Fesul mwrw 'dan ni'n cyfri – tri phennog mewn llaw. Deugain mwrw mewn cant." Mae hi'n taro golwg sydyn ar ei ddwylo. "Dwylo digon bach sgen ti 'fyd – o gymharu â maint dy geg di."

"Mae deugain mwrw yn gant ac ugain!"

"Y gant fawr, ynde."

Mae hi wedi barugo yn yr oriau mân, a'r cerrig ar y lôn i'r traeth o'u blaenau'n ddisglair fel jiwals. Mae hi'n gafael hefyd. Bob hyn a hyn, mae Hughie yn gadael i Adi fynd o'i flaen ac yn sefyll i rwbio'i bengliniau i drio eu cnesu nhw, ac yn meddwl am ei drowsus llaes newydd yn gorwedd yn y cês. Ras wedyn i ddal Adi a'i phasio hi gan landio efo sbonc. Wrth iddyn nhw gychwyn i lawr y rhiw i'r Bwlch, mae yna belydr hir o olau lleuad yn cwafro ar letraws hyd y tonnau.

Ar ôl iddyn nhw fynd, mae rhyw fagned anweledig am dynnu Elin yn ôl i'w gwely. Ers ei bod yn hogan, bu'n codi'n fore gartre i helpu efo godro haf a gaeaf fel ei gilydd, ac i lafurio adeg cynhaeaf. Yng Nglan Deufor codai'n blygeiniol drwy'r haf i gael y blaen ar y fusutors. Ond ers i'r criw olaf adael ganol Medi, dim ond hi fu yma, a dim galw i godi i neb na dim byd. Daeth Adi draw ambell ddiwrnod i gael trefn, hel y dillad gwlâu a'r blancedi at ei gilydd i'w golchi a llnau'r tŷ o'r top i'r gwaelod. Ond aeth llawer o wythnosau tawel heibio ers hynny. Wrth i'r dydd fyrhau, a'r boreau yn dywyll, aeth yn fwyfwy anodd gan Elin ei llusgo ei hun o'r cae sgwâr.

Syniad Hughie oedd cael dod i Lan Deufor am wythnos cyn i'r ysgol ailddechrau. Roedd rhan o Elin am roi stop arno, rhag ailgodi'r hiraeth fu'n ei bwyta am wythnosau ar ôl iddo fynd yn ôl y tro cynt. Allai hi ddim wynebu'r ymchwydd teimladau fyddai'n siŵr o ddod i'w ganlyn. Dim ar ben bob dim arall. Ond doedd dim digon o amser i yrru llythyr yn ôl. Felly'r diwedd fu mynd i'w gwfwr at y trên i'r dre. Cawsant bnawn efo Meri a Pitar yn eu 'rooms' yn Stryd Penlan yn chwarae dominôs a bwyta sleisys o bwdin Dolig wedi'u ffrio cyn troi am adra ar y goets chwech. A dyddiau braf wedyn yn crwydro i Nefyn ac i Geidio, yn cael gwadd i de hwnt ac yma gan y teulu.

Ond ar ôl golchi llestri brecwast a chychwyn y lobs-gows, daw nerth i Elin o rywle i fynd i lawr i Henborth i gwfwr y 'sgotwrs', er mor iasol ydi. Fu hi ddim draw yno ers misoedd. Y tro diwetha iddi fod i lawr roedd yr hen Gapten Rol yno – wedi mynnu cael dod i weld drosto'i hun sut roedd pethau ar ôl teidiau mawr mis Medi ond yn llwyd fel lludw a'i goesau'n rhoi odano bob gafael. Ar ôl straffaglio ar fwrdd y *Mairwen* roedd wedi methu'n glir â chael hyd i'w draed a'r diwedd fu nôl ceffyl gwaith o fferm Porthdinllaen, cael dau ddyn i'w ostwng ar ei gefn o fwrdd y sgwner fach, ac un ohonyn nhw'n eistedd tu ôl iddo bob cam i dŷ ei ferch. Roedd gwynt yr hen gapten yn fyr ond daliai i alw ordors – "Adi, cofia ... roi côt o ... baent ar y bwlcwarcs cyn ... Diolchgarwch. A Lydia ... llna'r brasys." Doedd byw na marw na châi danio'i getyn cyn cychwyn am adra – y gwas yn ei ddal wrth ei geg iddo gael tynnu, nes aeth i besychu'n ddi-stop. Doedd ganddo ddim nerth ar ôl hynny ar gyfer geiriau. Ond ar ôl cychwyn tua'r Bwlch a sŵn pedolau'r ceffyl yn taro ambell garreg wrth glopian, roedd wedi codi'i gap a rhoi rhyw dro ynddo cyn ei ailosod ar ei ben. Dyna'i ffarwél o; roedd ym mynwent Edern o fewn pythefnos. A dyna'r tro olaf iddi hi fod yn Henborth, nac yn fawr o unlle'n wir, ers hanner blwyddyn.

Caiff Elin wres ei chorff wrth gerdded. Wrth iddi nesu at y môr, daw oglau heli i lenwi'i ffroenau a chodi rom bach ar ei hwyliau. Tywyll ydi hi o hyd, heblaw am olau bach yn ffenestri Bwlch a Tŷ Halen, a seren y gweithiwr uwchben. Ond mae'r pentre'n dechrau stwyrian fel y tystia clep drws a chyfarthiad ci tu ôl iddi. Daeth â phwced efo hi, ac mae'n clincian yn wichlyd i rythm ei chlocsiau. Mae camu i lawr i draeth y Bwlch fel mynd ar ei phen i mewn i safn fawr ddu, a'r môr yn dafod llydan, llepiog o'i blaen. Ond unwaith y mae hi'n cyrraedd y lan, daw yr haul i gracio'r awyr tu ôl i Garn Boduan, yn binc fel perfedd sgadan ac yn lledu gyda phob munud hyd arwyneb y dŵr. Mae sgwner ddau fast wedi angori gerllaw pier y gwaith brics, a dynion wrthi'n llwytho – eu gwynt yn troi'n angar wrth godi.

Wrth droedio ar hyd y traeth mae golau'r wawr yn dangos llinell y gorllan iddi – strimynnau o wymon codog bras sy'n clecian dan ei thraed, gwymon lledr, pwrs y forwyn, coesau crancod ac aml gyllell fôr. Mae hi'n dilyn sêm ei düwch. Gwêl rywbeth yn pelydru o'i blaen a phlygu i'w godi: tamaid o wydr gwyrdd, ceg potel ryw oes, wedi ei wisgo'n llyfn gan y môr ac yn sgleinio fel gem. Dyma'i estyn a'i roi yn ei phoced. Drwy'r misoedd y bu'n byw efo hi byddai Hughie yn casglu trysorau bach fel hyn mewn tun baco yn ei lofft; ŵyr hi ddim a ydi o'n dal wrthi: hoelion, marblis, darnau bach o jet a stwmp o sialc. On'd ydi plant yn newid mor sydyn; mae hi'n gweld newid mawr ynddo fo mewn blwyddyn a hanner. Ymhen dau dymor bydd yn y Cownti ym Mhorthmadog, gyda lwc, ac mae hi'n meddwl tybed a fydd o am ddal i ddod i Forfa Nefyn wedyn. Ym mhen draw y traeth wrth Ben Cim mae twr o wylanod gwynion yn nofio mewn cylch gan gymryd eu hamser i godi wrth iddi nesáu. 'Dân nhw ddim ymhell achos mi wyddan y bydd y clincars i mewn cyn bo hir a chyfle am frecwast diog.

Mae'n dyddio wrth iddi rowndio'r tro i Henborth. Yn

y bae, mae yna sgwner ar gychwyn allan – y blw pitar yn chwifio ar ben yr hwylbren, a'r mêt yn gweiddi ordors. Gwylia Elin y ddau gwch yn ei thynnu hi allan heibio'r trwyn nes y caiff ddigon o frisyn i roi'r llian i fyny, a chlywir y dynion yn tuchan dan eu gwynt wrth i'r rhwyfau dorri drwy'r dŵr. Am y tro, mae'r sgwneri a'r slŵps eraill yn slwmbran. Edrycha Elin i gyfeiriad y *Mairwen*, ond does dim arwydd o fywyd arni. Tra oedd yr hen gapten bach yn fyw ac o gwmpas cafodd lonydd lle'r oedd, ond mae'n gwestiwn beth fydd ei hynt rŵan a seiri llongau'n daer am le hwylus i weithio ar y traeth. Tua'r trwyn does dim golwg o gwch teulu Elis yn dychwel. Rhaid ei bod wedi dod sbel yn rhy gynnar wedi'r cyfan.

O flaen Tŷ Coch mae gwraig ganol oed, syth fel procar, yn siarad efo llongwr ifanc a'i gap dan ei gesail. Mae hi'n pwyntio draw tua Phen y Cei, ac yntau'n dilyn cyfeiriad ei bys, ac yn nodio, cyn mynd am ei gwch lle mae dau arall yn aros amdano. Mae gan y wraig delisgop, ac mae'n ei godi ac yn edrych drwyddo tua Bae Caernarfon a glannau gorllewin Môn, cyn lapio'i siôl fawr yn glòs amdani.

"Mrs Jones, sud 'dach chi?"

Mae Ellen Jones yn rhoi'r telisgop i lawr, ac yn troi at Elin. "Mi fydd rhaid i mi fynd tua Chaernarfon i brynu sbectols un o'r dyddia nesa 'ma. Rydw i'n nabod y llais, ond . . ."

"Elin, Elin Jones, gwraig John . . ." Ŵyr hi ddim pa long i'w henwi, ac felly mae'n dweud, "Mab William Jones fydda'n cadw becws yn rhes Tai Siôn Hughes ym Morfa 'cw."

"Wel ia, John becws fydda'r hogia'n ddeud ers talwm pan oedd yn bwrw'i brentisiaeth. Does yna gymaint o Johns maen nhw fel chwain traeth! Rhoswch chi rŵan . . ." A bron na all Elin weld olwynion ei meddwl yn dechrau troi, yn dwyn i gof beth mae hi wedi'i glywed dros y misoedd diwethaf am John.

Mae Elin yn llenwi'r bwlch.

"Mi gafodd Hughie, nai John sy acw'n aros, fynd allan efo Adi a'r criw am benwaig bore 'ma, ac mi ddois inna i'w cwfwr nhw." Ac mae hi'n ysgwyd ei phwced wichlyd. "Dyna pam rydw i yma mor fora."

"Mi fyddan hannar awr dda eto, i chi. Mi fyddwch wedi rhynnu, hogan. Dowch, mae gen i damad o gòd hallt ar y tân, hen ddigon i ddwy, ac mi gawn ni sgwrs." Ac mae hi'n rhoi ei braich drwy fraich Elin ac yn ei thywys i fyny'r stepiau cerrig i'r dafarn, lle mae yna dân glo rownd y gornel ar y dde a thecell crog yn ffrwtian. Gosodir y telisgop wrth ymyl llyfr *ledger* mawr agored, pot inc a phìn sgwennu ar fwrdd yn wynebu'r ffenest. "Clarcio, Elin Jôs bach, does gynnoch chi ddim syniad," cwyna Ellen Jones gan ysgwyd ei phen. "Mi fasach yn meddwl fod y gwaith papur yn bwysicach na bod allan yna, yn cadw trefn ar y mynd a'r dŵad, rhoid yr hogia ar ben ffordd ac ati. Ond na, hel y tolla ydi'r job bwysica, ddigon siŵr i chi, ac mae asiant Cefn Amwlch yma byth a hefyd yn holi am y peth yma a'r peth arall. Ond os ydi o'n meddwl fod yna unrhyw fistimanars yn mynd ymlaen yn fanna, a'i fod o'n mynd i fy nal i, wel fo ydi'r gwiriona. Steddwch chi yn fanna yn y gadair freichia, ac mi a' i i weld be ydi hanes Margiad i ddŵad i dendiad arnan ni."

Dydi Elin ddim yn brysio i dynnu ei hen fenig gwau, ond yn dal ei dwylo at y tân i gynhesu. Mae'r còd mewn padell ffrio ar y pentan ac oglau da'n codi ohoni, ac mewn desgil ar y bwrdd crwn yn ymyl mae pwdin reis yn barod am y popty, a lwmp mawr o fenyn yn nofio ar ei ben. Mae gwaith bwydo yma rhwng pawb o'r teulu, a llongwrs llwglyd sy'n aml yn troi i mewn ar eu cythlwng. Toc daw Ellen Jones trwadd yn ei hôl, wedi newid ei siôl fawr am un ysgafnach liw gwinau, a chylch o oriadau'n tinical ar y belt am ei chanol. Wrth ei chwt daw Margiad yn cario'r llestri a'r jwg llefrith.

Eistedda'r wraig ar y setl gefnuchel sy'n rhoi cysgod rhag min gwynt y gogledd o'r drws allan. Cwyd i roi'r pwdin reis yn y popty a symud y bwrdd tair coes wedyn fel ei fod rhwng y ddwy ohonyn nhw.

"Sut mae John erbyn hynny gynnoch chi, Elin Jôs? Ydi o wedi dod ato'i hun yn o lew? Mi gafodd dipyn o dreial, rhwng popath, y cradur."

"Go lew, 'chi." Mae Elin yn gwybod fod yr harbwrfeistres yn dryst hollol, efo gwybodaeth, arian a chyfrinachau. Mae hi'n uchel ei pharch o fan'ma i Fangor a thu hwnt. "Ond dydi o byth wedi dŵad adra, 'chi."

"Mi ddeudodd Adi ei fod o wedi mynd i Benrhyn am dipyn, i gael newid aer."

Daw Margiad yn ei hôl gyda'r cyllyll a ffyrc, a'r platiad bara ceirch a brechdan. Hi sy'n codi'r pysgodyn ar eu platiau ac yn tywallt y te. Ar ôl iddi fynd gan gau drws y gegin gefn ar ei hôl, mae'r sgwrs yn ailgydiad. Mor glyd ydi'r *snug* yma, heb ddim ond sŵn marworyn yn symud yn y tân, ambell gri gwylan a thon yn torri; mae fel bod mewn cyffesgell.

"Do, ar ôl iddyn nhw ohirio'r gwrandawiad yn Lerpwl, ym mis Awst. Rydw i'n anfon llythyr bob wythnos, ac yn cael un yn ôl. Ond does dim golwg ei fod o am ddŵad adra."

Mae Ellen Jones yn dawel am dipyn, yn bwyta, ac Elin yn ei gwylio hi.

"Toeddwn i 'rioed yn nabod John yn dda, cofiwch. Ond yn y cyfnod pan fydda fo'n gneud ei brentisiaeth yn Rhiwlas, mi ddôi i lawr ambell ddydd Sadwrn i wneud stêm bach ecstra i William Jones tad Ifan yn y llofft hwylia 'ma pan oedd angan gorffen hwylia i ryw long. A chael pres ar law. Welish i nhw'n dod i mewn yma ar dro i wardio ar dywydd mawr, a chael sgwrs. Mi fydda bob amser yn foneddigaidd. Tawal, cydwybodol, ac ella dipyn yn boenus wrth natur?"

Caiff Elin ei hun yn nodio'n frwdfrydig, a'r briwsion bara ceirch yn mynd yn sownd yng nghefn ei gwddw wrth iddi geisio llyncu ac ateb ar yr un pryd.

"Poeni am y petha rhyfedda, petha bach dibwys yn amal iawn . . . Ond y daith ola 'na . . ."

"Mi ddaw ato'i hun, gewch chi weld. Straen oedd o. Ac mi fuo'r hen helynt yna o'r blaen, yn do, yn lle oedd hynny? Yr Amazon?"

"Afon Pará. Brasil." Mae Ellen Jones yn gwybod am y *Wildrose* felly. Mae yna bobol yn gwybod.

"Dwi wedi gweld sawl capten yn canmol nad ydyn nhw erioed wedi colli llong. A 'da i ddim i wadu, mae llawar ohonyn nhw'n feistri. Ond dim gwahaniaeth gen i be ddywad neb, dydi dyn ddim yn rheoli ei ffawd yn llwyr. Ac mae yna longau lwcus ac anlwcus. Ac mae'r môr yn feistar creulon." Mae hi'n codi i gymryd sbec drwy'r ffenest cyn aileistedd yn ei hôl. "Ac mi geith pobol ddeud fy mod i'n hen ffasiwn, ond dydw i ddim yn credu mewn newid enw llong."

Dydi Elin yn dweud dim, ond mae hi'n gwrando â'i holl fod.

"Ac mi newidiwyd enw'r *Cambrian Queen* gan Thomas Williams. I gael enw oedd yn cyd-fynd â gweddill ei fflyd. Balchder. A be fydd hanes ei fflyd o rŵan? Cael ei gwerthu, achos does gan ei fab o ddim pwt o ddiddordeb."

"Dydi John ddim wedi deud fawr wrtha i, am be ddigwyddodd na sut mae o'n teimlo."

Mae Ellen Jones yn estyn am frechdan ac yn ei tharo ar ben tamaid o fara ceirch, cyn ei throchi yn ei the. "Rhowch amsar iddo fo. Er, ella na sonith o byth."

Am funud mae'r ddwy yn ddistaw, heblaw am sŵn Ellen Jones yn sugno'r te o'r frechdan. Daeth yn amser newid tac.

"A sut mae Adi'n dŵad yn ei blaen yn y dosbarth *navigation*? Ydach chi'n meddwl fod yna ddefnydd morwr ynddi?"

Gwenu ac ysgwyd ei phen ydi ymateb Ellen Jones.

"Mae'n rhoi dau dro am un i lawar o'r llancia 'ma. Ac mae hi yn 'i gwaith yn dangos i hwn a llall lle maen nhw wedi methu!"

"Ond dydi'r môr ddim yn fyd i ferch, nacdi. Be tasa rhyw ddyn yn trio cymryd mantais arni, ac yn gryfach na hi?"

"Mi gâi ochor pen!" Ond wedyn mae hi'n ychwanegu yn fwy meddylgar, "Mae digon o ferched wedi mynd i'r môr yng ngwisg bechgyn, cofiwch."

"Ond buan iawn fasa hogia'r ffocsl wedi gweld be fasa be."

"Ia. Digon gwir. Dysgu gwyddor y môr gan fy nhad wnes i ond 'chydig iawn dwi wedi'i fod ar y môr. Mi allwn ddangos i chi ar fap lle mae bob porthladd ac ynys yn y byd bron, ond *theory* ydi o."

"Ydach chi'n meddwl mai eisio dianc mae hi?"

"Na, heli yn y gwaed ydi o. Ond y peth sy'n fy mhoeni fi fwya ynghylch Adi, rhyngoch chi a fi, ydi nad oes yna ddim trefn. Mae hi ar yr hen long 'na'n byw ac yn bod, er nad ydi ddim ffit, a'i mam yn treulio hanner ei hamsar yn Llain Beuno, yn ôl pob sôn..."

"Llain Beuno? Fanno mae Johnnie Moi yn byw, ynde. Fanno bu'r saethu...?"

"Ia. Mae 'na rai'n mynnu bod a wnelo Lydia Catrin â'r potas."

"Doedd ar Moses Dafis ddim eisio hi ac Adi yn byw efo fo, beth bynnag."

"Felly ro'n i'n dallt. Wel, pwy ŵyr..."

Ac ar hynny mae Ellen Jones yn codi a mynd i sefyll yn y ffenest sy'n wynebu'r bae.

"Dyma nhw'n dŵad rŵan, ylwch."

Daw Elin i sefyll wrth ei hymyl hi, a'r ddwy ohonyn nhw'n gwylio'r cwch yn nesu at y traeth, gan nadreddu'n dwt rhwng y llongau mwy. A'i gefn atynt mae tad Elis y llywiwr, a'r criw yn rhwyfo gan bwyll. Mae'r cwch yn isel yn y dŵr, ac wrth iddo nesu gwelant fod y gwaelod yn drwch o bysgod – cannoedd ohonyn nhw – yn neidio a gwingo a swalpio yn y rhwydi a golau'r haul yn dal sglein eu cefnau.

Wrth glosio at y lan mae Hughie yn codi ar ei draed ac yn dechrau gweiddi, "Penwaig, penwaig wrth y fil!" a chwifio'i freichiau yn wyllt. Does dim lle iddo roi ei droed i lawr. Mae'n sathru ar bennog boliog a hwnnw'n sglefrio odano nes ei fod yn llithro, colli ei falans, a baglu a'i draed i fyny. Cael a chael ydi i Elis ddal cynffon ei grysbas fel y mae'n plymio pen yn gynta i ddŵr glasddu'r bae.

"Tynna bob cerpyn."

"Na, 'sana i 'im eisio."

"Dydi eisio ddim yn dŵad iddi. Be wyt ti haws â chael dy achub rhag boddi ac wedyn dal niwmonia? Tyd rŵan, mae'r dŵr yn gynnas braf."

"Ga i *wash* iawn nos fory ar ôl i mi fynd adra. Neith slempan y tro rŵan." Mae'n rhoi un llaw yn y celwrn ac yn molchi canol ei wyneb efo hi. Ac wedyn, i ddangos ei fod yn fodlon bod yn rhesymol, yn plygu drosodd ac yn trochi ei ddwy fraich at y penelin.

"Be tasa rhywun yn dŵad i'r drws, a dy weld di yn sgert Adi fel'na? A'r holl gen pysgod drostat ti? Mi fasan yn meddwl 'mod i'n cadw môr-forwyn yma."

"Ddaw yna neb."

"Heb sôn am y drewdod." Ac mae Elin yn dal yn ei thrwyn yn ddramatig.

"Iawn, ond rhaid i chi fynd o 'ma, achos dwi'n ddeg oed rŵan."

"Mi a' i â'r gadair 'ma drwadd i'r pasej a throi 'nghefn." Ac mae hi'n estyn cadair sydd wrth fwrdd y gegin. "A rhaid i ti molchi bob man dwi'n ddeud, yn y drefn dwi'n ddeud."

Mae Hughie yn troi ati ac yn gwenu o glust i glust.

"Ond fyddwch chi ddim yn gweld."

Unwaith y daw'r sŵn sblasio mawr sy'n cyhoeddi fod yr hogyn bellach yn y celwrn, daw y cyfarwyddyd cyntaf.

"Gwallt. Mae'r clap sebon ar y llawr ar y dde."

"Na, gwallt ddwaetha, neu mi fydd y sebon yn llosgi'n llygada fi."

"Ddo i yna . . . i olchi dy wallt di."

"NA!"

Fo sy'n ennill.

"Clustia! Y ddwy, tu mewn, tu allan a tu ôl iddyn nhw."

"Wedi gneud."

"Talcan, ac arleisia."

"Do."

"Trwyn, tu mewn a tu allan."

"Iych!"

"Gwddw . . . Hughie?"

"Rhoswch funud, dwi'n sgwrio . . . Be dwi fod i neud efo'r gwymon 'ma?"

"Tafla fo allan." Mae ennyd bach o dawelwch. "Ia, Hughie, rhyw feddwl oeddwn i . . . ella basa'n well i mi beidio sôn wrth dy fam a dy dad am heddiw, rhag ofn iddyn nhw ddychryn."

"Ella." Sŵn sbrencian dŵr. "Ond wedyn cha i ddim deud wrth 'y mrodyr chwaith."

"Cei. Pam lai?"

"Os deuda i wrthyn nhw, mi fydd Moss yn bygwth deud wrth Mam a Nhad. Mi wnaiff o 'mlacmelio fi."

"Ro'n i'n meddwl y basach chi'n cadw ar eich gilydd."

"Mi rydan ni, ond weithia 'dan ni'n ffraeo, dydan. Fel rydach chi wedi ffraeo efo Yncl John."

Mae distawrwydd hir, hir. Wedyn, "Dan dy geseilia" ansicr. Ymhen sbel, mae Elin yn dweud,

"Dydan ni ddim wedi ffraeo, sti."

"O, naddo? Ga i ddŵad allan rŵan?"

"Angan ryw newid bach oedd dy Yncl John, sti. Newid aer. Tsiênj. A finna mor brysur efo'r fusutors. Ac mi roedd yn braf iddo gael cwmpeini dy fam am dipyn. A chitha hogia."

"Gawn ni ginio'n syth ar ôl i mi ddŵad allan? Gewch chi ddŵad trwadd i roid y lobsgows ar dân, os 'sanach chi eisio."

Er nad ydi'n fam ei hun, mae Elin yn gwybod yn iawn nad ydi rhywun ddim i fod i ddweud pethau o fyd oedolion wrth blentyn. Na gofyn pethau o fyd oedolion i blentyn. Mae'n fwy anghyfrifol na gadael i hogyn fynd allan i'r môr ar fore rhewllyd i sgota penwaig, a jest â boddi. Ond does ganddi ddim ffordd arall o gael gwybod, achos dydi Lizzie na John yn dweud dim wrthi yn eu llythyrau. Dydi hi ddim callach ynghylch sut mae John o'r naill fis i'r llall. Y cwbwl mae hi'n ei wybod, a'i brofi, ydi na ddaeth o adra ati dros y Nadolig, a'i bod wedi gorfod troedio i'r Ffridd at ei mam a'i thad am ginio ac wedyn i Fadryn Isa am de. Heblaw am hynny, yma y mae hi wedi bod ar ei phen ei hun bach. Ac er mor falch ydi o gwmni Hughie, all hi ddim peidio â theimlo ei fod o wedi cael ei yrru draw fel gwobr gysur iddi.

"Sut wyt ti'n gweld dy Yncl John, Hughie?"

"Ym, go lew 'de. Mae o'n chwyrnu 'de! Lan môr mae o'n lecio, 'chi, a cicio pêl efo ni. Ond . . ."

"Ond be?"

"Dydi o ddim yn lecio pan mae'r hômwyrc yn cyrraedd."

"Hômwyrc? Be ti'n feddwl?"

"Drwy'r post mae o'n dŵad. Fydd o'n estyn yr hômwyrc allan ar y bwrdd trwadd. Wedyn ar ôl dipyn fydd o'n ei adael o ac yn mynd i'w wely. Weithia yn y pnawn."

"Dydw i 'mo dy ddallt di. Be ydi'r hômwyrc 'ma?"

"Un waith mi aeth o allan ganol nos, wedi methu gneud yr hômwyrc oedd o. Glywish i Nhad yn codi ac yn mynd allan ar ei ôl o. Fuon nhw'n hir yn dŵad yn ôl."

Mae hi wedi holi gormod. Neu ddigon.

"Wyt ti wedi gorffan rŵan? Dwi yn dŵad yna i olchi dy ben di rŵan. Dwi'n gaddo na wna i ddim sbio. Olcha i dy ddillad di yn y celwrn 'na wedyn. A mi fydd rhaid i mi drio'u sychu nhw a'u heirio i ti gael eu rhoi nhw amdanat i fynd adra fory."

"Fedrwn i roi 'nhrowsus llaes, cofiwch."

"Na. Well peidio. Dwi am ddŵad i dy ddanfon di, yldi. A chdi fydd yn cario'r penwaig."

3

Erbyn iddyn nhw gyrraedd y dre, mae hi ymhell wedi saith, a'r goets olaf wedi hen fynd. Mae John yn gadael Elin yn dal y bag wrth groesffordd Lôn Dywod ac yn cerdded draw i stablau'r Crown i edrych a oes rhywun o'u pen nhw o'r byd yno yn hwylio i'w throi am adra. Ond does yna neb. Cerddant yn eu blaenau wedyn tua'r Maes, heibio Jones Corporation, ac mi fyddai Elin wedi troi i fyny i Stryd Penlan i weld Meri, ond mae hi'n rhy hwyr i hynny.

Does dim amdani ond ei ffwtwocio hi.

Maen nhw'n nesu at y tyrpeg, a goleuadau'r dre ymhell o'u hôl, yn ddim ond pennau pìn, pan glywant sŵn trol a merlyn yn rhuglo dod tu cefn iddyn nhw. Mae'r cariers wedi stablu ac yn y tafarnau ers meitin ar nos Sadwrn fel hyn a phob gwas wedi cael noswyl. Caiff Elin ei thynnu i'r ochor rhag i'w dillad tywyll ddychryn y merlyn.

"Ydach chi am ochra Nefyn? Oes yna tsians am bàs?"

Daw y drol i stop.

"Naboda i chi, deudwch?"

"John Jones, Rosland Terrace, Morfa Nefyn."

"Duwcs, John. Chdi sy 'na. Cleim abôrd. C'radog, Mathan Isa. Mi gewch ych cario cyn bellad â Boduan, ond mi fydd rhaid i mi droi am adra yn fanno, neu mi fydd Nhad yn ei gaddo hi. Ro'n i i fod adra i borthi."

Aiff Elin i eistedd yn y trwmbal – does yna ddim lle i dri ar y styllan. Daw i bigo bwrw, ac mae Caradog yn pasio hen sach iddi'i roi dros ei sgwyddau. Ac mae hi'n rhoi'r carpet bag ar ei glin ac yn gafael amdano fo am gysur.

Cymerodd holl ddoniau perswadio Lizzie a Jac i fynd dros ben John i ddod adra efo hi. Roedd John wedi bod yn falch o'i gweld, roedd ei wyneb wedi goleuo, ac roedd wedi dod i sefyll yn glòs wrth ei hochor, ond doedd dim osgo hel ei bethau arno. Y diwedd fu i Jac bacio drosto a rhoi'r bag wrth ddrws y cefn, a mynnodd Elin roi tri phapur punt ar y bwrdd at ei le, a hynny'n nodi rywsut fod cyfnod wedi dod i ben. Gwnaeth Lizzie de i bawb ac wedyn roedd Jac wedi estyn eu cotiau a dod i'w danfon i'r stesion. Bu John yn dawel yr holl ffordd adra ar y trên, yn rhythu ar y môr drwy dywyllwch y ffenest, fel petai am ei draflyncu. Ond erbyn hyn mae Caradog ac yntau'n sgwrsio, a'r sŵn yn codi fel gwenyn mewn bys coch. Ac mae hi wedi blino cymaint nes iddi fynd i gysgu yn sŵn eu lleisiau.

"Elin, mae C'radog yn troi yn fan'ma."

Mae hi wedi cyffio drwyddi, a'r glaw mân wedi setlo'n ddafnau dros y sach, y bag a'i gwallt. Am funud, does gan-ddi ddim syniad lle mae hi. Mae John yn sefyll wrth gefn y drol, yn estyn ei law am y bag, ac amdani hithau. Cwyd, a rhoi'r sach wrth ei hochor. Stopiodd y glaw, a daeth gewin o leuad i ddangos y ffordd iddyn nhw. Ar ôl dod i lawr mae hi fel roedd hi'r diwrnod yr yfodd hi'r brandi am funud, yn methu'n glir â chael ei berings, ond yna mae'n dechrau dilyn ôl troed John a'i ddwylath dywyll, gan gadw at y clawdd.

Ymlaen â nhw heibio Nant a Thal y Sarn ar y chwith a Thai'r Allt heb weld yr un adyn. Fel y disgynnan nhw i'r bwlch, a'r ffordd hir droellog sy'n arwain i ffermdy hynafol Penhyddgen ar y chwith, mae hi'n ailddechrau bwrw. Y tro yma mae'r glaw yn drwm, yn gwlychu drwy'u cotiau, o'r ysgwyddau i lawr, ac yn dripian rhwng coler a chroen. Does dim dewis ond pen i lawr a dal i gerdded. Mae traed Elin yn wlyb drwyddyn erbyn i olau pŵl y dafarn ymddangos ar ben y golwg. Mae John yn troi rownd ati heb arafu ac yn gweiddi, "Awn ni i Frycynan i aros i'r glaw yma basio."

Ac mae yna bethau y gallai hi eu dweud, pethau piwis gan mwyaf. Ond wrth iddi agor ei cheg, mae yna ddiferion mawr o ddŵr yn llifo i lawr ei thrwyn ac mae hi'n penderfynu ei bod yn haws ei chau hi'n ôl.

I'r parlwr bach ochor yr ân nhw; cânt dynnu eu cotiau diferol, ac Elin ei het, a'u rhoi ar gefn y cadeiriau gwag. Ddaw pluen yr het byth ati'i hun. Daw gwraig y dafarn i gynnau'r tân. "Gwnewch chi eich hun yn gyffyrddus yn fanna, Mrs Jones. Mi gynhesith mewn dim. Gymerwch chi gwrw, Captan Jones? Neu stowt?" Mae hi'n sefyll tu ôl i'w gadair i aros am ei ordor.

"Byth yn cyffwrdd ag o, diolch."

"Na finna. Jinjar biar? Neu mi alla i neud tebotiad o de i chi."

Setlir ar de, a phlatiad o frechdanau cig, yn gymaint â dim am na fynnant ymddangos yn grintachlyd, a hwythau byth yn twllu'r lle o un pen blwyddyn i'r llall. Yn wir, dydi Elin erioed wedi deintio drwy'r drws o'r blaen er ei basio gan-noedd o weithiau. Mae hi'n chwerthin yn nerfus o feddwl ei bod hi mewn tŷ tafarn am yr ail waith o fewn tridiau.

Tra maen nhw'n aros am y bwyd, ac Elin yn edrych yn y bag, gan obeithio nad oes dim byd wedi'i ddifetha, yn enwedig y gwaith papur, cwyd John i fynd drwadd i'r tai bach. Allan yn y cefn mae'r geudy, trwy ddrws rhwng y bar a'r bar bach – ogof dywyll lawn oglau cyrff, cwrw a baco. Dydi o ddim yn hir, ond pan ddaw yn ei ôl mae Elin yn gweld golwg syn arno.

"Ydach chi'n sâl, John?"

Mae'n ysgwyd ei ben.

"Mae'n siŵr mai camgymryd wnes i." Caiff wên o fath ganddo wedyn, y gyntaf ers hanner blwyddyn. "Ro'n i'n meddwl ein bod ni am ddeud 'chdi' wrth ein gilydd o hyn allan, Elin? Dwyt ti ddim yn cofio cytuno yn y tŷ lojin 'na ym Madryn Street?"

"Yndw." Mae'r cof yn fyw am y gwely diarth hwnnw a'i

obaith byr. "Ond . . . aeth bob dim ar chwâl drannoeth, do. Mae yna sawl cytundeb wedi'i dorri ers hynny."

"Fel be felly?"

"Yn glaf ac yn iach?" Mi ddaeth allan heb iddi feddwl.

"Trio dy arbad di oeddwn i, Elin, pan esh i at Lizzie. Mi fasa'r doctor yna wedi rhoi *section* arna i 'tawn i wedi gadael iddo fo fynd â fi i'r hosbitol. Ond unwaith baswn i'n ddigon pell, yng Nghymru, nid ei gyfrifoldeb o faswn i, nage."

"Roedd Dr Mogg yn deud mai ei syniad o oedd o."

"Wel y fo, a Captan Evan Thomas, rhyngthan. Fedra i ddim deud 'mod i'n cofio rhyw lawar. Ond Elin, be sy'n bwysig ydi 'mod i wedi altro gymaint dros yr wythnosa diwetha 'ma . . ."

"Wythnosa? Misoedd. Dros bedwar mis. A be am y Dolig?"

"Be amdano fo?"

"Pam na ddoist ti," ac mae hi'n pwysleisio'r 'ti', "adra ataf fi Dolig?"

"Dolig? Duw, dydi o'n ddim byd ond diwrnod. Ar y môr, yr unig beth sy'n nodi diwrnod Dolig ydi pwdin clwt, os hynny."

"Ond pryd oeddat ti am ddŵad adra, John? Fasat ti ddim wedi dŵad heddiw ohonat dy hun."

Mae o'n edrych yn ansicr wedyn. Mae o wedi'i gornelu. A fedr o ddim taflu llwch i'w llygaid hi; rhaid dweud y gwir rŵan.

"Roedd ail wrandawiad wedi'i drefnu ar gyfar ddoe, ti'n gweld, Elin. Ionawr yr ail. Mi wnes i ddal arni cyn atab, ond yn y diwadd penderfynu peidio gneud yr un cam-gymeriad ddwywaith ddaru mi. Ac mi gesh lythyr doctor a'i anfon i mewn yn deud nad oeddwn i'n ddigon da i atendio."

"Pa ddoctor?"

"Doctor Wilson, Penrhyn. Mi ddaeth llythyr yn ôl gan Marine Board Lerpwl bora 'ma. Aros i hynny gael ei setlo oeddwn i."

"A be oedd y llythyr yma'n ei ddeud?"

"Wel, gohirio. Dwi'n dallt fod hynny'n golygu misoedd eto heb achos, a heb arian yn dod i mewn . . ."

"Faswn i byth wedi d'orfodi di i fynd."

"Na fasach . . . fasat. Dwi'n dallt hynny. Ond roedd rhaid i mi gael gneud hynna fy hun." Mae'n anadlu'n drwm, yn tynnu ei dei gwlyb ac yn ei osod ar y bwrdd rhyngddyn nhw. "Ac ro'n i wedi meddwl cael rhoi trefn ar y gwaith papur cyn dŵad adra." Llacio'i goler wedyn, crafu ei ael. Mae'n chwilio ym mhocedi tamplyd ei grysbas am ei getyn.

"Yr hômwyrc roedd Hughie yn sôn amdano fo."

"Hômwyrc?" Cegiad o chwerthin cwta. "Wel ia, mewn ffordd o siarad. Dydi hwnna'n colli dim!"

Mae pesychiad yn yr hatsh rhwng y *lounge* a'r bar, a hambwrdd efo llestri a brechdanau, tebot a jwg dŵr poeth yn cael ei wthio drwadd. John sy'n codi i fynd i'w hestyn nhw, yn gosod y llestri allan, efo'i ddwylo mawr. Ac yn tywallt.

"O leia mi gesh i helpu dipyn ar Lizzie. Mi olchish i fwy o lestri yno na wnaeth yr un gali boi erioed."

A dim ond ar ôl iddyn nhw gladdu'r brechdanau a gwagio'r tebotiad te, ac ailddechrau cerdded y filltir fer i Lan Deufor, gan gerdded efo'i gilydd yng nghanol y lôn, y mae John yn torri ar y distawrwydd sy'n tonni rhyngddyn nhw. Mae'n sefyll yn ei unfan, yn tynnu ei het am funud a chrafu ei ben.

"Mi faswn i wedi taeru 'mod i wedi gweld Tomi yn y cwb gwaelod 'na heno."

"Tomi, tad Adi? Ond mi foddodd o, do, yn Bordô."

"Do."

"Wel, naddo felly, naddo."

A cherddant ymlaen am adra.

4

Llythyr arall o swyddfeydd Thomas Williams & Co., Lerpwl, wedi'i anfon ymlaen o Benrhyndeudraeth gan Lizzie, sy'n eu gorfodi i fynd i'r afael â'r 'hômwyrc' yn y diwedd. Mae John adra yng Nglan Deufor ers pum wythnos erbyn hynny a'r cennin Pedr yn bygwth agor yn yr ardd. Gadewir y llythyr ar fwrdd y gegin gan Elin. Bob pryd bwyd mae John yn ei roi ar y dresel ac Elin wedyn yn ei osod yn ôl yn y gobaith y bydd ei gŵr yn ei agor ohono'i hun.

Erbyn y pumed diwrnod mae hi wedi cael digon. Cyn eistedd gyferbyn ag o i fwyta eu hasen fras a brechdan amser cinio, mae hi'n codi i estyn y llythyr ac yn ei roi iddo. Ac yn gosod cyllell finiog yn ei law arall.

"Mae'n rhaid ei agor o, John."

"Ar ôl cinio."

"Rŵan."

Mae yntau'n ei agor a golwg flin arno, yn ei ddarllen drwyddo yn araf, ac yn ei blygu fo wedyn i'w roi yn ôl yn y cas llythyr. Ond mae Elin yn dal ei llaw allan.

"Ga i weld?"

"Dydi o'n ddim byd, trio gorffan y cowntia . . ."

"Ydi mae o, mae o'n hongian drostat ti ers misoedd. Ac mae'n rhaid iddo gael ei setlo."

"Mi wna i pan fydda i'n mynd i Lerpwl i'r *hearing* . . . gneud bob dim 'run pryd."

"Ond mi ellith yna fod fisoedd dan hynny, John, mis Ebrill man cynta. Ddaeth yna ddim cyflog i'r tŷ yma ers yn agos i ddwy flynadd. Heblaw am fy mhres fusutors i, mi fasa'n ddrwg arnan ni. Ond dydi o ddim yn mynd i bara am byth."

Roedd John wedi dechrau bwyta ei ginio. Ond rŵan

mae'n rhoi ei gyllell a fforc i lawr, ac yn hwylio i godi. Mae hithau'n sefyll ac yn rhoi ei llaw ar ei benysgwydd i'w berswadio i eistedd yn ôl.

"Rhaid i ni'i wynebu fo, sti." Mae hi'n ei ddal yn ei le efo'i llaw gadarn. "Jest meddylia amdano fo fel diwrnod lladd gwydda. 'Y nghas beth i mewn blwyddyn. Troi'r corn gyddfa gwynion 'na a chlywad y clagwydd yn clegar ar yr iard, ogla'r gwaed, tynnu'r perfeddion – cas waith. Ond mae rhaid 'i neud o." Mae hi'n gwenu wrth aileistedd gyferbyn. "Ac ar y diwadd, mae yna bwdin siwat efo tribliwns."

"Mi a' i ati fy hun, pan dwi'n barod . . ."

"Na, dydi hynna ddim wedi digwydd, nac ydi, mae yna lythyra wedi bod yn cyrraedd ers misoedd. Ddechra mis Hydref, dwi bron yn siŵr, y gwnes i ailgyfeirio'r cynta i Griffin Terrace, Penrhyn." Mae yna ddistawrwydd. "Mi wna i helpu."

"Fedri di ddim . . ."

"Mi fedra i drio. Dydi cadw bob dim i ti dy hun ddim yn helpu, mae hynny'n saff. Mi ddysgodd Miss Glad i mi sut i gadw cowntia."

Wrth glywed enw Miss Gladys Wainwright, daw cysgod dros wyneb John. Mae hi'n amen ar y cinio. Ar y plât mae saim y cig oen yn caledu'n wyn.

"Ddechreuwn ni pnawn 'ma. Wna i dân trwadd."

"Mi wnaiff y gegin 'ma offis siort ora. I be awn ni i wastraffu glo a phres mor brin."

Mae Elin yn cychwyn efo'r llythyr diweddaraf i gyrraedd. Cwyno y mae'r clerc ar ran cwmni Thomas Williams & Co. na ddylai John fod wedi talu am gwch i fynd ag o i'r lan yn Anjer ar y daith tuag adref. Dylai fod wedi defnyddio ei ddynion ei hun. Ac un o'r cychod oedd ganddo ar y llong. Cost llogi cwch a rhwyfwyr oedd ugain swllt.

"Ac wnân nhw ddim ad-dalu hwnna i ti?"

"Yn ôl pob golwg, na wnân."

"'*Unnecessary expenditure*' maen nhw'n ei ddeud."

"Roedd hi bron yn Ddolig. Roeddan ni wedi cael siwrna galad fel roedd hi, a gwaeth o'n blaena. Roedd hi'n saffach gadael pawb ar y llong a mynd fy hun."

"Pam na ddeudi di hynny wrthyn nhw?"

"Ac wedyn, maen nhw'n gwrthod talu am y bwyd brynish i yno heb gael *receipt*. Ond doedd dim modd cael y fath beth ar y farchnad yna. Ond mi oedd y cynnyrch yn well peth o'r hannar na stwff o'r siopa ar y cei. Ac yn rhatach."

Mae Elin â'i phen i lawr yn darllen drwy'r ail lythyr mae John wedi ei roi o'i blaen. "*2 cwt potatoes, 20 pumpkins* . . . Wel, fasat ti ddim wedi gallu bwyta y rheina i gyd dy hun, na fasat. Ac roedd hi'n amlwg fod angen prynu stôrs ar gyfer y daith adra." Mae hi'n dilyn yr ysgrifen efo'i bys. "*Two pounds and ten shillings.* Felly mae yna hynny, ac wedyn yr ugain swllt." Mae'n estyn am gopi-bwc a phìn inc. "Ella y basai'n syniad cadw *running total*?"

Ymateb John ydi estyn y trydydd llythyr, hwn o logell ei grysbas. Mae yn ei roi i Elin. Ac yn ei gwylio yn ei dynnu o'r cas a'i ddarllen yn ofalus.

"*Doctor's fees at Jamestown, St Helena? The sum of twenty-four pounds, twelve shillings and ninepence.*" Mae'n ysgwyd ei phen. "Am y cyfnod pan oeddet ti'n sâl, cyn hwylio'n ôl i Lerpwl?"

"Ia. Ond mae o'n cynnwys pris yr hotel hefyd."

"Mae hynna'n ddau fis o gyflog capten bron."

"Dydan ni ond megis dechra, Elin. Wedyn mae'r *cables*."

"Y cêbls?"

"Telegrams. Tair punt a phymthag swllt. I'r cwmni gyrrish i nhw i gyd, o Manilla, Anjer, ac o New York a Boston cynt, o ran hynny. Matar o raid oedd o. Tydi capteiniaid yn gyrru rhai iddyn nhw bob dydd o'r flwyddyn o bedwar ban y byd a nhwytha'n talu."

"Ond lle mae'r resîts, John? Chadwist ti monyn nhw?"

"Roeddan nhw i gyd yn y *captain's quarters* gin i." Mae'n troi ei gefn arni; mae'n haws dweud felly. "Fedra i ddim deud wrthat ti lle maen nhw rŵan."

"O, dwi'n gweld."

Mae Elin yn codi i fynd ato, ond mae John yn sefyll yn ôl, yn codi ei law i'w hatal hi.

Mae o'n agor y drws cefn, i gael gwynt, ac Elin yn teimlo'r ias yn mynd drwyddi.

"Doeddwn i ddim yn gadael i mi fy hun gysgu, rhag ofn i rywbath fynd o'i le. Cysgu rhyw awr ella, yn y gadair, neu orwadd am dipyn ond dwi ddim yn meddwl 'mod i wedi cysgu noson yn fy ngwely ar ôl i ni gychwyn o Manilla."

"Ond...?"

"Dal i symud oedd y ffordd ora o aros yn effro. Cerddad yn ôl ac ymlaen. *Keep walking*, fyddwn i'n ddeud wrtha i fy hun. *Keep walking*."

"John..."

"Dim rhyfadd fod 'na'r fath olwg ar groen 'y ngwynab i. Do'n i'n cael cymaint o dywydd..."

"Be am i ni, gwranda arna i rŵan, John, be am i ni geisio rhoi trefn ar y llyfra? Unwaith y bydd hynny wedi'i neud mi fydd yn rhyddhad i ti..."

"Mi fydda i'n meddwl weithia, petawn i'n cael mynd yn ôl ar y *Queen*, a ddeua'r cof yn ôl. Mae hi'n codi'n ddwy flynadd erbyn hyn, ac mae hi wedi bod rownd y byd unwaith os nad ddwywaith yn yr amser yna."

"Mi rydw i'n dal i ddilyn ei hanes yn yr *Herald*, o arfer ... mae hi *under repairs* yn Lerpwl ar ôl storm fawr ar y ffordd yn ôl o'r East Coast..."

"Ond fedra i ddim." Mae'n ysgwyd ei ben. "Na." Mae'n estyn ei gôt fawr oddi ar y bachyn wrth y drws cefn. Amneidia tua'r llofft. "Mae gweddill y llythyra ym mhoced cesail fy siwt i, dydw i ddim wedi'u hagor nhw i gyd. Dwi am fynd i ben 'rallt môr am wynt."

"Aros, mi ddo i efo ti rŵan."

"Fydda i'n iawn, ella galwa i heibio Mary. Ond Elin, waeth i ti ddallt, mae'r cwmni'n mynd i drio 'ngneud i am bob swllt. Os caiff y clarc bach yna'i ffordd, fydd gin i ddim beulan ar ôl ..."

"Mater o amser, a mynd drwy bob dim, trefn ..."

"Na." Mae yna ysgwyd pen egnïol. "Maen nhw'n trio gneud allan, yn un o'r llythyra, fod arna i fwy iddyn nhw nag sy arnyn nhw i mi."

"Ond sut mae hynny'n bosib? Dydi hynna ddim yn gneud dim synnwyr."

"*A hundred and seventy-two pounds, thirteen and eleven.* Dyna faint maen nhw'n honni sy arna i iddyn nhw. Cyflog blwyddyn, ddigon agos."

"Ond, mae hynny'n anfarth o swm ..."

"Mae yna fanylion yn eisio efo'r cyfloga yn Boston, a New York. A faint dalwyd am slops, a baco ac ati. Wedyn y telegrams fel roeddwn i'n deud wrthat ti, bil y doctor. A rŵan at hynna i gyd, maen nhw'n deud fod arna i dros gant a hanner o bunna o *demurrage.*"

"*Demurrage*? Be ydi hwnnw?"

"Cadw dy long mewn porthladd ar angor, oedi os leci di ar dywydd teg, yn lle cychwyn ar fordaith."

"Yn lle? Manilla?"

"Naci. Yn New York."

"New York? Ond pam –?"

"Ia, *1300 tons nett for seven days at 4d per ton per day*, ydi'r clêm." Edrych ar ei ddwylo. Cipedrych arni hi. "Wsnos gyfan meddan nhw, doedd o'n ddim byd tebyg i wsnos ... tridia fan bella. Ac nid fi ydi'r unig un oedd ar y gêm honno. Mae pawb wrthi, nid yn New York ella, ond rywla neu'i gilydd, rywbryd neu'i gilydd."

"Ond, John, pam? Dydw i ddim yn deall. Pam na fasat ti wedi cychwyn?"

Mae o wedi estyn ei gap, ei hen gap mêt carpiog, ac yn ei

sodro ar ei ben, dros y trwch gwallt pupur a halen. Wedyn o'r diwedd mae'n troi i edrych arni hi, i fyw ei llygaid.

"Am fy mod i'n aros am fy *third mate*. Roedd y cwmni wedi deud, doeddan, y basan nhw'n dal i chwilio am fêt arall i mi, ac yn ei yrru fo drosodd. Ac roeddwn i'n ddigon gwirion i'w coelio nhw. Mawr les wnaeth o i mi."

Aiff allan a chau'r drws mor dawel ar ei ôl.

5

Bore trannoeth mae John yn deffro Elin – ar dân dros fynd i Lerpwl i siarad efo'r clerc a'r swyddog ariannol yn swyddfeydd Thomas Williams a'i Gwmni.

"Os ca i siarad efo nhw wyneb yn wyneb, mi allwn ddod i ddallt ein gilydd a rhoi trefn ar betha'n gynt o'r hanner. Lle mae'r petha oedd yn fy nghist i, Elin?"

"Yn y gist 'te, yn yr atig. Mi wnes i dynnu'r dillad i'w golchi. Mi oedd yna ryw bapura, erbyn i ti ddeud. Mi roish i nhw yn nrôr y seidbord." Mae'n anodd magu nerth i feddwl am fynd i Lerpwl eto. "Ond John –"

"Wnes i ddim meddwl dan bora 'ma, ond mae'n ddigon posib fod Sherwood y stiward wedi rhoi petha yn y gist cyn i Capten Evan Thomas gymryd drosodd yn St Helena. *Vouchers* ac ati o New York a Boston."

"Wyt ti'n meddwl?" Dydi Elin ddim yn obeithiol. Rhyw dameidiach o bapur rhacs mae hi'n ei gofio, nid *portage books* na llyfr cowntiau na dim arall. Ond mae mor galonnog gweld John yn debycach iddo fo'i hun, a gwynt dan ei adain, a dydi hi ddim am ddifetha'r foment.

"Does yna ddim byd i fod ar gyfer Manilla. Does yna ddim math o ddadl ynghylch Manilla, cyfloga, slops, postej na dim byd arall. Roeddwn i'n eitha tra oeddwn i'n fanno." Mae llais John yn daer. "Wedyn y dechreuodd petha fynd ar chwâl ..."

"Wel, gad i ni gael golwg."

Ar y bwrdd yn y parlwr mae Elin wedi estyn yr holl ddarnau papur bregus oedd yn y gist, ac wedi eu gosod allan. Ohonyn nhw cwyd oglau llwydni a heli môr sy'n hofran rhyngddynt.

Mae yna restr o faint o faco roedd y dynion wedi'i brynu – eu henwau ac wedyn sawl owns a gawson nhw. Mor flêr, y mae ei lawysgrifen ar sgiw i gyd a stremps hyd y darn papur. Mae'n wyrth iddo oroesi o gwbwl.

Mae yna adnod: *Byddaf gyda thi pan elych i'r dyfroedd.* Fedr Elin ddim cofio o ble mae hi'n dod: rhywle yn yr Hen Destament, ia ddim? Un o'r Salmau?

Ar dudalen arall wedi ei thynnu allan o lyfr cyfrifon mae rhestr o'r stôrs a brynodd John yn Anjer: *currants, potatoes, pumpkins, goat's milk* gyda'r prisiau gyferbyn.

"Rhaid i ti fynd â hwn efo ti. Mae o'n *evidence*. Wyddost ti, ar y ffordd adra o New York yn yr *Umbria*, mi fues i'n darllen storïa dirgelwch Sherlock Holmes i basio'r amser. Mewn *magazine*, y *Strand* oedd 'i enw fo. Yr *evidence* oedd yn datrys bob achos."

"Fiw i mi fynd hebddo fo felly! A hwnna." Am y rhestr gwerthiant baco.

Ar hyn, clywant y post yn syrthio drwy'r blwch llythyrau. "Ddaeth yna rywbath o bwys, dybad?" Ers y Nadolig, mae Elin wedi sylweddoli nad oes ganddi ddewis ond cadw pobol ddiarth eto leni, i allu talu'r rhent a'r dreth. Mae hi'n disgwyl i weld pa rai o'r teuluoedd fu'n aros yng Nglan Deufor y llynedd, heblaw yr Ibberstons a'r hen Hadleys yna, sydd am ddod eto cyn talu am adfyrtéisment yn y *Liverpool Echo*. Ond dydi heb dorri'r newydd yma i John eto ac mae hi'n brysio i ennill y blaen arno a chuddio unrhyw lythyrau – dim ond nes y bydd bob dim arall wedi'i setlo.

Ond llythyr iddo fo sydd wedi cyrraedd, o Oriel Chambers, Water Street, Liverpool, offis Thomas Williams & Co. Ar ôl iddo'i agor mae'r ddau yn eistedd wrth y bwrdd i'w ddarllen efo'i gilydd.

"Dear Sir
We hope that your health continues to improve
after your most unfortunate illness . . . we have had such

trouble in trying to make up your account, not aided by
the fact that you have not been replying to our letters
and that crucial paperwork from Boston, New York and
the homeward voyage is not to hand . . . we are currently
awaiting the reply of the Henry W. Peabody Shipping
Co. New York office to our enquiries regarding the
vouchers and other matters . . . in the meantime all work
on the account has been suspended.

>*We are, sir, yours very truly . . .*
>*Thomas Williams & Co."*

"Does yna ddim pwrpas cychwyn felly, John."

"Dydi fy ngair i ddim digon da ganddyn nhw, er 'mod i efo nhw ers blynyddoedd . . . dyna ydi'r gwir amdani." Mae'r ochor i'r llythyr mae o'n gafael ynddi yn dechrau crynu, dim ond y mymryn lleiaf.

"Ond busnas ydyn nhw, yntê, rwyt ti'n cael dy drin fel pawb arall."

"Ond ddylwn i ddim, mae'r amgylchiada'n dra gwahanol. Petai Hugh, Captan Hugh, yma . . . dyna i ti'r dyn gora welish i 'rioed mewn storm. Roedd rhywun yn teimlo'n hollol ddiogal efo fo ac yn medru ymddiriad ynddo. Mi fasa wedi 'nghynnal i . . . a chadw 'nghefn i . . ."

"Mae gen ti fi, John, dwi yma i ti . . ."

Dal ei ben i lawr y mae o, a fedr hi ddim gweld yr olwg ar ei wyneb, na'i lygaid o.

Ar ôl rhoi'r tecell ar y tân, daw Elin yn ôl i eistedd gyferbyn, a dwy gwpan a soser efo hi.

"Ella mai cefnu ar y môr fasa ora. Ti ddim yn meddwl? Mae'n siŵr fod yna ffordd arall o ennill bywoliaeth."

"Mae o'n beth rhyfadd, sti ... Pan wyt ti ar y môr, rwyt ti am fod adra, ar y tir. A phan wyt ti adra, rwyt ti'n dyheu, os mai dyheu ydi'r gair, am fod ar y môr. Mae'r môr yn dy dynnu di fel tynfaen. Fel gwelist ti lanw'n tynnu cerrig i'w ganlyn a'r rheini'n rhincian. Fel'na mae'r môr yn tynnu llongwrs."

"Ond mi gaet ti ddal i fynd am dro i olwg y môr bob dydd."

Ond daeth y drafodaeth i ben. Mae o'n mynd â chymaint o'i nerth o. Caiff Elin y llythyr a ddaeth heddiw i'w gadw efo'r lleill. Daeth y seiat i ben.

Flwyddyn yn ôl, hanner blwyddyn yn ôl, byddai wedi cerdded rownd i ddrws y ffrynt ac yn ôl i fyny i'w wely ar ôl hynna – yn fflatnar – neu wedi ei cherdded hi ar hyd y topiau heibio'r Wern am Bistyll, dros y mynydd ac yn ei ôl ar hyd Lôn Gwladys gan gyrraedd adra fel y byddai'n nosi. Mesur o'i ymgryfhad ydi ei fod o, ar ôl cael ei wynt ato a chau pob botwm ar ei gôt, yn medru ei throedio hi i fyny heibio Pwll Wiliam at Bwll Penrallt, lle mae criw o hen gapteiniaid wedi hel at ei gilydd, fel y gwnân nhw ar aml bnawn braf, i hwylio modelau o sgwneri a brigiau am dipyn o sbort ac i basio'r amser. Dynion ydi'r rhain sydd wedi profi eu stormydd eu hunain cyn llyncu angor: y sawl a fu a ŵyr y fan.

Chymerai John mo'r deyrnas am fynd i'w canol nhw; mae o'n sefyll ar y lan 'gosa yn gwylio'r ras yn ddyfal ac yn trio peidio gwlychu'i draed. Mae yna frisyn bach yn gyrru'r llongau, tair ohonynt i gyd, eu hwyliau'n bochio'n grand a'r dŵr tywyll yn ymagor o flaen y bowiau. Mor gain ydyn nhw, gwaith y seiri llongau, cerfiedig â llaw, wedi'u peintio'n goch a gwyrdd a than drwch o farnish. Mwya sydyn daw sgwd fawr o hiraeth dros John am gael bod ar fwrdd llong a'r canfas uwchben yn ei fyddaru.

Ac yn araf bach, mor araf ag y bydd y gwynt weithiau'n troi o'r gogledd i'r gogledd-orllewin, mae hen frawdoliaeth yr heli yn closio ato. Daw cyfarchiad, "John, sut 'dach chi, fachgan?", braich ar ei gefn, joe o faco, sgwrs. Erbyn dechrau ail ras y prynhawn dydi o ddim i'w weld mwyach, ac eto y mae o yna, yn saff yn eu canol nhw.

6

Rhwyg sydd yna yn y calico, a hwnnw'n bochio ac yn bygwth hollti. Fu dim defnydd ar siambar y Ffridd ers gwaeledd Catrin, a dyddiau olaf Tomos ei brawd. Ystafell a'i drws yn gaead ydi hi bellach, ond all Sydna Robaits ddim diodde meddwl am y lle'n llanast. Ofn i'r rhwyg ledu gefn nos sydd arni, ac i'r cyfan ddisgyn yn un gachfa swnllyd, lychlyd. A hynny'n ei gorfodi i dreulio dyddiau yno'n llnau ac yn hiraethu am ei chyntaf-anedig a'i holaf-anedig. Byddai torri twll taclus, gwagio'r holl 'nialwch ac ailwnïo'r rhwyg yn ddwbl wedi gwneud y tro'n iawn o'i rhan hi.

Ond mae John yn ei gweld hi'n wahanol. Ar ôl gwrando'n fanesol ar ei fam yng nghyfraith yn dweud sut y byddai hi'n gwneud, roedd o wedi nodio, nôl ystol a dringo i'r giarat i gael gweld drosto'i hun. Y peth nesa, bu'n rhaid i Elin gael benthyg brat ei mam a rhoi sgarff am ei phen i roi help llaw. Ymhen yr awr roedd y gwely plu, y bwrdd glàs a'r mat allan yn y pasej. I fyny yn y giarat, tynnodd John bob hoelen oedd yn dal yr hen nenfwd calico fesul un. Ar ôl llacio'r ddwy ochor bella daeth i lawr yn ei ôl a galw ar Sydna Robaits i ddal y ddwy gornel rydd yn uchel fel corneli hances enfawr. Fel y datodai fwy o'r calico, roedd Elin i'w godi a'i ddal rhag i'r cynnwys i gyd chwalu. Codai'r llwch i gefn ei gwddw a glynu yn ei blew amrannau nes ei bod yn edrych fel petai wedi disgyn i sach blawd.

O'r diwedd, daw y gornel olaf i lawr. Mae Elin yn sbecian i mewn pan glyw sŵn troed John ar yr ystol. Daw ati i gael golwg.

"Tair llygodan, nyth gwenyn, deryn to a llwch oesoedd."

"Mae'r calico 'ma wedi mynd yn beth sâl."

"Bobol bach, peidiwch â'i daflu fo, mi wneith i rywbath, siŵr. Mi ro i o ar y lein i gael gwynt trwyddo, ac wedyn mi tynna i o drwy'r dŵr yn y cafn." Mae'r olwg ar wyneb Sydna Robaits fel petai wedi cael trysor. "Mi fydd cinio mewn tua chwartar awr." Ac i ffwrdd â hi am y cefnau, un cam trwm a'r nesa'n ysgafnach.

Gadewir John ac Elin yn syllu i fyny ar y gwagle uwch eu pennau. Rhwng y llechi, lle mae'r rendr wedi syrthio, mae sbrencs bach o olau dydd yn gwthio drwodd nes dangos y llwch yn dawnsio.

A hithau'n Sadwrn, daw Gruffydd Robaits adra at ginio. Mae ei wyneb yn goleuo pan wêl o'i ferch a'i fab yng nghyfraith yn cario'r hen nenfwd calico allan rhyngddyn nhw i'r domen. Welodd Gruffydd Robaits mo John ers dros dair blynedd pan gychwynnodd y *Cambrian Queen* am Boston ym mis Tachwedd 1891. Mae'r dyn tal o'i flaen yn feinach o dipyn na'r un y ffarweliodd ag o bryd hynny, a straen wedi tynhau ei wyneb. Rhyfedd o beth ydi o, ond am ei fod cymaint teneuach mae o hefyd yn edrych yn fengach rywsut, yn fwy o hogyn.

"Dow, dyma i chi bobol ddiarth! Meddwl am funud fod y mistar tir wedi gyrru gweithwyr draw i raenuso dipyn ar eu heiddo! Sut ydach chi'ch dau?" Mae'n estyn allan i ysgwyd llaw efo John, yn rhoi ei fraich am ysgwydd Elin. Mynd ati wedyn i graffu ar gyflwr y calico i guddio unrhyw chwithdod. "Wneith o i'w roi'n ôl, tybad?"

"Mae John wedi dŵad â sbarion hwyl, ac mae o am neud nenfwd newydd i chi."

"Wel, John, rhaid i mi gael talu i chi am y deunydd. Faint oedd o, fachgan?"

"Pan ydach chi'n ordro set gyfan o hwylia i frîg newydd mae yna sbarion dros ben fel arfer, Gruffydd Robaits. Gewch chi ddiolch i gapten yr *Encounter*. Dwi am roi diwrnod i'w helpu nhw i'w gorffan nhw wythnos nesa, maen nhw ar ei hôl hi."

"Wel mi fydd rhaid i chi gymryd tatws a swêj. Mae Sydna a finna wedi mynd i fyta digon 'chydig, mae yna ddigonadd yn y cwt pella 'na."

"Diolch, Nhad."

Mae cinio brisget, tatws mwtrin a chabaits coch Sydna Robaits yn plesio pawb. Ar ôl claddu mae yna amser am gwpanaid o de, ac mae Gruffydd yn estyn ei bot baco glas a gwyn oddi ar y silff ben tân, yn ei osod rhyngddo a John ar y bwrdd, ac yn amneidio iddo helpu'i hun. Aiff ati wedyn i lenwi'i getyn yn bwyllog.

"Welsoch chi Moses y Bryn o gwmpas?" Y penteulu sy'n gwthio'r cwch i'r dŵr.

"Naddo, erbyn i chi ddeud. Mae o wedi cael 'i draed yn rhydd ers rhai misoedd bellach, dydi."

"Mi glywson ni, o le da, ynde, Sydna, fod y ficar wedi'i droi o i'r lôn. Ac wedi cael clochydd arall yn 'i le fo."

"Wel, mi oedd rhaid cael rhywun i ganu'r gloch tra buo fo dan glo, doedd, am wn i."

"Yr hen Fam Eglwys yn dangos 'i dannadd."

"A fasa Annibynwyr wedi bod yn fwy trugarog, Nhad? Na fasan!"

"Ac mae'i olwg o wedi mynd mor ddrwg tra oedd o yn y carchar, mae'n debyg, fel na fedr o weld i drwsio'r un cloc. Na watsh bocad 'tae hi'n dŵad i hynny."

"Plisgyn ar y llygad, ynde," mae Sydna yn ymhelaethu.

"Cosb Duw am ddweud celwydd mewn llys barn, synnwn i ddim," ydi ateb siarp ei merch.

"A rwyt ti'n gwybod yn well na'r barnwr, felly?"

Mae Gruffydd Robaits yn camu i'r adwy rhwng y ddwy.

"A rhyw feddwl oeddan ni . . . wyddoch chi, mae'r hen Moses yn ffrind bora oes i mi, nid y mwya sgwrsiog a hwyliog o blant dynion ella, ond mae'r hen gradur a'i gefn at y parad . . ." Ac mae Gruffydd a Sydna yn ciledrych ar ei gilydd, "Ia, ystyriad oeddan ni tybad a fasach chi'n dau yn ei gymryd o fel lojar?"

"Fel y cymerist ti yr howscipar yna o'r blaen, Elin," portha ei mam.

Heb edrych ar ei gilydd, mae John ac Elin yn dweud "NA" uchel.

"Wela i ddim pam, chwaith." Mae Gruffydd Robaits wedi cymryd ato braidd. "Mi fasa'n talu'n iawn am ei le."

"Ond Nhad, mi driodd o saethu rhywun . . . Johnnie Moi, neu Lydia Catrin, ei nith o'i hun . . ."

"Meddan nhw 'te . . . Choelia i mo honna. A phrun bynnag, mae'r gwn dan glo bellach."

"Ond meddyliwch mewn difri, Gruffydd Robaits, pan a' i yn f'ôl i'r môr . . . ac Elin 'ma adra ei hun efog o. Faswn i ddim munud yn dawal fy meddwl . . ."

"Bobol annwyl, mae o sbel dros 'i drigain ac yn ddall, dest. Digon digynnwrf gwelish i o 'rioed. Johnnie Moi oedd wedi'i biwsio fo, ynde . . . rhyw ffrae am derfyna, synnwn i ddim."

"Wel nid dyna glywish i." Mae yna ddistawrwydd, ac aiff Elin yn ei blaen. "Nhad, rydach chi'n deud fod yna waelod iawn ynddo fo, ond mi fu'n annifyr iawn efo Lydia ac Adi, ei deulu ei hun . . ."

"Mae'n ddrwg gen i, Gruffydd Robaits, ond dim ar unrhyw gyfri."

Mae Gruffydd Robaits yn tynnu'n arw ar ei getyn.

"O felly, bobol ifainc. Chi ŵyr ych petha. Ond fedar neb fyw ar y gwynt, cofiwch."

"Wel ydach chi wedi meddwl be ydach chi am 'i neud?" hola Sydna Robaits yn biwis. Mae'n amlwg fod y sgwrs hon wedi troi ar aelwyd y Ffridd droeon dros y flwyddyn ddiwethaf. "Mi fydd rhaid i ti gymryd fusutors eto yr haf 'ma, Elin."

"Ella wir."

"Ella wir! Sut fath o ateb ydi hwnna?! Be tasa dy dad yn deud, 'Ydw i am blannu tatws? Ella wir. Ydw i am roi y maharen efo'r sbinod? Ella wir.' Hyy."

"Glywish i rai yn deud mai digon ychydig o elw sydd yna i'w gael ohonyn nhw hefyd, erbyn eu bwydo nhw, a thalu am help i dendiad."

"Be, tatws? 'Ta sbinod?"

"Reit ..." John sy'n codi gynta, gan daro'i law ar y bwrdd. "Fy nghynllun i am y pnawn, i bawb gael gwybod, ydi gosod y nenfwd newydd i chi yn y siambar. Wedyn mi fydd yn barod, os ydach chi awydd cadw lojar." A chaiff Elin winc ganddo, y gynta ers dyn a ŵyr pryd.

Mae hi'n serennu i'w the.

Mae'r golau wedi mynd yn rhy sâl i John ddal ati ar ôl paned bedwar, ac felly mae'n gadael ei fag tŵls ac yn dweud y daw yn ei ôl ddechrau'r wythnos i orffen. Ond mae hi'n ddigon golau allan, yn gyda'r nos braf o wanwyn, a phenderfynant gerdded heibio'r capel a Cheidio Fawr i Edern ac i fyny'n ôl adra. Mae'r lôn yn drybola ar ôl i weision Glanrhyd fod yn symud defaid, a rhaid i Elin godi ei sgert a gwylio lle mae'n rhoi ei thraed. O ben y golwg, mae'r haul i'w weld yn uchel o hyd a'r awyr yn laswyrdd glir. Bydd yn oeri at y nos.

Arhosant i edrych.

"John, mae yna le bach yn Edern, tyddyn, yng ngolwg y môr. O'n blaena ni, fel yr hed y frân. Rhoslas."

"Yn ymyl traeth Bryn Gŵydd? Wn i."

"Mae o'n wag ers blwyddyn a mwy, yn nes i ddwy flynadd, erbyn meddwl. Stad pia fo, ac roedd pawb wedi cymryd y basan nhw'n gosod i denant newydd. Ond am werthu maen nhw, mae'n debyg."

"Gwerthu? Fasat ti ddim wedi clywad hynna ugain mlynadd yn ôl. Mae'n newid byd ..."

Pegi oedd wedi dweud wrth Elin fod Rhoslas ar werth, wedi ei weld yn yr *Herald*, i'w werthu ar ocsiwn yn Neuadd y Dref ym Mhwllheli. Roedd y ddwy wedi pori uwchben y manylion: 'smallholding with cottage and 18 acres, good agricultural land, running water . . .'

"Ddoi di draw i gael gweld?"

"Be? Rŵan?"

"Pam lai? Fedrwn ni ddim mynd i'r tŷ, ond mi allwn ni gael sbec . . . Tyd!" Ac mae hi'n rhoi ei braich drwy'i fraich yntau, yn twsu. A heb iddo gael cyfle i feddwl sut i wrthwynebu mae Elin wedi cyflymu ei cham.

"Gwranda di arna i rŵan, Elin Jôs . . ."

Yn y drol y daeth Elin yma'r tro diwetha, yn cael ei chario a hithau'n edrych o'i chwmpas ar lesni'r tir, y bythynnod ar ymyl y ffordd a'r awyr anferth o'i blaen. Felly dydi hi ddim yn hollol sicr o'r troad i lawr y lôn las i Roslas. Bu yma yn ei phen laweroedd o weithiau wedyn, pan fyddai'n methu cysgu, gan ei dychmygu ei hun yn rhoi dillad ar y lein, yn tyfu pys a ffa a rhosod persawrus yn yr ardd, ac yn bwydo'r ieir. Byddai'n sefyll ar garreg y drws yn aros am sŵn troed ar y llwybr, a'r giât fach i'r ardd yn cael ei hagor. Gallai glywed sŵn y llanw ar draeth wrth glustfeinio.

"Chofia i ddim lle i droi."

"Fuost ti yma o'r blaen?"

Dydi hi ddim yn ei ateb. Mae hi'n pydru ymlaen. Mi allai hi'n hawdd iawn fod wedi bod yma ryw dro i ddanfon wyau neu ddarn o gig mochyn ar ôl diwrnod lladd. Ond wrth gwrs, fu hi ddim. Efo Sam Richards y bu hi, y diwrnod hwnnw pan oedd hi'n mynd i weld y mistar i'r ysgol ynghylch Hughie, pan aeth o dros ei phen hi. Be wnaiff hi efo'r wybodaeth honno? Ei chadw mor daclus a swat ag wy clwc mewn nyth.

Mae'n dipyn o step a'r ddau'n cerdded yn ddygn. Mae'r haul yn mynd yn is bob gafael.

"O, dyma ni, yli!"

Mae'r lle wedi mynd â'i ben iddo ers i'w denant farw: y gwyngalch wedi bochio a phlicio ac eiddew yn ymgripio i fyny'r talcen. Daeth ambell lechen oddi ar y to ac mae gwydr y ffenestri'n wyrdd. Dringodd y mieri gan wau'n rhaff dew, bigog am y giât fach.

"Mae'r môr i'w weld o'r gegin. A'r tir bob cam at yr arfordir. John, bron na fasa fo fel bod ar long!"

"A be ydw i i fod i'w neud yma? Ffarmio? Elin, dyn môr ydw i!"

"Ond mi faswn i'n gallu helpu. Ac mi fasa Nhad yn dy roi ar ben ffordd. A Bob, Madryn Isa."

Mae John yn rhochian. "Basan, dydw i ddim yn ama." Mae'n estyn cyllell fach o'i boced ac yn mynd ati i dorri'r mieri, a rhyddhau'r giât, gan ganolbwyntio ar y dasg. Sylwa Elin fel y mae pob coesyn a dorrir ganddo'n cael eu troi fel rhaff i greu pentwr. Mewn dim o dro, mae'r giât yn swingio'n agored. "Mae hon eisio côt o baent hefyd."

Aiff Elin o'i flaen, a chwpanu'i dwylo i sbecian drwy'r ffenest agosa. Ond mae'r dydd yn prysur golli. Rhwng y gwe pry cop a'r llwch, mae'n anodd gweld fawr ddim. Prin daro'i drwyn yn y ffenest bella mae John prun bynnag, cyn troi a syllu tua'r môr.

"Awyr draeth. Mi fydd yn law mawr fory."

"A be wyt ti'n feddwl?" Mae hi wedi dod i sefyll wrth ei ymyl o. "Lle braf? A thir. Deunaw acar."

"Ond Elin, ti erioed o ddifri? Am brynu'r lle 'ma?"

Ar y môr y mae ei golwg hithau hefyd wrth iddi ei ateb.

"Mi fasa'n ddechra newydd i ni."

"Gair y Sais am rywbeth fel'na ydi *fantasy*."

"Bywyd gwell, llai o straen . . ."

Mae o'n ysgwyd ei ben yn egnïol.

"Ryw ddiwrnod ella. Cachgi fasa'n dengid i ryw dwll fel'ma yn lle wynebu'r storm."

"Dim twll ydi o, ynys bach ddiogal! John, rwyt ti bron iawn allan o'r storm, mae'r gwaetha drosodd . . ."

Y tro yma, mae'n cymryd ei amser i ateb, yn meddwl sut i eirio'r frawddeg.

"Dydw i ddim yn bwriadu troi cefn ar fy mhroffesiwn yn bymthag ar hugain oed."

"Ond er mwyn iechyd . . ."

"Be mae marchog yn neud pan mae o'n syrthio oddi ar ei farch? Troi'n bysgotwr? Nage, dringo'n ôl ar gefn ei geffyl a dal ei afael yn dynnach."

Ac ar ôl dweud hynny mae o'n cerdded drwy'r giât fach y mae newydd ei rhyddhau ac yn ei dal yn agored i Elin, a fedr hi ddim peidio gweld mor guredig y mae o'n edrych, ac eto'n dawel. A phenderfynol. Ond mae yna oleuni hefyd. Yn araf y mae'r trymder mawr a fu ynddo fo'n codi, fel niwl tes.

Ac maen nhw'n troi am adra, yn cerdded yn glòs, gan gyflymu eu cam i gyrraedd cyn i'r nos gau.

7

Mynd â hen gwpwrdd dillad a hwnnw'n dwll pry drwyddo allan i'r cefn y mae'r ddau ohonyn nhw y bore hwnnw. Yr unig beth ynddo oedd casys gobennydd ar ôl mam Johnnie wedi melynu yn eu plyg. Mae Lydia am eu berwi i edrych ddaw yr hen felyn yna allan. Os na, mi wnân glytiau llnau haearn smwddio, er nad ydi hi wedi rhoi'r celwrn ar ei chefn a mynd allan i olchi na smwddio ers misoedd bellach. Mynd yn goed tân fydd hanes y cwpwrdd dillad – gwaith taid Johnnie a fu'n saer ar y môr ac a wnaeth bob darn o ddodrefnyn yn ei gartre o 'sennau hen hylcs. Peth sâl oedd o yn y lle cynta.

Maen nhw wedi llwyddo i gael corff y cwpwrdd ar hyd y landin ac i lawr y grisiau ac allan i'r cowt, lle mae'r fwyell yn aros amdano. Newydd fynd yn ei hôl i nôl y droriau y mae Lydia pan glyw Johnnie sŵn traed yn dynesu ar hyd y llwybr graean. Hogiau Tyn Pwll ddaw heibio amlaf, a dyna pam mae o'n galw, "Arthur, chdi sy 'na? Ddo i i olwg yr injan eithin yna efo chdi pnawn 'ma, yldi, mae'r ddynas 'ma a finna wrthi'n . . ."

Ond nid Arthur ddaw i'r golwg heibio'r pren bocs ond Adi. Fu hi erioed yma o'r blaen ac er nad ydi o'n ei hadnabod o ran ei gweld, mae Johnnie yn gwybod pwy ydi hi yn syth. Mae hi mor debyg i'w mam – y gwallt tywyll tonnog yna a'r llygaid gwyrdd.

Hyd yn oed ar ei domen ei hun, mae Johnnie Moi yn swil. Dyma fo'n cochi at fôn ei wallt.

"Dwi wedi dŵad i siarad efo Lydia Catrin."

"Mae dy fam o gwmpas yma. Ddoi di i'r tŷ?"

Does dim osgo symud dim un fodfedd ymhellach arni.

Dros y misoedd y bu'n llechu yn y *Mairwen*, trodd Adi

Johnnie Moi yn anghenfil yn ei meddwl, anghenfil oedd wedi meddiannu ei mam, gan ddim ond ei gadael allan ar raff bob hyn a hyn i ddod â bwyd a dillad sych iddi hi. Wrth fethu cysgu ar dywydd mawr a gwynt y dwyrain yn gyrru tonnau fel tyrau i sgrytian y llong, Johnnie Moi, ym meddwl Adi, oedd gwraidd pob drwg a chrynhowr pob storm.

A dyma fo'n llercian o'i blaen, yn hen drychfil bach blêr, efo cortyn yn dal ei drowsus i fyny, cyrls brith o gwmpas ei ben moel a thrwyn coch, sgleiniog.

"Lydia, mae gen ti ddynas ddiarth."

Mae'r ddau yn gwrando ar sŵn traed Lydia yn drybowndian i lawr y grisiau. Wrth gyrraedd y gwaelod mae'n rhoi ffling i'r droriau allan o'i blaen. A dyna pryd y mae'n gweld ei merch.

"Adi. Nefi drugaradd! Do'n i ddim yn disgwyl dy weld di yma. Wyt ti'n sâl? Ro'n i ar fy ffordd draw."

Edrycha bob yn ail ar ei merch a Johnnie Moi. Am hir, does neb yn dweud dim.

"Wel . . . dwi am fynd i olwg yr injan eithin 'na. Gwna 'panad i'r hogan, Lydia. Mae golwg jest â thagu arni."

"Dwi ddim yn aros."

Ar ôl i Johnnie Moi fynd i gyfeiriad y tŷ gwair, a sŵn ei glocsiau'n pellhau, mae Lydia'n gosod dwy o'r drôrs ar ben ei gilydd groes gongol ac yn eistedd arnyn nhw.

"Faswn i wedi dy weld ti pnawn 'ma, sti. Ro'n i ar y ffordd draw acw."

"Mam –"

"Adi –. Dwi'n gwbod 'mod i'n gneud cam â chdi, ond ro'n i wedi deud ers misoedd. Roedd byw ar y llong damp yna'n fy lladd i. Chdi fynna aros arni –"

"Dwi wedi bod yn iawn ar ben fy hun . . ."

"Rwyt ti'n rhy ifanc."

"Nacdw."

"Clefyd cryd cymala fasa 'niwadd i."

"Ddeudish i fwy nag unwaith fod un o dai Penrhos yn wag."

"Ac efo be oeddwn i i fod i dalu rhent? Cregyn?"

"Wel, mi gewch chi ddiolch i Mrs Jones Tŷ Coch 'mod i ddim yn y wyrcws. Pan ddaeth y dyn welffer, mi ddeudodd 'mod i'n byw efo nhw."

"O, Adi." Ac mae'n rhoi ei phen yn ei dwylo, yn torri i grio. Yn trio stachu wedyn, i godi oddi ar y droriau simsan i fynd at ei merch. "Wnawn ni rywbath ohoni. Be am godi'r hen fusnas golchi bach 'na y byddan ni'n breuddwydio amdano fo? Roedd Johnnie a finna'n siarad ryw noson ac yn meddwl tybad a fasa'r ficar yn rhoi tenantiaeth y Bryn i chdi a fi . . ."

"Mae Moses Dafis adra, dydi."

"Ac wedi cael 'i droi i'r lôn. Mi gwelodd Arthur o'n ei chychwyn hi am Gaer, a'i bocedi fo'n gwegian o watshys." Mae hi'n gwenu; mae'r ddwy yn gwenu.

"Ond wedyn mi faswn i ar ben fy hun yn y Bryn, a chi'n dŵad i fan'ma –"

"Rargian, na faswn, galon aur." Mae hi ar ei thraed erbyn hyn, ac wedi dod i sefyll o flaen ei merch. "Does yna ddim byd rhwng Johnnie a fi, sti. Dim ond ffrindia ydan ni."

"Wel, dim dyna mae pawb arall yn ddeud!"

"Howscipar ydw i 'te, mewn ffordd o siarad. Ella taswn i'n siarad efo Johnnie y caet titha ddŵad yma . . ."

Mae'r olwg ar wyneb Adi yn ddigon i'w hatal.

"Tyd i'r tŷ am funud, mi wna i 'panad i ni. Tyd." Ac mae Lydia Catrin yn cychwyn, ac yna'n stopio ac yn edrych yn ôl i weld a ydi Adi yn ei dilyn. Ac o lech i lwyn mae Adi yn mynd ar hyd y pasej cul i'r gegin ar ôl ei mam.

Er nad ydi'r tŷ yma ond lled dau gae o'r môr, mae ei deimlad yn ei tharo'n wahanol i fod yn nhai Henborth. Codwyd y gegin yn y darn croes i roi cysgod rhag gwynt a heli môr, ac mae mor glyd â nyth cath. Daeth Lydia o hyd i hen lestri yn y parlwr drwadd yn lle'r rheini a chwalodd gwn Moses Dafis a'u gosod ar y dresel gan greu amhatrwm tlws o las a gwyn, pinc a gwyrdd. Ar y setl mae clustog hir o waith Lydia, ac mae ei phethau gwnïo mewn hen focs bisgets ar y bwrdd, wrth ymyl y pot halen.

Ac mae yna arogleuon yma, dillad yn eirio a sebon golchi coch. Aroglau cwningen yn rhostio. A'r arogleuon sy'n gwneud i Adi sylweddoli yn fwy na dim fod ei mam wedi cartrefu yn y tŷ hwn.

"Stedda yn y gadair freichia yna rŵan, honna ydi'r fwya cyfforddus. Gest ti frecwast? Mae yma gig moch. A digon o wya."

Mae Lydia wedi mynd trwadd i estyn y cig odd' ar y bachyn, a'r pot menyn, pan mae Adi yn dweud yn glir,

"Mae'r stori'n dew fod Nhad yn ei ôl."

Mae ond y dim i Lydia Catrin ollwng y pot menyn yn y fan. Daw i sefyll yn nrws y pantri.

"Paid â chyboli! Mi foddodd yn Bordô. Ac mi gesh inna'r compo, efo hwnnw prynish i'r mangl. Adi, mae rhywun yn tynnu dy goes di! Paid â gwrando arnyn nhw."

"Pam fasa rhywun yn gneud hynna? Na, mae o'n wir."

"Ond mi gesh i lythyr gan y cwmni . . ." Mae Lydia fel y galchen. "Pwy ddeudodd?"

"Brawd Elis, Ned. Roedd o wedi'i weld o yn y Castle. A'r Madryn Arms."

"Yn y Castle? Yn Nefyn?"

"Ia."

"Rhywun tebyg, dyffeia i di."

"Ac roedd ei ffrind, Harri, wedi siarad efo fo."

Daw Lydia Catrin ymlaen; rhaid iddi gael sadrwydd cadair a bwrdd o'i blaen i'w chynnal.

"Doedd o ddim wedi boddi, yn y diwadd. Er, mi lyncodd lot o ddŵr budur ac mi fuo'n sâl iawn a jest â marw. Ond wedyn, ar ôl mendio mi joiniodd long i Gibraltar, ac o fanno i Philadelphia."

"Philadelphia? Lle ddiân mae fanno?"

"Ar yr East Coast. A gweithio'i basej adra i Lerpwl."

"Choelia i ddim, mae hi'n swnio fel stori goets fawr..."

"Dwi ddim wedi gorffan eto..."

"Gad hi, wir, mae hynna'n hen ddigon am y tro."

"Dydach chi ddim yn falch? Bod o'n dal yn fyw?"

Mae Lydia yn methu dod o hyd i unrhyw eiriau. Rhyw gegiad o rai blin ddaw yn y diwedd.

"Wel os mai hyd y tafarna mae o, does yna ddim llawar wedi newid, nac oes. A lle mae o na fasa fo wedi bod yn chwilio amdanan ni?"

"Ond dydan ni ddim yn nymbar ffôr, nac ydan. Ella bod o wedi bod yno? A chael cawall?"

"Gwestiwn gin i."

Mae Adi yn sgwario yn y gadair freichiau ddiarth. Yn estyn am grystyn torth sydd ar ben pella'r bwrdd, ac yn helpu ei hun i gwlffyn, ac yn cnoi'n hamddenol.

"Y stori ydi fod gynno fo bres mawr."

"Pres mawr?" mae Lydia yn ailadrodd fel parot.

"Lot fawr o bres, Mam." Ac mae hi'n codi ar ei thraed yn sydyn. "Beth bynnag, dim ond galw wrth basio oeddwn i, i chi gael gwbod." Mae hi'n edrych i fyw llygaid ei mam. "Rhag i chi glywad o nunlla arall."

"Wel ia, chwarae teg i ti, wir, Adi."

"Ac i chi gael amsar i feddwl be ydach chi am neud."

"Ond Adi, mi gadawodd o ni'n dwy. Mae hi dros bedair blynadd. Pam na fasa fo wedi cael rhywun i sgwennu llythyr drosto fo? Mi gawson ein troi allan o'n cartra, ein howtluo o bant i bentan... 'Dan ni wedi bod yn byw yng nghorpws llong..."

"A dwi yn *dal* i fyw mewn corpws llong." Mae Adi'n meddalu rhywfaint bach. "Do. Ond ella nad oedd yna ddim bai arno fo, na 'wrach. Wel Mam, dyna chi wedi cael gwybod, dwi ar fy ffordd i Nefyn rŵan. A dwi yn mynd i chwilio amdano fo nes ca i hyd iddo fo, a dim am fod sôn fod ganddo fo bres mawr, ond am mai Nhad ydi o. A dwi wedi'i golli fo, a dyma fo'n ôl."

"Y tad afradlon."

"Ac mi fydd rhaid i chi feddwl be ydach chi am ei neud, Mam. Achos fo ydi'ch gŵr chi. Ac ella bydd o'n dŵad i chwilio amdanoch chi, na 'wrach."

Ac ar hynny mae Adi yn codi, ac yn mynd â hynny sy'n weddill o'r crystyn efo hi.

Dal i eistedd wrth y bwrdd yn syfrdan mae Lydia nes i sŵn bwyell Johnnie yn torri, a sŵn tuchan bach gyda phob trawiad, ddod â hi'n ôl ati'i hun ddigon i fynd allan i ddweud y newydd wrtho fo.

8

Mae hir aros i Thomas Williams & Co. ailagor cyfri *Captain John Jones* a'r tensiwn yn cynyddu yng Nglan Deufor o wythnos i wythnos. Gorffennir ailosod nenfwd calico ar siambar y Ffridd a chaiff yr hen un ei blygu a'i gadw yn y sgubor nes daw defnydd newydd iddo. Ailddechreua John fynd i'r capel; i oedfa'r nos y mae'n mynd, fel y gall Elin ddod efo fo a sefyll rhyngddo ac unrhyw un sydd am fynd i'w garpet bag. Ac mae'r llyfr *Visitors* yn y gegin a'r calendar yn dechrau llenwi gyda bwcings yn ymestyn o'r Sulgwyn ymlaen hyd ganol Medi, ond llai ohonynt ar y tro. Fydd dim angen iddyn nhw gysgu allan yn y cwt eleni. Un prynhawn Sadwrn gwlyb aiff John draw i ocsiwn yn Neuadd y Dref ym Mhwllheli, ond does ganddo na chelc nac ewyllys i allu codi ei law a gwraig weddw o Laniestyn a'i mab sy'n prynu Rhoslas.

Ddechrau Mawrth caiff gynnig ambell ddiwrnod o waith yn y llofft hwyliau ar draeth Henborth ac mae bod yno efo'r criw, yn gwrando arnyn nhw'n cadw reiat, ac yn teimlo'i ddwylo'n caledu eto dan y *palm* yn falm yng nghanol helynt, ac yn rhoi patrwm i'r dyddiau. Caiff gyflog wrth y dydd fel rheol; dro arall mynd yno fel cymwynas y bydd o, neu hyd yn oed i eistedd ar un o'r meinciau yn smocio'i getyn ac yn gwylio'r criw. John ydi o yma i bawb ond i'r hogiau fengaf; mae o'n perthyn fan hyn ac yn adnabod y grefft.

Ac yma pan mae hi'n dawel – dim ond sŵn llanc yn chwibanu drwy'i ddannedd a thonnau'n torri – y mae rhywbeth rhyfedd yn dechrau digwydd, rhyw ymddatod. At amser cinio mae'r llofft hwyliau yn cynhesu bob dydd, wrth i'r tanllwyth broc môr gochi, ac ambell hogyn yn llewys ei grys hyd yn oed. Er y prysurdeb, mae yna ryw lonyddwch yno mor ddyfn ag anadl.

Un Mercher ar ôl i John bicio adra ganol dydd a brasgamu yn ôl drwy'r gwynt main ar hyd y traeth y mae'n digwydd gyntaf. Wrth iddo agor y drws ochor a chamu i mewn o'r oerni i'r sêlrwm y mae'r gwres, yr aroglau cwyr a Stockholm tar yn ei feddiannu fel licar. Aiff i'w ben mor gyflym â chwistrelliad o *laudanum*. A'r funud honno caiff ei gludo o'r man lle mae'n sefyll mor soled – i fwrdd y *Cambrian Queen* lle chwalwyd ei yrfa forwrol yn ufflon, a'r mênsel fawr yn chwipio uwch ei ben.

Ac mae y drws y bu'n ceisio'i gau â holl rym ei ewyllys dros y ddwy flynedd ddiwethaf wedi'i wthio'n gilagored – gan aroglau.

Mae'n cysgu'n dda ers dod adra o Benrhyndeudraeth, yn well nag y cysgodd ers blynyddoedd – Elin a'i chefn ato a fynta'n gafael amdani'n sownd mewn trwmgwsg difreuddwyd. Yn y gwely derw efo Elin, wrth i wanwyn newydd ddechrau agor, dysgodd gwsg newydd. Dydi o'n breuddwydio am ddim oll, ac mae cwsg yn ei arfogi, yn ei gryfhau ar gyfer y dyddiau. Daw yn ôl iddo'i hun, daw at ei goed. Ond yna, gefn dydd golau pan nad ydi o'n disgwyl dim oll – dyna pryd y daw'r darluniau iddo. I ddyn mor wastad a diddychymyg â Joseff gynt: gweledigaethau.

Maen nhw fel *photographs* sepia. Wrth gychwyn yn ôl am Lerpwl o Boston ar fordaith olaf Hugh Williams yn gapten, roedd *photographer* wedi camu ar fwrdd y llong un pnawn crasboeth gyda chlamp o gamera i dynnu llun y criw. Roedd yr hogiau yn llewys eu crysau, newydd orffen llwytho, a bu'n sgrambl i bawb ffeindio'i gap neu *tam-o'-shanter* cyn i'r dyn eu gosod yn eu llefydd. Yn y cefn, ar y pen, wrth ymyl Jòs Pugh yr oedd o wedi sefyll, Stan Griffiths y *boy* wrth ei ysgwydd dde a Capten Hugh nesa wedyn. Dim ond yr *officers* fel rheol fuasai'n gordro *photograph*; fyddai gan neb arall bres i'w sbario. Ond mae pob copa walltog yn bodloni i fod yn y llun, mae'n gyfle i gael eu gwynt atynt ac yn newyddbeth. A dyma greu'r *portrait* – rhai'n eistedd ac eraill yn sefyll yn dair rhes glòs ar y fwrdd y llong, pawb yn wynebu ymlaen ac aroglau chwys yn codi o'u cyrff. O'r lle y safai cofia John weld Rainch y sêlmecyr yn ei gap ffelt a thoslyn, ei getyn main yn ei geg, Dic Robaits wrth ei ochr a'i ddwylo ar ysgwyddau Wil Bach a hogiau'r rhes ffrynt yn eistedd ar goed y bwrdd a'u coesau allan o'u blaenau. Welodd John mo'r llun chwaith; roedd y *photographer*, o'r James Notman Studio, wedi addo'u rhoi ar y llong nesaf i Lerpwl ar ôl eu defelopio a byddent yn yr offis yn Water Street i'r dynion eu casglu. Mae ei lun o yno ers bron i bedair blynedd.

Fel bod yn ôl ar y bwrdd pan dynnwyd y *photograph* hwnnw, dyna yw profiad y gweledigaethau, ond mai fo ydi'r dyn tu ôl i'r camera, yn gwylio. A bod y lluniau hyn yn symud.

Digwyddiadau nad oes ganddo unrhyw gof ymwybodol amdanyn nhw ydi bob un. Darluniau sy'n glanio fel *tableaux* cyfan yn ei ben. Yn y cyntaf, ar y pnawn Mercher hwnnw, mae'n gweld corff Capten Hugh ar y slab mawr oer yn y marwdy yn Boston, ei iwnifform yn dal amdano. Bu John yn yr ystafell honno, mae'n gwybod, oherwydd fo oedd wedi gorfod gwneud yr *identification*, ond claddwyd unrhyw atgof am hynny yng ngwaelod 'hold' ei gof – o dan yr hatsys. Mae'n edrych i lawr arno'i hun yn gwylio Capten Hugh mor llonydd – y dyn hwn oedd yn symud yn barhaus fel dŵr y môr ei hun. A chlyw ei hunan yn gofyn yn ei Saesneg gorau i ŵr mewn côt wen a gaiff o wnïo amdo i'w gapten – pwytho drwy oriau'r nos ar gyfer trannoeth. Hon, mae'n egluro, fyddai ei gymwynas olaf: amdo glyd o hwyliau segur. Byddai Hugh yn ffitio fel pluen i'w phlyg. Ac mae'n clywed y "No, I'm real sorry, sir, we can't allow you to do that". Ac mae ei ysgwyddau'n crymu dan y siom. Mae'n ei wylio'i hunan yn shyfflo allan ar hyd y llawr teils, a'i ben i lawr.

Daw ato'i hun yn ôl yn y llofft hwyliau wrth deimlo llaw un o'r hogiau ar ei benelin yn gofyn am help i droi rhaff. Mae'r darlun yn darfod. Mae'n ddwy flynedd i'r diwrnod bron ers i Capten Hugh Williams farw.

Ar ôl iddo ddigwydd, ymateb blaenaf John ydi gwadu'n bendant iddo'i hun ei fod wedi cael y profiad. O'r diwedd y mae o'n well. O'r diwedd y mae o'n debycach i'r hen John, y John y mae pawb y ffordd hyn yn ei nabod: dyn môr, sgwrsiwr, capelwr, cymydog a dyn teulu. O'r diwedd, y mae'n ei adnabod ei hun, ac yn gyfforddus yn ei groen. Mae gobaith am wrandawiad ddechrau mis Ebrill, ac os rhydd Doctor Hughes, Nefyn adroddiad ffafriol iddo, siawns dda o gael ei docyn meistr yn ôl. Ydyn, mae'r cyfrifon yn dal heb eu datrys, ac yn gorwedd fel cwmwl du drosto, ond gyda help Elin, a thwrnai os bydd rhaid, mi gaiff y rheini hefyd eu setlo gydag amser. Maen nhw'n gweithio'u ffordd drwyddyn nhw, fesul eitem. Ond fedr o ddim fforddio troi'n ôl. Ac yn sicr, fedr o ddim rhoi lle i ddychmygion allai chwalu ei wellhad a'i wneud yn llai dyn nag ydi o. Am funud wrth gerdded am adra'r noson honno, mae'n ystyried dweud wrth Elin ond mae arno ofn ei dychryn hi, ofn iddi wfftio ato neu wylltio hefyd, a hwythau wedi dod mor glòs at ei gilydd. Ac felly dweud dim mae o.

Ond er ei fod yn gwadu, y mae'r darlun a ymddangosodd mor annisgwyl o'i flaen wedi gwneud rhywbeth iddo. Y mae wedi gwneud iddo ddechrau teimlo eto.

Wrth gerdded yn ôl a blaen i'r llofft hwyliau yn Henborth, ar hyd y traeth neu i fyny'r llwybr ac ar hyd caeau Porthdinllaen ar lanw uchel, mae'n dda iddo wrth ei hances gotwm fawr bob dydd bron. Wrth sefyll eto o flaen corff y bachgen glanaf a hwyliodd don, mewn sefyllfa enbyd, drycin a'i hysgydwodd i'r byw, mae rhyw ddadmer yn dechrau digwydd yn ddyfn tu mewn iddo.

9

Mae hi'n ddiwedd y dydd, a'r dynion yn hel eu pac am adra. Yn yr hen grât fawr mae'r tân yn lludw meddal, ond mae ei wres yn para. Drwy'r wythnos bu pawb wrthi'n ddyfal ar set newydd o hwyliau tywydd trwm i'r *Mistress*, ac mae'r cyfan wedi eu plygu a'u pacio wrth y drws yn barod i'w llwytho ar y drol bore trannoeth am Bwllheli. Hwyliau'r jib oedd cyfraniad John. Mae o ar yr olaf; mae hi wedi ei mesur a'i thorri. Daw Ifan Jones i oleuo lamp iddo, a'i atgoffa i gloi. Daw yntau i eistedd wedyn at y fainc agosa at y tân i orffen crîsio a rhwbio'r hem gyda'r sêm-près cyn mynd ati i wnïo. Y mae pob pwyth yn gymesur a gwastad – a'r edau fawr yn rhedeg yn esmwyth o'r twll crwn yn y fainc. Wrth iddo weithio'i ffordd ar hyd ochor fewnol yr hwyl, mae'r nodwydd fawr yn pwyo'n rhythmig i'r *palm*.

Ar ôl prysurdeb y dydd, mae'n dawel yma. Awr arall a chaiff yntau noswyl.

Ac i wacter meddwl diwedd dydd, daw darlun arall.

Mae yn edrych arno'i hun yn cerdded ar hyd stryd sy'n olau tu ôl iddo: golau naturiol awyr fawr a dŵr yr harbwr yn taflu goleuni i'w lwybr. Bob ochor iddo y mae adeiladau uchel yn crymu: siopau ar y llawr isaf, eu canopis yn agored, a stondinau gwerthu rhyngddynt yn yr entris. Ar ochor allan y *sidewalk* y cerdda a'i ben i lawr, yn saff rhag pobol a phlant ar y palmant a merlod a wageni ar ganol y stryd. Yn ei law, y mae tamaid o bapur, a'i afael yn dynn ynddo.

Daw allan yn y man, yn ei ôl i olau dydd, ac i sgwâr eang. Yn y canol mae ceffylau a charejis, tramiau pedwar ceffyl a gigiau wedi'u parcio a phobol yn mynd yn fân ac yn fuan o'u cwmpas nhw. Gallech fod wedi rhoi maes Caernarfon ynddo ugain gwaith. Mae'n edrych o'i gwmpas ond yn gwybod lle i fynd. Yr adeilad palasaidd tu ôl iddo sydd â'i dŵr yn meddiannu'r sgwâr ydi'r City of Boston Main Post Office, a'i dri drws uchel yn troi wrth i bobol lawn prysurdeb fynd a dod.

Ar y grisiau mae i'w weld yn petruso, yn simsanu, yn gwegian ar ei draed. Yn union fel pyped a rhywun wedi llacio'r llinyn ynddo, ei goesau'n plygu, wedyn y corff a'r pen ar un ochor yn syllu'n syth ymlaen.

Ni all John ond syllu arno'i hun a'r nodwydd yn llonydd yn ei law.

Aiff i lawr fel sach o datws a tharo'i ben ar y grisiau cerrig. Brysia gŵr a gwraig ato, wedi clywed y glec, a phlygu wrth ei ymyl. Du a gwyn ydi'r llun ond mae'r gwaed ar law y dyn yn goch, goch. Estynna hances boced a'i rhoi ar y briw, a gosod ei dop côt ar y step i John gael gorffwys ei ben. Ar ei ochor mae'n gorwedd, fel baban yn y groth, a chroen ei wyneb yn welw yn erbyn y coch ar yr hances. Mae'r ddynes yn penlinio wrth ei ochor, yn cysuro'n dawel. Ac mae'r corff a ddisgynnodd mor hegar yn siglo'r mymryn lleia. Daw hances boced wen o'i bag; mae hi'n gafael yn ei law ac yn syllu ac yn edrych ar ei gŵr.

"There, there, now, don't you cry no more, sir. You'll be right as rain in no time. And they'll get your head fixed at the hospital."

Wrth glywed hynny mae o'n straffaglio i godi ar ei eistedd, ei law dde ar gefn gwaedlyd ei ben a'r llall yn dal i afael yn y darn papur.

"No . . . sending . . . cable. There has been a mortality."

"Well, sir, that's real sad. But our care is for the living. You can come back tomorrow, send your cable. But right now we gotta get ya right over to the hospital, 'cos you're losing blood, brother . . . Did you just trip there?"

"I do not know what happened." Mae'n ysgwyd ei ben.
"You just seemed to collapse!"
"I felt so strange. But I will be all right now." Mae'n dal ei law allan o'i flaen i atal y cyfaill. Fydd dim troi arno. "You are very kind indeed."

Rhaid cael help llaw i allu codi ar ei draed, a gafael wedyn yn y canllaw i'w gynnal. Maen nhw'n bagio oddi wrtho yn araf, ac anfoddog, cyn troi a dechrau cerdded i ffwrdd. Bob tro mae un o'r ddau yn troi i edrych arno, mae'n codi ei law, yn trio chwifio, yn eu hwrjo nhw ar eu taith. A phan gaiff eu cefnau, a digon o nerth i roi un goes yn ddiogel o flaen y llall, mae'n ailgychwyn i fyny'r steps i'r Post Office, a'i law yn dal yr hances yn ei lle.

A does ganddo ddim math o gof. Ai dychymyg yw hyn? Ai breuddwyd?

Rhaid iddo roi'r nodwydd ar y fainc am funud, a rhoi ei law yn ei drwch gwallt i chwilio. Ac oes yn wir, mae craith denau fel min cyllell yn cadarnhau y bu codwm ar risiau'r City of Boston Main Post Office.

Chofith o mo'r godwm ond mae'r dyddiad yn glir yn ei gof. *Mawrth 29ain.* Y diwrnod yr anfonodd gêbl i Thomas Williams & Co. i ddweud fod corff Capten Hugh yn cychwyn ar ei daith olaf i'r Felinheli.

10

Mae gan Elin siwt efo *shirtwaist* a brynodd yn *emporium* Lord & Taylor yn New York ym mis Mai 1893.

Y pnawn hwnnw pan ddanfonodd John hi i Fifth Avenue i gael golwg ar y siopau, roedd hi wedi gweld ei chyfle. Yn Central Park roedd hi wedi dotio at y merched yn eu hetiau pluog a ffrogiau taffeta a bu'n sefyll yn ffenestri mawr y siop yn edmygu'r *mannequins* gyda'u parasôls a'u sgerti fflownsiog, yn ceisio hel digon o blwc i fynd i mewn. Roedd ganddi ei Saesneg, doedd, i allu ateb petai rhywun yn gofyn rhywbeth iddi. A'i harian ei hun. Mentrodd ar ôl sbel a chael awr o ryfeddod yn crwydro o un llawr i'r llall. Fu hi erioed mewn siop mor fawr – roedd hi ddwywaith cymaint â'r *Cambrian Queen* – ac yn llawn hyfryd bethau, o ddodrefn i bersawr. Ac yno ar yr ail lawr, yn y Ladies' Spring Fashions yr oedd hi wedi gweld y siwt – siaced a sgert mewn glaslwyd a'r *shirtwaist* gwyn efo bow coch i fynd odani. Cafodd gynnig ei gwisgo i weld a fyddai'n gweddu ond roedd y syniad o dynnu amdani mewn siop fel hyn o flaen merched diarth yn codi arswyd arni. Estynnwyd y tâp mesur felly. Yn fodlon, lapiodd merched y siop y siwt mewn papur sidan, yn y bocs a'r enw Lord & Taylor New York arno, a thalodd hithau mewn arian. Tra oedd yn New York gwisgodd Elin y siwt ddwywaith – unwaith i fynd i'r capel Cymraeg ar 13th Street, ac wedyn i fynd am de i'r Grand Union Hotel efo John.

Ers iddi ddod adra ddwy flynedd yn ôl, yn ei bocs y mae'r siwt wedi bod. Mae aroglau diarth y siop yn dal ar y dillad. Wrth i'r wythnosau fynd heibio, a'r posibilrwydd y bydd gwrandawiad John yn cael ei gynnal ddechrau Ebrill, mae hi'n penderfynu mai dyma y bydd yn ei wisgo i fynd i Lerpwl. Felly y bore pan aiff John draw i Nefyn i weld y doctor i ofyn am ripórt mae'n penderfynu trio'r siwt, ac yn meddwl pa het fyddai'r orau i'w gwisgo efo hi. Het â chantal yn troi at i fyny ar un ochor, a chlamp o bluen estrys oedd y peth; roedd hi wedi gweld lluniau felly yn y *Ladies' Companion* gan ferched fusutors. Does gan Elin ddim het i'w chymharu, ac am un funud wirion mae'n dychmygu mynd i'r dre i ofyn i'r hetwraig yn siop Pwlldefaid wneud un iddi.

Mae hi'n rhoi'r holl sioe amdani – y *waistcoat*, y sgert, ei hesgidiau gorau a'r gôt sy'n cau'n ddwbl ar draws ei brest, cyn mentro sefyll o flaen y glàs yn nrws y cwpwrdd dillad. A chaiff ei chyfareddu. Hyd yn oed heb het, a'i gwallt tywyll yn gocyn isel ar gefn ei phen, mae hi'n dychryn wrth weld mor hardd ydi hi. Mae'r lliw plaen yn gweddu iddi, ac yn ddigon golau i godi calon fel glas fforget-mi-not.

Wrth droi oddi wrth y glàs sylwa fod siâp gwahanol ar y sgert ar y ddwy ochor. Mae yna rywbeth yn bochio yn y boced dde. Mae'n rhoi ei llaw i mewn ac yn canfod cas llythyr yn nythu yno. O'i estyn gwêl mai llythyr i John ydi o. Ac wrth iddi ei agor daw'r cof iddi am y pnawn y dangosodd John o iddi, pan oedden nhw'n cael y te drud hwnnw efo'r *ice cream* yn yr hotel.

Hwn oedd y llythyr a yrrodd y cwmni iddo yn cynnig capteiniaeth y llong:

Captain John Jones
We have this day engaged you to take command of the Ship Cambrian Queen now lying in New York on the following terms:-
Your Wages will be at the rate of Fifteen pounds per month, to be paid in England, as usual, and this to include all allowances whatever, any gratuity beyond such wages to be at our discretion, as a mark of satisfactory conduct in particular cases. All discounts

or allowances of any kind made by Agents, Brokers,
Tradesmen, Ship Store Dealers or other parties, in
connection with the business of the vessel, to be duly
credited in your account with the Owners. No private
ventures to be carried in the Ship, except by special
permission.

If at any time hereafter, either in England or
elsewhere, it may be considered desirable to make a
change of Masters, this engagement then to terminate at
such date, and your wages to cease . . . but if such change
take place out of England, you will be . . .

Ac mae'r ysgrifen yn gorffen a'r dudalen nesaf yn eisiau,
yr un a fyddai wedi nodi be fyddai'r drefn petai'n gorfod
rhoi'r gorau i'w waith yn ystod mordaith, sef yr union beth
oedd wedi digwydd. Byddai hi wedi sylwi ar y ddalen las
yng nghanol y papurau eraill. Lle'r aeth hi, tybed? A gafodd
hi ei gadael ar y bwrdd, neu o dan y bwrdd yn yr hotel yng
nghyffro'r funud?

Ymhlyg yn y cas llythyr y mae dalen arall, eto'n ang-
hyflawn, mewn llawysgrifen gron y tro hwn, nid wedi ei
deipio. Ail ddalen llythyr ydi hwn – mae'r rhif 2 ar y chwith
a'r dyddiad *18th April*. Sonnir am yr hwyliau newydd sydd
eu hangen –

We trust that you will make the best possible
arrangement to get the new sails made, or to buy
materials to make the same on board, as you will think
best to do under the circumstances. It will depend
somewhat on the sailmaker that you have on board, and
if the sails are likely to be wanted on the passage out.

Aiff ymlaen i sôn am Capten Hugh Williams:

You had better send the late Captain Williams' effects
addressed to us here, also all vouchers and account
books, to enable us to close up his account, retaining a

copy of his accounts against the crew for your own use.
We shall also require the inward account of the ship at
Boston in order to close up the voyage account . . .

Mae Elin yn gallu cofio John yn dangos y llythyr
ar bapur glas iddi hi, er nad y ddalen arall. Rhaid bod
honno yn y cas llythyr drwy'r adeg. A rhaid ei bod wedi
gadael y cas llythyr hwnnw ym mhoced ei sgert i ddod
yr holl ffordd adra i Forfa Nefyn, ac am nad oedd wedi
gwisgo'r siwt yr un waith wedyn, wedi anghofio'r cyfan
amdano.

Pan gyrhaedda John yn ei ôl adra, mae Elin yn dal i eistedd
ar y gwely yn y llofft, a'r siwt las amdani, yn pendroni
uwchben ail baragraff y llythyr.
   "Rargian, rwyt ti'n grand o dy go, i lle'r ei di?"
   "I Lerpwl efo chdi, gobeithio, i'r *hearing.*"
   Mae o'n eistedd wrth ei hymyl ar y gwely. Mae Elin ar
fyrstio eisio rhannu'r newydd am y llythyrau, ond pan
mae'n gweld ei wyneb, mae'n pwyllo.
   "Be ddigwyddodd? Gest ti ripórt?"
   "Fo sy'n iawn, mae'n siŵr. Gofyn wnaeth o a oeddwn i'n
barod."
   "Ac . . . ?"
   "Fues i'n rhy ara deg yn atab, rhy betrus ella . . . rhy
onast."
   "O." Ac mae hi'n edrych i lawr arni ei hun yn ei siwt. "Mi
ro i'r rhain yn ôl y bocs, felly."
   "Na, paid." Mae'n taro cusan ar ei boch. "Rwyt ti'n
ddigon o ryfeddod." Mae'n gafael yn ei llaw, ac yn edrych
drwy'r ffenest, nid arni hi. "Deud oedd o na fydd dim angen
iddo fy holi pan fydda i'n barod, ac wedi gwella'n iawn, y
bydda fo'n medru deud arna i."
   "O? A be wnawn ni felly?"

"Aros."

"Ia." Mae Elin yn codi ar ei thraed. "Rwyt ti'n iawn. Ac mae o'n iawn." Mae hi'n estyn y llythyrau o boced ei sgert. "Yli, doeddwn i'n cofio dim am y rhain, maen nhw ym mhocad y sgert 'ma ers dwy flynadd."

Mae John yn eistedd ar ochor y gwely ac yn darllen yn ddistaw.

"Ydi'n bosib dy fod ti wedi anfon y *vouchers* iawn yn ôl i'r offis yn Lerpwl gyda phethau Capten Hugh, a chadw'r copïa? Doedd hi ddim yn hawdd dweud y gwahaniaeth rhyngddyn nhw, nac oedd, heb graffu?"

Mae o'n codi ei ben ac yn syllu arni.

"Ac os felly, ydi'n bosib fod y *vouchers* wedi bod yn yr offis drwy'r adag?"

Cwyd ar ei draed yn sydyn a nelu am y wardrob.

"Lle mae fy siwt i? Awn ni heddiw, 'r munud 'ma."

"Lle'r awn ni?"

"I'r dre. Awn ni i weld twrna, Elin. Robat Owen ydi'r dyn. Wnân nhw ddim ailagor achos Hugh Williams am 'mod i'n gofyn, yn saff i ti. Ond ella y basa llythyr twrna'n cario mwy o bwysa. O'r diwadd, gwynt teg."

11

Yn yr ardd maen nhw. Roedd John wedi ei throi i gyd fel dyn ar grwsâd un bore Sadwrn ddiwedd mis Mawrth. Torrwyd y garw. Mae'r ail baliad heddiw wedi bod yn waith ysgafnach, a'r pridd fel siwgr coch. Dal ei grysbas o mae Elin a fynta ar ei bedwar yn gosod cortyn rhwng y ddau gnotyn o bren bob pen i'r patsh. Mae'r pys a'r ffa, a'r hadau moron a bitrwt, ar silff uchel yn y pantri o afael y llygod.

"Fasa'n syniad i ni drio tyfu dipyn o letus, John? A tomatos? Mae'r fusutors yn lecio salad ar dywydd poeth. Mi wnâi swpar nos Sul, efo tatw newydd."

"Mae eisio *glasshouse* i domatos."

"Mae'n siŵr bod yna *glasshouses* i ffwr' 'na. Mi allwn i ddeud bod croeso iddyn nhw ddŵad â'u tomatos efo nhw, yn gallwn, ac y cadwa i nhw iddyn nhw yn y pantri. *I will furnish the remainder of the salad. The letus and the slotsh.*"

"And the bitrwt."

"Ia, and the wy wedi'i ferwi'n galad."

"Tyd i glymu pen arall y llinyn 'ma yn y tamad pren acw."

A'r ddau yn eu cwrcwd, welan nhw mo'r ddôr yn agor.

"Oes 'ma bobol?"

Mae Elin yn neidio.

"Adi, hogan, o lle doist ti? Dynas ddiarth!"

"Oes, mae misoedd. 'Dach chi ar i fyny yma? Sut 'dach chi, Captan?"

"Nefi drugaradd, be sy gen ti amdanat?" Mae Elin wedi dŵad i sefyll o flaen Adi. "Mae hwnna yn edrych fel trowsus dyn! Dydi petha fel'na ddim ffit i ferch ifanc, siŵr."

"Sgert oedd hi, oes a fu, ond dwi wedi gwnïo sêm i fyny'r canol i neud sgert-drowsus, a 'di tynnu'r ffera i mewn, fel gwelwch chi." Mae hi'n estyn un goes allan i ddangos, ac wedyn y llall. "Y ffasiwn ddiweddara!" Ac yn morio chwerthin.

"Mi ro i'r teciall ar y tân. Mi faswn i wedi dŵad i chwilio amdanat ti tua Henborth un o'r dyddia nesa 'ma, sti. Mi fydd yn Sulgwyn ar slap, ac mae yna waith cael y tŷ 'ma'n barod . . ."

"Dyna pam 'mod i wedi galw, Elin Jones." Mae Adi wedi torri ar ei thraws hi. "Dŵad i ddeud, mae arna i ofn na fedra i ddim dŵad atoch chi leni."

Mae Elin yn stopio yn ei thracs am y gegin.

"Ond be wnei di?" Ac yna, ar ôl ystyried be roedd y ferch wedi'i ddweud, "A be wna i?"

"O, mi gewch chi rywun i'ch helpu chi," meddai Adi yn gysurlon. "Mi fedra i holi o gwmpas, os leciwch chi."

"Mae o fel mynd i chwilio am gaseg newydd, wyddost ti ddim be gei di. A rhyw gast ym mhob un."

"A be wnei di, Adi?" Roedd y ddwy wedi anghofio bron fod John yno, ar ei liniau rhwng y rhesi. "Mynd i un o'r tai mawr 'ma? Byw i mewn?"

"Nefi, naci. Mae Nhad adra, 'chi. Ac mae o wedi prynu llong."

"Dy dad?" Dydi o'n gwneud dim synnwyr i Elin. Prin y gall gredu ei chlustiau. Boddi ydi boddi, ynde, does dim mor derfynol. Cofia am y mangl a brynwyd efo'r arian compo a fu'n llechu am wythnosau yn ei phasej cefn.

"Ddeudish i wrthat ti, do, Elin!" Mae John yn codi ac yn sythu. "Yn y bar bach cefn ym Mryncynan. Mi faswn wedi rhoi fy mhen i dorri mai Twm oedd o."

"Twm *oedd* o."

"Mae 'na fisoedd ers hynny. Welish i ddim golwg ohono fo hyd y fan 'ma wedyn chwaith."

"O, mi fuo i ffwr' ochra Aberdyfi 'na yn chwilio am long i ni. Smac bach mae o wedi'i gael, yn cario can tunnall, fel newydd ac yn mynd drwy'r môr fel cyllall. Rydan wedi pasiad dechra busnas, fel partnars on dau."

"Chdi a dy dad?"

"Côstio wnawn ni, ar hyd y glanna 'ma. Roedd Nhad yn meddwl ella basan ni'n gneud yn well tasan ni'n angori ochra Gnarfon, gawn ni weld."

"A fo'n gapten? *Managing owner?*"

"Fo a fi bob yn ail, ar ôl i mi gael dipyn o brofiad. A gawn ni *boy* i'n helpu ni."

"Mae llong fel'na yn costio arian." Fedr John ddim peidio dweud beth sydd ar ei feddwl. "Paid â meddwl 'mod i'n bod yn ddigwilydd, Adi . . . ond sut talodd dy dad am long?"

"Yr *Orion*. Dyna ydi'i henw hi."

"Wel ia, beth bynnag ydi'i henw hi."

"Mi fuo'n lwcus."

"Rhywun adawodd y pres iddo fo?"

"Ofynnish i hynna iddo fo hefyd. Achos does gan neb yn teulu ni ddim beulan, fel ydach chi'n gwbod."

"A be ddeudodd o wrthat ti?"

Mae Adi yn edrych ar Elin ac wedyn ar John cyn dweud yn bwyllog,

"Ddeudodd o ddim byd, 'chi. Dim ond rhoi clamp o winc. Roedd o wedi cael tropyn."

Mae Elin yn cofio am yr arian roddodd hi eu benthyg i Lydia Catrin, er dydi'n sôn dim amdanyn nhw. Ond bydd yn mynd at Twm amdanynt, does dim byd sy'n saffach.

Ar ôl i Adi fynd maen nhw'n gorffen marcio'r rhesi mewn tawelwch. A rhyngddynt, yn eu cael yn berffaith union.

Cael a chael ydi i Elin gofio ei bod wedi addo helpu gyda'r te yn y gymanfa bregethu y pnawn Sadwrn hwnnw! Bydd chwe phregeth i'r saint heddiw a phobol o bell ac agos yn tyrru yno: dwy bregeth gan bregethwrs ifanc yn y bore, dwy gan weinidogion lleol yn y pnawn a dau o'r enwau mawr yn oedfa'r nos. Anfonwyd galwad ar i Annibynwragedd y cylch ddod i borthi'r tyrfaoedd ac addawodd Elin helpu fisoedd yn ôl. Ar ôl dod i'r tŷ, mae'n ras arni i ymolchi, gwneud ei hun yn barod a lapio'r ddwy dorth frith. Mae John yn torri brechdan iddi a thywallt glasiad o laeth enwyn ac mae'n eu bwyta ar ei thraed cyn cychwyn.

"Cofia di ddŵad â chrempog i mi." Ac mae'n sychu'r mwstásh llaeth enwyn oddi ar ei gwefus uchaf efo'i fys.

"Os wyt ti eisio crempog, mi fasa'n well i ti ddŵad efo fi." Ysgwyd ei ben mae o.

"Gormod o dda dwi'n galw cymanfa bregethu. Yn enwedig ar bnawn mor braf."

Erbyn hyn mae hi'n dal ei het yn ei lle ag un llaw ac yn siarad a'r bìn het yn ei cheg, gan wthio'i gwallt o'r golwg. "Sut cafodd Twm y fath arian, John?"

"Does neb ond fo ŵyr hynny. Mae hi fel rhyw stori dylwyth teg. Dyn tlawd yn taro ar ffortiwn."

"Ac yn dŵad o farw'n fyw."

"Be sy'n fy rhyfeddu fi fwya ydi iddo fo ddŵad adra o gwbwl. Ei gleuo hi i berfadd Mericia fasa'r rhan fwya wedi'i neud, ac ailgychwyn yn fanno."

"Adi oedd y dynfa, ynde." Mae hi'n dod i sefyll o'i flaen. "Barod."

Ac mae John yn ei dal hi yn dynn, am ryw funud bach. A'i chynhesrwydd yn llifo drosto.

Ar ddydd Sadwrn fel heddiw, mae'r dynion yn cael gorffen yn gynt ac mae pawb ond Ifan Jones wedi mynd o'r llofft, a'r tân yn darfod. Ddaeth John ddim yma i chwilio am swydd o waith, ond i fynd i rywle o'r tŷ nes y daw Elin yn ei hôl adra. Mae yna wennol wedi hedfan i mewn drwy'r drysau mawr: dacw hi'n clwydo ar y trawstiau'n canu ei phrotest cyn codi hediad a gwibio o un pen i'r llofft hwyliau i'r llall yn chwilio am ddihangfa. Bu yno ers oriau, ac mae hi'n dechrau blino.

"Dwi'n mynd adra am ginio," meddai Ifan Jones. "Mi ddo i yn f'ôl i fynd drwy'r ordors at wsnos nesa a chloi. Adawa i'r drws yma'n agorad iddi?"

"Ia, fydda i ddim yn hir. Mi sguba i ar ôl gorffan."

Ar ôl cael y lle iddo fo'i hun, a'r wennol, mae John yn estyn tamaid o gortyn i fesur o ben ei ysgwydd hyd o dan ei ben-glin. Mesur, ac i fod yn saff, mesur wedyn. Ar y silff cytings, mae digonedd o dameidiau calico sbâr, ac mae o'n dethol sgwaryn o ddeunydd hwyl dywydd teg, ysgafn fydd yn rhoi gyda symudiad ei gorff cyn mynd draw at y bwrdd mawr i dorri.

Wrth iddo setlo'i hun ar y fainc wedyn i bwytho, mae'n gwybod mai dyma'r tro olaf y bydd yn dŵad yma. Dros yr wythnosau diwetha mae'r hen weithdy hwyliau wedi bod yn seintwar, ac fel bae cysgodol Henborth ei hun wedi cynnig cysgod o'r storm. Dim ond ar ôl dechrau dŵad yma, i ystafell debyg iawn i'r un lle treuliodd bum mlynedd o brentisiaeth nes fod gwnïo hwyl yn beth mor rhwydd iddo ag oedd crasu torth i'w dad, y teimlodd yn ddigon diogel i fedru gweld beth oedd wedi digwydd iddo. Daeth awel o rywle ac agor ffenestri'r cof – awel o gyfeiriad newydd i chwythu'r bawiach oedd yn tagu'r sêl.

A bron nad ydi o'n gwybod y bydd darlun arall yn dod – y darlun ola. Eistedda'n dawel ac aros yn amyneddgar iddo ymffurfio.

Mae o yng nghaban y capten ar fwrdd y *Cambrian Queen*. Ar y bwrdd mahogani o'i flaen mae'r *medical cabinet* yn agored. Aeth i siop drygist y bore hwnnw ac ail-lenwi'r poteli i gyd: *bicarb of potash* a *nitrate of potash* at anhwylderau treuliad, camffor i glirio'r stumog, Dover's Powder at boen, olew castor at rwymedd, *witch hazel* i drin clwyfau, eli lanolin at losgiadau a phils-at-bob-dim. Bydd yn rhaid i'r stoc bara blwyddyn nes byddant yn docio yn Lerpwl yn ôl. Mae ganddo restr daclus o'r cynnwys i gyd a faint o fesur sydd ganddo o bopeth.

Mwya sydyn, aiff ei ben i lawr ar y bwrdd. Odano mae'r llong yn siglo a choed yr howld yn cwyno dan eu llwyth. Uwchben mae'r blociau'n gwichian yn y gwynt. Allan ar y bwrdd mae'r dynion i'w clywed yn siarad ymysg ei gilydd, ac yn cicio'u sodlau. Mae'n hwyr glas iddyn nhw godi hwyl. I lawr afon Hudson, mae hwter un o'r stimeri mawr yn rhuo drwy'r nos.

Daw cnoc ar y drws.

"Captan?"

Fedr o ddim codi ei ben oddi ar y bwrdd.

"Captan?" Llais Jòs Pugh, a'i law ar fwlyn y drws. "Mae gen i rywun yma efo fi, Captan, am gael gair efo chi."

"John, fachgan?"

Dydi o ddim yn adnabod sŵn y droed, na'r llais chwaith. Ond wedyn, dim ond unwaith o'r blaen y'i clywodd o.

Aiff Jòs Pugh allan a chau'r drws ond mi ŵyr John ei fod yn dal yna, yn sefyll tu allan, oherwydd yr arfer sydd ganddo fo o daro un droed yn y llawr i rythm dawns fud. Cadw gwyliadwriaeth mae o – cadw 'watch' rhag ofn.

"Maurice Robaits sydd 'ma, Tan y Graig, Boduan gynt. Sut wyt ti, 'ngwas i?"

Mae'r llais caredig a'r acen gartrefol yn dod â dagrau. Mor rhyfedd yma – o hirbell – ydi ei wylio ei hun yn wylo. O'i boced daw hances boced fawr goch a adawodd Elin iddo. Eistedda Maurice ar y gadair gyferbyn a'i thynnu'n nes ato, rhoi pwysau ei fraich amdano.

"Roedd Elin wedi deud wrtha i ar sgwrs dros de ddydd Sul bythefnos yn ôl nad oeddat ti ddim wedi bod yn dda, ac mai dyna pam y daeth hi allan 'ma, a'i bod yn poeni amdanat ti a'r fath siwrna o dy flaen. Digwydd dŵad i lawr yma oeddwn i'r hwyr 'ma, i weld cleient yn un o'r offisys yn y docia 'ma, a sylwi bod y *Queen* yn dal yma. Mi ges i bàs drosodd. Aeth Elin yn iawn?"

"Do, ers tridia bellach." Gwêl John ei hun yn codi ei ben ac yn edrych i fyw llygaid y gŵr ffeind yma. "Mi roeddwn i mor dda tra oedd hi yma, yn well na fi fy hun, bron."

"Dyna'r effaith mae merched yn ei gael arnon ni!" A chwerthin.

"A dwi'n methu madda i mi fy hun am adael iddi fynd . . ."

"Ond dyna oedd y trefniant, ynde." Un rhesymol ydi'r cyfreithiwr. "Roedd ganddi hi *booking* a'i lle wedi'i gadw."

"Mae pawb yn fy ngadael i . . . Elin . . ." Mae John yn ei weld ei hun yn ceisio hel geiriau i fynd ymlaen a'i lais yn torri . . . "A Hugh . . . 'nghapten a 'nghyfaill . . ."

"Gwaeledd ar y môr, John." Mae Maurice Roberts yn sylwi ar y *medical cabinet* agored ar y bwrdd. "Does yna ddim byd y gallet ti fod wedi'i neud. A doedd dim bai arnat ti."

"Dybad."

"Paid â thormentio dy hun, was. Rhaid i ti drio ymwroli rŵan. Fyddi di ddim dy hun, sti."

"Choelia i monoch chi."

"Yn yr ysbryd –"

"Na, mi fydda i fy hun, fel y mae bob captan ei hun, ond y rheini sy'n mynd â'u gwragedd efo nhw. Mi fydda i'n unig yng nghanol fy nghriw. Peth fel'na ydi gwaith captan."

"Mi ro i air drostat ti yn fy ngweddi bob nos yn ddi-ffael. Ac mi fyddi di ym meddwl Elin ddydd a nos nes i ti gyrraedd adra'n ôl. Mi rwyt ti'n gwybod hynny."

Ac mae John yn rhoi'r gorau i siarad, yn amneidio.

"Roeddan nhw wedi gaddo *third mate* i mi . . . y cwmni. Petaen ni'n cael hwnnw . . ."

"Rwyt ti yma ers ymhell dros fis, John. Mi fasa wedi

cyrraedd bellach. Mae'n rhaid fod y cwmni'n credu dy fod yn ddigon tebol hebddo. Ac mi rwyt ti."

Y tro yma, dydi John ddim yn gwrthwynebu, ond yn agored i'r geiriau calonogol.

"Ymlaen rŵan, John. Dwyt ti ddim haws â gogor-droi yn fan'ma. Mynd faswn i yn dy le di, codi hwyl bora fory nesa, mi gewch chi dywydd teg i gychwyn."

Sylla John ar Maurice Roberts, y cyfreithiwr trwsiadus o'i flaen, gyda'i ffroc côt, a'i locsyn twt, a'i ddwylo gwyn – mor annhebyg i longwr ag y gallai creadur fod. Mae o'n codi ar ei draed rŵan, a fydd o ddim yn loetran. Mae'r cychwr yn aros amdano.

"Rwyt ti'n ddyn môr rhagorol, John, a dyna pam rwyt ti wedi cael dy godi'n gaptan. Dal di d'afael yn hynny. Bob hwyl i ti, 'ngwas i."

Ac mae John yntau'n codi ar ei draed. Ac yn ysgwyd llaw ag o.

Erbyn iddo gau a chloi mae'r llanw wedi troi, ac mi allai o fod wedi cerdded ar hyd y traeth am y Bwlch heb wlychu blaen troed. Ond troi a brasgamu ar hyd ben 'rallt i gyfeiriad fferm Porthdinllaen mae o. Odano mae'r môr yn torri'n siwrwd gwyn ar y creigiau, a'r morloi yn gorfeddian ar y mymryn tywod sy'n wynebu'r Iwerydd gan deimlo gwres yr haul ar eu boliau. Uwch ei ben mae'r ehedydd yn canu mewn cylch a'r awyr yn fflodiart o oleuni. Ar ôl cyrraedd pen y golwg, aiff tua Chae Bryn Marchog ac ar ei union i lawr am bentre Edern. Mae'n rhy fuan i fynd adra, bydd Elin yn y capel am oriau eto; mi aiff yn ei flaen drwy'r groesffordd ac am Dudweiliog a'i rowndio hi drwy Dinas. Wrth iddo ddygnu mynd ar hyd y lôn lychlyd gan gicio ambell garreg o'i lwybr, mae'r darnau a fu ar ongl mor chwithig tu mewn iddo – yn ei fygu a'i boenydio a'i frathu – yn dechrau disgyn fel plu i'w lle. Dros y deunaw mis a aeth heibio bu'n edrych yn hŷn, ac wedyn yn iau, yn rhywle bob ochor iddo fo'i hun, ond o'r diwedd mae o yno; y mae wedi cyrraedd yn ôl ato'i hun, fel dau fys cloc yn cyfarfod. Erbyn iddo gyrraedd troad Rhoslan mae ei gam yn frasach a'i ben yn uwch.

Prin y mae John wedi rhoi ei law ar glicied drws y cefn nad ydi Elin yn ei agor o, yn edrych i fyw ei lygaid, a'r olwg yn ei llygaid hi'n dweud llawer mwy wrtho na'r geiriau sy'n dod o'i cheg. "John, lle buost ti, mae gynnon ni ffrindiau wedi dod i'n gweld." Agora fymryn ar y drws iddo gael rhoi ei ben i mewn, ac amneidio at y gadair wrth y *range* – ei gadair o. "Mi fyddi di'n cofio John Glyn Davies, yr asiant." Ac mae yna glint bach yn ei llygaid hi, bron na fasai John yn dweud golwg ddrygionus. "Tyrd i'r tŷ." Ac mae'n ei dynnu i mewn ac yn sefyll tu ôl iddo i'w gyflwyno eto i'r gŵr ifanc pen moel a glas y môr yn ei lygaid, nes ei bod hi o'r golwg bron tu ôl i'w gŵr, fel petaen nhw wedi mynd yn un. "Mr Davies, dyma Capten John Jones."

"Capten Jones, pleser o'r mwyaf, yn siŵr."

Ac mae Glyn Davies ar ei draed, yn syth fel powltan, ac yn bowio wedyn nes ei fod yn ei hanner. "Late of Thomas Williams & Co., Water Street, Liverpool."

"Yma ar ran y cwmni ydach chi? Oes gennych chi ryw genadwri i mi?"

"Nage yn wir, a nac oes yn wir. Digwyddiad ffortunus ydi fy mod i yma, mewn gwirionedd, er fy mod wedi bwriadu galw i weld sut roeddech chi eich dau y tro nesa y byddwn i yn Edern. A chan na fydda i'n fisitio eto am beth amser os o gwbwl yn wir, diolch am y cyfle, yntê."

Daw Elin i'r golwg o'r tu ôl i John sy'n edrych yn ddigon dryslyd, yn methu gwneud pen na chynffon o sgwrs y gŵr ifanc.

"Mae Tomi Llwyngwalch am fynd â nhw i'r dre, John,

i ddal y trên hanner awr wedi saith." Ac edrycha Elin i gyfeiriad cloc y gegin. "Rydan ni'n aros amdanat ti ers meitin."

"Nhw?" Ac mae John yn edrych o'i gwmpas.

Pwyntia Elin i gyfeiriad drws y parlwr gan wenu a nodio.

"Mae Mrs Jane Williams, Siân i ti a fi, John, gweddw Hugh, Capten Hugh Williams, yma efo Mr Davies . . ."

"Roedden ni'n digwydd cyd-deithio y bore 'ma ar y stemar o'r Felinheli, Mrs Williams i'r gymanfa bregethu a finna am *few days* o *holiday*, a tharo sgwrs, wyddoch chi, fel y mae rhywun. Fi gynigiodd esgortio Mrs Williams yma. Roedd yn ffitio fy mhlania fi, roeddech chi ar fy *itinerary* inna, ac felly, dyma ni!"

"Mae arni hi eisio dy weld di, John. A chael gair efo chdi."

Daw golwg o fraw i wyneb John, ac mae i'w weld yn llwydo. Chwilia am law Elin, ac mae hi yno'n gynnes a chadarn. Rhaid fod y wraig weddw yn y parlwr wedi clywed eu lleisiau achos mae'r drws yn agor a dyna lle mae hi, yn ei chêp a'i het ddu, yn edrych arno fel petai hi wedi croesi cyfandir i'w weld.

"John, rhaid i chi fadda i mi am fod mor hir yn dod yma i edrych amdanoch chi. . ."

"Hir? Bobol bach, rhaid i chi ddim, neno'r tad. Dim yntôl. Mi sgwennoch chi . . ."

"Do, ac mi faswn wedi dod i'ch gweld cyn hyn, ond prin ydw i wedi codi allan ers deunaw mis. Ond wedyn mi glywes i – nid 'i fod o'n destun siarad, cofiwch – gan fab fy mrawd sy ar y môr eich bod chi wedi bod yn cwyno. A chan fod rhai o 'nghyd-aeloda wedi trefnu i ddod i Soar heddiw i wrando ar Michael D. Jones, roedd yn rhaid i mi gael dod i'ch gweld chi. John, mae arna i waith diolch i chi."

"Diolch? I mi?"

"Roeddwn i'n nabod Hugh ers pan oeddan ni'n blant yn y Felin 'cw. Roeddan ni'n gariadon yn ddeunaw oed. Ac mi wn i pa mor benderfynol oedd o, pa mor bengalad. Mi fedra i ddychmygu sut bu hi arnoch chi."

Cama Elin a Glyn Davies allan i'r ardd, a gadael iddyn nhw.

"Ddeudoch chi, Mr Davies, nad ydach chi efo Thomas Williams & Co. rŵan, neu'r cwmni newydd felly?" Dweud y peth cyntaf ddaw i'w phen mae Elin, i gychwyn sgwrs.

"Nac ydw, rydw i yn *employ* Henry Tate & Sons, pobol y siwgr. *General Average Expert* ydi'r *job title*. Ond pasio'r amser ydw i yno, wyddoch chi, mae 'nhraed i'n cosi'n arw ac mi rydw i wedi gweld job sy'n mynd â fy mryd i, efo Gold-mining Co, yn New Zealand."

"I gloddio aur, ochor arall y byd! Grasusa!"

"Gweithio ar berswadio fy annwyl fam i adael i mi fynd yr ydw i. Er bod ganddi bedwar mab, mae hi'n dal ei gafael fel gelen ynom i gyd." A chwerthin iach.

"A ddowch chi yn ôl? O New Zealand?"

"Wel, dydw i ddim wedi cychwyn yno eto! Ond dof, ryw bryd, mae'n siŵr, adra i Gymru'n ôl mae pawb eisio dod, ynde."

Mae Elin yn edrych arno fo'n iawn, yn mesur ei hyd a'i led cyn gofyn,

"Wnewch chi gymwynas i mi, Mr Davies, pan ewch chi yno?"

Edrycha Glyn Davies yn syn ar wraig y capten. Pa gymwynas allai hi fod? "Debyg iawn."

"Os dowch chi ar draws Kate Sheppard, genedigol o'ch rhan chi o'r byd, o ochra Lerpwl, sy'n gweithio yno i roi'r bleidlais i ferched – dwn i ddim yn union ble mae hi'n byw, ond yn un o'r dinasoedd yna, Auckland neu Wellington – a wnewch chi ddweud wrthi fod Mrs Elin Jones a Miss Adi Parry o Forfa Nefyn yn anfon eu cyfarchion a'u dymuniadau da iddi yn ei hymgyrch?"

"*Certainly*, Mrs Jones." Ac mae'n plygu ei ben mewn rhyw fow bach iddi a dyna pryd, yn y mosiwn yna sy'n dwyn i gof ei gyfarfod ola â'r wraig hon, y daw'r cof iddo. "O, a bu bron iawn i mi anghofio, ac mi faswn i wedi mynd am y Felin heb roi y presant i chi, y peth roeddwn i wedi ei addo i chi, *by way of apology* ar ôl y bore trychinebus yna yn y Sailors' Home. Un funud, Mrs Jones. Dim ond picio i'r gegin, un eiliad . . ."

A thra mae Elin yn edrych o'i chwmpas, ac yn meddwl am y dynion a fu gyda hi yn yr ardd hon dros y ddwy flynedd ddiwethaf, yn troi'r tir a siarad a dal pen rheswm a charu – Sam Richards, ei thad, John Glyn Davies a John – y mae'r dyn bach wedi bod i mewn ac yn ei ôl ac yn sefyll yn sgwâr o'i blaen. Ac yn estyn clamp o *chocolate box* iddi.

"Doedd dim eisio, tad mawr. Ddaethoch chi 'rioed â hwn o Lerpwl?"

"Naddo." Mae o'n giglan. "Dwi ddim yn gapelwr bellach, mi fûm i'n siopa tra oedd Mrs Williams yn gwrando'r Gair. Na wir, na, rydw i'n mynnu. Rhaid i chi ei gymryd o. *A token of my admiration*, Mrs Jones. *Treat* i chi a'r capten."

Ar ôl iddyn nhw fynd, mae Elin yn nôl y badell ffrio ac yn estyn y gymysgedd sydd wedi bod yn sefyll ar y sìl ffenest. Daw oglau ffrio melys i gwfwr John wrth iddo droi am y cefn. Toc daw yn ei ôl i'r tŷ gan chwifio rhywbeth gwyn yn ei law, ac am funud, fedr hi ddim clandro be sydd ganddo fo.

"Brat," esbonia gan ei agor allan a mynd ati i'w osod o'i flaen. "Wele, feistres, os cymerwch chi fi, eich gwas am dymor yr haf. Profiad helaeth o olchi llestri, plicio tatws a thannu dillad o bob lliw a llun. Boregodwr a gwneuthurwr te rhagorol."

Mae Elin yn troi oddi wrth y badell i edrych arno yn sefyll o'i blaen yn ei frat, mor debyg i'w dad, y becar. Ac eto'n wahanol. Ac mor annhebyg i'r gŵr trwm yr aeth hi i'w nôl i offis Thomas Williams yn Lerpwl flwyddyn gwta ynghynt. Eto, yn debycach iddo fo'i hun nag y bu ers hir amser.

Fedr hi ddim peidio gwenu.

"A be am y môr?"

"O, mi fydd y môr yn dal yna ddiwadd yr haf, ac mi a' i cyn Glangaea."

"A be am y cowntia?"

"Mi ddôn i drefn, efo'r llythyra 'na doist ti o hyd iddyn nhw. A help y twrna. Lerpwl amdani wythnos nesa. Tyd efo mi, i gael trefn cyn i gwmni Thomas Williams gau'r llyfra ac i Robert Thomas gymryd drosodd. Ac aros mewn hotel y tro yma."

"Ia, pam lai? Ac mi wisga i'r siwt lwyd efo'r *shirtwaist*."

"Ac mi gei di het newydd. Ac mi wisga inna fy siwt briodas. A fasa fo ddim yn gyfla da, dywad, i ni gael mynd i stiwdio i gael tynnu *photograph*?"

"Mi fasa."

"Reit, erbyn y bydd y crempoga yna'n barod mi fydda i wedi bod i fyny yn yr atig yn nôl y ciarpat bag yn barod i ni fynd."

Mae o'n cychwyn yn fras am y grisiau, ac wrth iddo'u cymryd ddau ar y tro, daw Elin i'r lobi a galw arno, ond does dim angen gweiddi.

"A tra wyt ti i fyny yna, John, tyrd â'r crud i lawr."

Epilog

Cynhaliwyd achos John Jones ar Orffennaf y chweched 1895 yn y Sailors' Home yn Lerpwl. Ar ôl archwilio'r capten barnodd y meddyg, Dr Spooner, ei fod mewn iechyd da, ac yn sgil derbyn tystiolaeth ychwanegol i gadarnhau hynny (gan ei feddyg ei hun, mae'n debyg) cafodd ei docyn meistr yn ôl. Yn ôl i'r môr yr aeth John Jones gan hwylio fel mêt am gyfnod o dros ddeunaw mlynedd. Roedd yn barod i ymddeol yn 1913 pan ofynnodd cyfaill iddo, gŵr o Sir Fôn, a âi ar daith yn ei le fel mêt ar yr *Elizabeth Roberts* (llong a adeiladwyd ym mhorthladd Amlwch) am fod ei wraig yn wael. Cytunodd. Cychwynnodd y llong o Lanelli ar Ebrill y nawfed gyda llwyth o lo i Oporto yn Sbaen. Criw o chwech oedd arni, Cymry i gyd, ond ni chyrhaeddodd erioed ben ei thaith. Ni fu unrhyw adroddiadau am dywydd mawr ar y pryd yn ardal Bae Biscay, a'r gred ymhlith y teulu oedd i'r *Elizabeth Roberts* suddo ar ôl taro un o'r *mines* y credir bod llynges yr Almaenwyr wedi eu gollwng yn y môr cyn dechrau'r Rhyfel Byd Cyntaf.

Ganed tri mab i John Jones ac Elin, Thomas John (1896), William (1897) a Griffith Roberts Jones (1900). Fy nhaid ar ochor fy nhad oedd y canol ohonynt. Ffermio fu o ar hyd ei oes ym Mhentre Uchaf, Llŷn. Sefydlodd y brawd hynaf, Thomas John, fusnes cigydd yn Edern ac ymunodd yr ieuengaf, Griffith, gydag o ar ôl bod ar y môr am gyfnod.

Gyda'r arian iawndal a dderbyniodd ar ôl colli ei gŵr prynodd Elin Jones fuwch ddu Gymreig iddi hi ei hun, a beic bob un i'w meibion.

Ôl-epilog

A beth a ddaeth o'r pum can punt?

A wnaeth John eu talu i mewn i'r Bank of the Philippine Islands lle maen nhw'n dal i fagu llog?

A gawson nhw eu gadael yn y piano yng nghaban y capten ar y *Cambrian Queen*?

Oes siawns y cuddiodd John nhw yn y lle bach snêc hwnnw ar y llong lle byddai hogiau Nefyn yn arfer cuddio baco i'w gadw'n sych ac yn saff?

Ac os felly, a ddaeth rhywun o hyd iddyn nhw?

Neu a gawson nhw eu hanfon i swyddfa Thomas Williams & Co. yn Water Street, Lerpwl i ganlyn y llythyrau a ysgrifennodd Capten John Jones yn ystod mordaith 1893–94? A'u taflu ar domen pan werthwyd y cwmni?

Mae'r ateb yn cuddio yn rhywle rhwng blaen ton a sgôl o wynt, ac weithiau byddaf yn credu'n siŵr fy mod yn ei weld. Ond yna tynnir fy sylw gan rywbeth tebyg i hwyl fochiog ar y gorwel, a phan drof yn ôl, y mae wedi diflannu.

Capten John Jones,
ei wraig Elin a'u meibion (o'r chwith),
William, Griffith a Thomas John

Diolchiadau

Mae fy niolch pennaf i'm modryb, Anti Nellie. Hi a fu'n olrhain hanes teulu'r Ffridd gan rannu popeth yn llawagored gyda mi. Yn atig ei chartref hi, Brynafon, y cadwyd yr holl lythyrau a'r papurau cysylltiedig â helynt y *Cambrian Queen* hefyd a fu'n ffynhonnell ymchwil mor werthfawr wrth fynd ati i ysgrifennu *Capten*. Llawn mor werthfawr a difyr bob amser oedd y sgyrsiau aml a gawson ni dros y blynyddoedd am deulu'r Ffridd, am ei nain hi a'i chwiorydd, a'r disgynyddion i gyd. Yn wir, mi gefais i fy nhrwytho. Lawer gwaith y buom yn dychmygu paratoadau ei nain Elin Jones wrth gychwyn ar y daith hir i Efrog Newydd. Sut yr aeth hi i Lerpwl? Ym mha ddefnydd y lapiodd hi ei phecyn bwyd? Sut y teimlai hi'r noson cyn iddi gychwyn o Lan Deufor ar ei thaith bell? Diolch o galon i chi, Anti Nellie, am yr ysbrydoliaeth a'r croeso bob amser ar eich aelwyd.

Ddiwedd 2011, cefais swydd Rheolwr Datblygu Amgueddfa Forwrol Llŷn gan fy nychmygu fy hun yn gwneud y swydd 'ran-amser' honno ac ysgrifennu nofel ar yr un pryd. Erbyn i mi adael yng ngwanwyn 2019 doeddwn i wedi ysgrifennu'r un gair, ar wahân i lenwi pentwr o lyfrau nodiadau efo gwybodaeth a syniadau. Ond mi ddysgais i gymaint yn ystod fy nghyfnod prysur a hapus gyda'r Amgueddfa, ac mae fy niolch yn gynnes iawn i'r holl griw yno. Diolch arbennig i Elinor Ellis a Gwerfyl Gregory am bopeth ddysgon nhw i mi am yr hen gymdeithas forwrol, weithiau'n fwriadol ond yn aml iawn yn anuniongyrchol.

Unwaith y dechreuais i ysgrifennu'r nofel, daeth yn amlwg fod yna fylchau yn fy ngwybodaeth forwrol, bylchau na allai llyfrau ffeithiol eu llenwi yn aml iawn.

Diolch i'r Athro David Jenkins am ei gyngor a'r rhestr ddarllen a helpodd i roi gwynt yn fy hwyliau. Diolch i Meic Massarelli am wybodaeth am ei gyfnod yn hwylio i Manilla, a llawer o bytiau difyr eraill. Diolch i Robert Dafydd Cadwaladr am y croeso i Amgueddfa'r Môr Porthmadog, ac am sawl sgwrs ddifyr ac addysgiadol dros y blynyddoedd. Diolch i Capten Llŷr Williams am gymorth i ddeall a defnyddio rhaglen gyfrifiadurol i ganfod hydred a lledred, ac am ei frwdfrydedd o blaid y nofel. Diolch i Mr R. Arvon Roberts Pwllheli am wybodaeth am Mr Maurice Roberts Tan y Graig, Boduan a gefais o erthygl yn *Llanw Llŷn*. Diolch yn fawr i Mr Gwyndaf Hughes, Pwllheli am ddarllen y llythyrau a ysgrifennodd John Jones yn ystod ei fordaith ar y *Cambrian Queen*. A diolch i Gwyn Jones, Efailnewydd, am yr wybodaeth am ynnau, a sut i'w glanhau!

Yn ystod y cyfnod pan oeddwn i'n ceisio hel nerth i ysgrifennu *Capten*, ymunais â grŵp ysgrifennu yn Nhŷ Newydd, Llanystumdwy. Byddem yn cyfarfod unwaith y mis ar bnawniau Mawrth i sgwrsio, darllen ein gwaith, yfed te a bwyta cacennau! Bu'r grŵp bach yma yn gefn mawr i mi, gan fy helpu i deimlo fy mod i o ddifri am ysgrifennu, 'mod i yn gallu ysgrifennu, a'i bod yn werth dyfalbarhau. Diolch mawr iddyn nhw am eu cyfeillgarwch a'u hanogaeth.

Cefais wybodaeth ddefnyddiol gan sawl un o'm ffrindiau; diolch i Marian Lloyd Evans a John Dilwyn Williams am wybodaeth leol ddefnyddiol. Diolch i Margaret Hughes am gael benthyg ei chlust! Yr unig rai a ddarllenodd y nofel cyn i mi ei chyflwyno i'r gystadleuaeth oedd fy chwaer Gwyneth ac Anti Nellie, a hoffwn ddiolch i'r ddwy am eu sylwadau caredig ac adeiladol; diolch am yr awgrymiadau a'r cywiriadau.

Yn olaf, diolch yn fawr i'm cydweithwraig wych Marred Glynn Jones am fod mor gefnogol unwaith y cafodd wybod

bod y nofel wedi ennill, am ei brwdfrydedd wrth ei llywio trwy'r wasg, ac am ei hwyl a'i geiriau hael. Llawer iawn o ddiolch i Huw M. Edwards, Cyngor Llyfrau Cymru am waith golygu deallus ac ystyriol, ac i Dylan Williams ac Olwen Fowler am eu gwaith graenus ar y cysodi a'r clawr.

I gloi, rhaid i mi gael diolch i'r teulu – i'r genod a fu'n gefnogol gan wrando'n amyneddgar drwy'r holl sgyrsiau unochrog am y nofel yma dros gyfnod maith. Diolch i chi'ch tair am gadw'r ffydd! Diolch i Math am yrru'r gyfrol *Cymru a'r Môr* i mi yn anrheg ysbrydoledig. Ac yn olaf ond yn sicr nid yn lleiaf, diolch i Geraint. Diolch am ddod efo fi i'r holl amgueddfeydd ac ati, ac i weld llongau hwyliau mawr dros gyfnod o ddeng mlynedd. Diolch am gario paneidiau o de a choffi i mi ac am agor poteli gwin a seidr o bryd i'w gilydd yn ôl yr angen. A diolch yn fwy na dim am beidio gwarafun yr holl amser dreuliais i yn y stydi o'r golwg yn ysgrifennu hon, ac yn mwydro am longau a morwyr.